OBRIGADO PELO FEEDBACK

DOUGLAS STONE E SHEILA HEEN

Obrigado pelo feedback

A ciência e a arte de receber bem o retorno de chefes, colegas, familiares e amigos

TRADUÇÃO
Renata Guerra

6ª reimpressão

Copyright © 2014 by Douglas Stone e Sheila Heen
Venda proibida em Portugal.

A Portfolio-Penguin é uma divisão da Editora Schwarcz S.A.

PORTFOLIO and the pictorial representation of the javelin thrower are trademarks
of Penguin Group (USA) Inc. and are used under license. PENGUIN is a trademark
of Penguin Books Limited and is used under license.

*Grafia atualizada segundo o Acordo Ortográfico da Língua Portuguesa de 1990,
que entrou em vigor no Brasil em 2009.*

TÍTULO ORIGINAL Thanks for the Feedback: The Science and Art of Receiving
Feedback Well (even When It Is Off Base, Unfair, Poorly Delivered, and, Frankly,
You're Not in the Mood)
CAPA Mateus Valadares
PROJETO GRÁFICO Tamires Cordeiro
IMAGEM DE MIOLO Reproduzida com a permissão de Norman Rockwell
Family Agency. Copyright © 1960 by Norman Rockwell Family Entities
PREPARAÇÃO Andressa Bezerra Corrêa
REVISÃO Angela das Neves e Luciane Gomide Varela

Dados Internacionais de Catalogação na Publicação (CIP)
(Câmara Brasileira do Livro, SP, Brasil)

Stone, Douglas
   Obrigado pelo feedback : a ciência e a arte de
receber bem o retorno de chefes, colegas, familiares e
amigos / Douglas Stone e Sheila Heen ; tradução Renata
Guerra. — 1ª ed. — São Paulo : Portfolio-Penguin, 2016.

   Título original: Thanks for the Feedback : The
Science and Art of Receiving Feedback Well.
   ISBN 978-85-8285-026-8

   1. Comunicação   2. Comunicação interpessoal
3. Feedback (Psicologia)   4. Relações interpessoais
I. Heen, Sheila. II. Título.

15-10891   CDD-153.6

Índice para catálogo sistemático:
1. Feedback : Comunicação interpessoal : Psicologia
aplicada 153.6

Todos os direitos desta edição reservados à
EDITORA SCHWARCZ S.A.
Rua Bandeira Paulista, 702, cj. 32
04532-002 — São Paulo — SP
Telefone: (11) 3707-3500
www.portfolio-penguin.com.br
atendimentoaoleitor@portfolio-penguin.com.br

Para Anne e Don Stone, os melhores pais do mundo. Vocês me ensinaram tudo o que realmente importa.

DS

Para John, Benjamin, Peter e Adelaide, por me aceitarem apesar das minhas falhas e até mesmo (às vezes) por causa delas.

SH

SUMÁRIO

INTRODUÇÃO
Da pressão ao impulso 9

PRIMEIRA PARTE
O DESAFIO DO FEEDBACK

1. Três gatilhos
O que bloqueia o feedback 25

SEGUNDA PARTE
GATILHOS DE VERDADE: A DIFICULDADE DE *VER*

2. Separe reconhecimento, orientação e avaliação 45

3. Entenda antes de mais nada
Troque o "Isso está errado" por "Explique melhor" 67

4. Enxergue seus pontos cegos
Descubra como você é visto 105

TERCEIRA PARTE
GATILHOS DE RELACIONAMENTO: O DESAFIO DO *NÓS*

5. Não entre pelo desvio
   Separe o que *de* quem 137

6. Identifique o sistema de relacionamento
   Dê três passos atrás 163

QUARTA PARTE
GATILHOS DE IDENTIDADE: O DESAFIO DO *EU*

7. Saiba como seu circuito e seu temperamento afetam sua
   história 193

8. Desfaça as distorções
   Veja o feedback em "tamanho real" 217

9. Cultive uma identidade de crescimento
   Classifique como orientação 241

QUINTA PARTE
FEEDBACK NA CONVERSA

10. Até que ponto tenho de ser bom?
    Ponha limites quando o bastante já é o bastante 273

11. Navegue pela conversa 297

12. Dê a partida
    Cinco modos de agir 331

13. Trabalhe em conjunto
    Feedback nas organizações 373

    Agradecimentos 399
    Notas sobre algumas organizações relevantes 407
    Notas 415
    Mapa de navegação 427

INTRODUÇÃO

Da pressão
ao impulso

Antes que você me diga como fazer melhor as coisas, antes que você exponha seus grandes planos para me transformar, me consertar e me aperfeiçoar, antes que me ensine como ficar para cima e como dar a volta por cima para ser brilhante e bem-sucedido, quero que saiba de uma coisa: já ouvi isso antes.

Já fui qualificado, comparado e classificado. Orientado, examinado e avaliado. Já fiquei em primeiro, já fiquei em último, já fiquei de fora. E tudo isso no jardim de infância.

Nadamos num oceano de feedback.

Todos os anos, só nos Estados Unidos, cada aluno em idade escolar recebe nota de cerca de trezentas tarefas, trabalhos e provas.[1] Milhões de crianças são testadas ao disputar uma vaga num time ou um papel numa peça.[2] Quase 2 milhões de adolescentes prestam provas para tentar entrar na universidade, enfrentando veredictos favoráveis ou não nesse processo.[3] Pelo menos 40 milhões de perfis são avaliados para possíveis namoros virtuais, e 71% desses candidatos acreditam que podem encontrar o amor à primeira vista.[4] E, depois disso, 250 mil casamentos são cancelados[5] e 877 mil cônjuges entram com pedido de divórcio.[6]

Mais feedback nos espera no trabalho. Doze milhões de pessoas perdem o emprego e inúmeras temem ser as próximas.[7] Mais de meio milhão de empreendedores abrirá as portas pela primeira vez, e quase 600 mil as fecham para sempre.[8] Milhares de outros negócios lutam para se manter, ao passo que se multiplicam os debates em salas de reunião e auditórios sobre *por que* estão com dificuldades. O feedback voa.

Chegamos a mencionar análise de desempenho? Estimativas indicam que, em 2014, entre 50% e 90% dos empregados receberão análises de desempenho,[9] fazendo com que seus aumentos, gratificações, promoções — e frequentemente sua autoestima — subam. No mundo inteiro, 825 milhões de horas de trabalho — o equivalente a 94 mil anos — são gastas por ano na preparação e na aplicação de avaliações anuais.[10] No fim das contas, todos nós certamente nos sentimos mil anos mais velhos, mas será que isso nos faz mais sábios?

Margie foi avaliada como "correspondente às expectativas", que para ela soou mais como "Ué, você ainda trabalha aqui?".

O projeto de arte do seu aluno do segundo ano — "Mamãe está gritando" — foi muito comentado na reunião de pais do início do semestre.

Seu marido reclama das suas mesmas falhas de caráter há anos. Para você, isso não significa que seu cônjuge está te dando um feedback, e sim que ele não para de pegar no seu pé.

Rodrigo está lendo sua avaliação 360 graus. Repetidamente. Aquilo aparentemente não serve para nada, mas uma coisa mudou: ele agora se sente constrangido diante dos colegas de trabalho.

Obrigado pelo feedback trata do grande desafio que é ser o receptor do feedback — bom ou ruim, certo ou errado, indiferente, carinhoso ou insensível. Este livro não é uma ode ao aperfeiçoamento constante nem um discurso motivacional sobre como fazer amigos através dos nossos erros. É claro que aqui há, também, uma dose de incentivo, mas nossa meta principal é fazer um exame honesto sobre a *dificuldade* em receber feedback, além de proporcionar uma abordagem e algumas ferramentas para ajudar o leitor a encarar os desafios — mesmo quando a avaliação for maliciosa —, e usar isso para alimentar as ideias e o crescimento.

Em 1999, em conjunto com nosso amigo e colega Bruce Patton, publicamos *Conversas difíceis: Como argumentar sobre questões importantes*. Desde então, continuamos a lecionar na Faculdade de Direito de Harvard e a atender clientes de diversos continentes, culturas e atividades. Tivemos o privilégio de trabalhar com uma surpreendente variedade de pessoas: executivos, empreendedores, operadores de plataformas de petróleo, médicos, enfermeiros, professores, cientistas, engenheiros, líderes religiosos, oficiais de polícia, cineastas, advogados, jornalistas e socorristas. Até mesmo professores de dança e astronautas.

Eis uma coisa que notamos logo no começo: quando você pede às pessoas que façam uma lista de suas conversas mais difíceis, *sempre* aparece o feedback. Não importa quem sejam, onde estejam, o que façam ou por que tenham nos consultado: é quase consensual a opinião de que é difícil dar um feedback sincero, mesmo quando ele é extremamente necessário. As pessoas com quem conversamos mencionaram casos em que precisaram lidar com problemas de desempenho negligenciados durante anos. Quando enfim deram um feedback, quase nunca tiveram boa aceitação. O colega fica aborrecido, na defensiva, e acaba menos motivado ainda. Tendo em vista como é difícil reunir a coragem e a energia necessárias para tomar a iniciativa de dar o feedback, que não raro é acompanhado de resultados desanimadores, fica a pergunta: quem precisa disso?

Quando enfim alguém do grupo resolve falar, observa que *receber* feedback às vezes é tão difícil quanto emiti-lo, já que ele pode ser injusto, descabido, mal programado ou ainda mal direcionado.

Nesses casos, nem sequer fica clara a razão pela qual o interlocutor acredita que está qualificado a dar uma opinião — embora seja o chefe, mostra-se incapaz de entender o que fazemos ou as pressões que sofremos. Sentimo-nos, então, desvalorizados, desmotivados e um tanto quanto indignados. Quem precisa disso?

Interessante. Quando damos feedback, observamos que o receptor nem sempre o aceita muito bem; quando o recebemos, notamos que o emissor às vezes não transmite a mensagem de forma apropriada.

Isso nos leva a imaginar o seguinte: o que será que faz do feedback um enigma tanto para quem dá quanto para quem recebe? Para começar, ouvimos atentamente pessoas falando de seus dilemas, suas lutas e seus triunfos, e notamos que enfrentamos as mesmas dificuldades. Enquanto trabalhávamos para desenvolver novas formas de abordar o feedback, entendemos que o protagonista não é quem o dá, mas quem o recebe. E concluímos que isso pode transformar não só a maneira como tratamos o desempenho no trabalho, mas como aprendemos, lideramos e nos comportamos — tanto em nossa vida profissional quanto em nossa vida pessoal.

O que se entende por feedback?

Feedback é qualquer informação que você recebe sobre si mesmo. Em sentido mais amplo, é a maneira como passamos a nos conhecer através das nossas próprias experiências e das de outras pessoas — ou seja, a maneira como aprendemos com a vida. É o seu relatório anual de desempenho, o estudo de clima organizacional da empresa, o crítico gastronômico local resenhando o seu restaurante. Mas o feedback inclui também o brilho nos olhos de seu filho assim que ele encontra você na plateia ou o modo como sua amiga disfarçadamente se livra da blusa de lã que você tricotou para ela no instante em que você se distrai. É a renovação automática do contrato de prestação de serviços de um antigo cliente ou o sermão que você leva de um policial à beira da estrada. É o que seu joelho dolorido está tentando dizer a respeito do seu sedentarismo, e é também a mistura confusa de carinho e desdém que você recebe do seu filho de quinze anos.

O feedback, portanto, não é apenas uma avaliação: ele é um agradecimento, um comentário, um convite que se retribui ou se descarta. Pode ser formal ou informal, direto ou implícito, franco ou rebuscado, totalmente óbvio ou tão sutil que você nem tem certeza do que aquilo significa.

Como aquele comentário que seu cônjuge fez há um minuto: "Você não fica bem com essa calça". *Como assim "não fico bem com esta calça"?* Há alguma coisa errada com esta calça especificamente ou isso é uma referência passivo-agressiva ao fato de eu ter engordado? Ou é mais um comentário ácido sobre como estou fora de moda e não sei me vestir sozinho, mesmo sendo adulto? Você está querendo que eu me vista melhor para a festa ou é um jeito de me preparar para um futuro pedido de divórcio? (*E o que você quer dizer com "você está exagerando"?*)

Uma breve história do feedback

O termo *"feed-back"* — correspondente a "realimentação" em português — foi cunhado na década de 1860, durante a Revolução Industrial, para designar o modo como a produção de energia, a quantidade de movimento ou os sinais de saída retornam ao ponto de partida num sistema mecânico.[11] Em 1909, Karl Braun, ganhador do prêmio Nobel, usou a expressão para designar as conexões e os loops de um circuito eletrônico. Uma década depois, a nova palavra "feedback" estava sendo usada para nomear a recirculação do som (microfonia) num sistema de amplificação — aquele chiado lancinante que todos nós conhecemos dos auditórios escolares e das gravações de Jimi Hendrix.

Em dado momento, depois da Segunda Guerra Mundial, o termo começou a ser usado em relações de trabalho, no que tangia às pessoas e a seu desempenho profissional. Fazer a informação corretiva retornar até o ponto de origem — que seria você, o empregado —, e *voilà!* Aperte aqui, ajuste ali, e, como uma engenhoca maluca, você está pronto para dar o melhor de si.

Nos atuais locais de trabalho, o feedback desempenha um papel de extrema importância para desenvolver talentos, aumentar o moral, nivelar equipes, resolver problemas e melhorar os resultados. Ainda assim, 55% dos participantes de uma pesquisa recente disseram que sua análise de desempenho era injusta ou inexata,[12] e um em cada quatro empregados teme esse tipo de análise mais do que qualquer outra coisa em sua vida laboral.[13]

As notícias não são melhores no âmbito da gerência: só 28% dos profissionais de recursos humanos acreditam que seus gerentes estão preocupados com alguma coisa além de preencher formulários. Sessenta e três por cento dos executivos entrevistados dizem que sua principal dificuldade para uma gestão de desempenho eficaz é que seus gerentes não têm coragem ou capacidade para encarar os feedbacks mais trabalhosos.[14]

Alguma coisa não está dando certo. Mesmo assim, as organizações gastam bilhões todos os anos em treinamento de supervisores, gerentes e líderes sobre como *dar* feedback do modo mais eficiente. E quando o feedback encontra resistência ou é totalmente rejeitado, os que o emitem são incentivados a persistir. Eles são ensinados a *pressionar mais.*

Nós achamos que seria melhor recuar.

Impulsionar é melhor do que pressionar

Treinar gerentes sobre como *dar* feedback — leia-se: "como pressionar com mais eficácia" — pode ser útil. Mas se o receptor não quer ou não é capaz de assimilar o que lhe foi dito, só há duas opções: persistência e habilidade. Não importa quanta autoridade ou quanto poder tenha o emissor do feedback — os receptores controlam o que querem assimilar, o modo como dão sentido ao que estão ouvindo e se acham que devem ou não mudar.

Aumentar a pressão sobre os colaboradores raramente abre as portas do conhecimento autêntico. O foco não deve estar nos emissores de feedback. Tanto no trabalho quanto em casa, o foco deve estar nos *receptores*, em ajudá-los a se tornar aprendizes mais qualificados.

O verdadeiro incentivo é o impulso.

Ter impulso significa dominar as técnicas necessárias para conduzir o próprio aprendizado, reconhecer e administrar nossas resistências, saber lidar com as conversas sobre feedback com confiança e curiosidade — e, mesmo quando essa avaliação parecer errada, tirar dela insights que ajudem a crescer profissional e pessoalmente. Significa também defender o que somos e a forma como vemos o mundo, sabendo pedir aquilo de que precisamos. Significa aprender *com* o feedback — sim, de novo: mesmo se ele for injusto, mal transmitido, fora de propósito e, para dizer a verdade, mesmo se você não estiver muito a fim de recebê-lo.

Gostamos da palavra "impulso" porque ela destaca uma verdade muitas vezes ignorada: a principal variável em seu crescimento não é seu professor ou seu supervisor — é *você*. Não há problema em desejar ter um mentor especial ou um orientador (e apreciar os que cruzam o nosso caminho). Mas não adie o aprendizado esperando que alguém excepcional apareça, pois professores e guias assim são raros. Em geral nossa vida é cheia de outro tipo de pessoas — gente que faz o que pode, mas que talvez não saiba muita coisa; gente ocupada demais para oferecer o tempo de que precisamos e que enfrenta suas próprias dificuldades, ou que simplesmente não tem capacidade nenhuma de dar feedback ou orientação. A maior parte de nosso aprendizado virá de pessoas como essas; portanto, se estamos levando a sério o crescimento e o aperfeiçoamento, não há alternativa além de ser capaz de aprender sempre, seja lá com quem for.

A tensão entre aprender e ser aceito

Não parece difícil. Afinal, os seres humanos são por natureza propensos a obter conhecimento. A vontade de aprender é evidente desde o nascimento e desenfreada nos primeiros anos de vida. Mesmo depois de adultos, memorizamos tabelas de campeonatos, fazemos viagens em busca de autoconhecimento e nos dedicamos à ioga, porque a descoberta e o progresso são profundamente gratificantes. Com efeito, pesquisas sobre a felicidade indicam o aprendizado e o crescimento como ingredientes fundamentais de satisfação na vida.

Podemos estar pilhados para aprender, mas adquirir conhecimento *sobre nós mesmos* é uma coisa completamente diferente. Isso pode ser doloroso — às vezes de forma brutal — e não raro o feedback é dado como um tapa na cara, sem nenhuma preocupação com o risco de aborrecer as pessoas. Ele é sentido menos como "uma dádiva de sabedoria" e mais como uma colonoscopia.

> Tom foi repreendido por seu chefe a respeito de suas "técnicas organizacionais". Na volta para casa, enumerou mentalmente as falhas de seu gestor. Estacionou o carro no meio-fio e fez uma lista para manter suas anotações organizadas.

> Monisha, chefe de recursos humanos, esperava que os resultados ruins do estudo de clima organizacional da empresa estimulassem conversas francas entre as lideranças principais sobre a necessidade de mudança. Mas, em vez disso, ela recebeu um e-mail sucinto do diretor financeiro falando dos erros metodológicos do estudo, desmerecendo os resultados e questionando a motivação dela.

> A cunhada de Kendra deixou escapar que os parentes consideram-na histericamente superprotetora em relação aos seus filhos. Talvez não com tais palavras de fato, mas esse foi o filme que passou pela cabeça de Kendra enquanto ela punha a mesa para o almoço em família do domingo.

Quando sentimos que um feedback severo se aproxima, não é de estranhar que fiquemos tentados a dar meia-volta e sair correndo.

Mas sabemos que não é possível simplesmente levar a vida na flauta, ignorando o que os demais têm a dizer, trancados em segurança em nosso casulo emocional hermético. Ouvimos isto desde pequenos: *feedback é bom para você* — assim como fazer exercícios físicos e comer brócolis. *Você cresce e fica forte.* Não é?

É. Nossas experiências confirmam isso. Todos nós temos um orientador ou membro da família que estimulou nosso talento e acreditou em nós quando ninguém mais acreditava. Tivemos um amigo que nos disse algumas verdades que nos ajudaram numa situação difícil. Vimos nossa confiança e nossas competências crescerem, nossos relacionamentos se firmarem e nossas arestas serem aparadas. Na verdade, olhando em retrospecto, temos de admitir que mesmo aquela horrorosa ex-mulher ou aquele supervisor autoritário nos ensinaram sobre nós mesmos tanto quanto os que estavam do nosso lado. Não foi fácil, mas agora nos conhecemos melhor e gostamos mais de nós mesmos.

E aqui estamos nós. Devastados. Será possível que o feedback seja ao mesmo tempo uma dádiva *e* uma colonoscopia? Devemos aguentar firme e encará-lo ou dar meia-volta e correr? O aprendizado vale todo o sacrifício?

Estamos em conflito.

E temos uma boa razão para isso. Além desse nosso desejo de aprender e evoluir, queremos algo mais, que é fundamental: ser amados, aceitos e respeitados assim como somos. E o feedback em si indica que nosso jeito de ser não está bem. Então ficamos mordidos: por que você não pode aceitar quem eu sou e como sou? Por que sempre tem de haver mais ajustes, mais perfeição? Por que é tão *difícil* que você me entenda? Ei, chefe, ei, equipe. Ei, esposa, ei, pai. *Estou aqui. Este sou eu.*

O recebimento do feedback se situa na intersecção dessas duas necessidades — nosso impulso de aprender e nosso desejo de aceitação —, que são profundas, e a tensão entre elas não vai desaparecer. Mas há uma porção de coisas que podemos fazer para administrar essa tensão, reduzindo a ansiedade diante do feedback e aprendendo apesar do medo. Acreditamos que a capacidade de aceitá-lo bem não é uma característica inata, mas uma *competência* que pode ser cultivada. Ainda que seja desagradável, o feedback deve ser instrutivo. Se você atualmente pensa em si mesmo como uma pessoa que o recebe bem ou mal, pode melhorar. Este livro vai mostrar como.

As vantagens de receber bem

Receber bem o feedback não quer dizer que você tenha sempre de *aceitá-lo*. Significa envolver-se na conversa com habilidade, fazendo escolhas inteligentes sobre se vai usar e como usar a informação e o que você está aprendendo. Trata-se de administrar seus gatilhos emocionais de modo a poder assimilar o que a outra pessoa diz e estar aberto para se enxergar de uma forma nova. E às vezes, como discutiremos no capítulo 10, significa estabelecer limites e dizer não.

As vantagens de receber bem o feedback são claras: nossos relacionamentos evoluem, nossa autoestima torna-se mais fortalecida e, claro, nosso aprendizado aumenta — melhoramos na hora de fazer as coisas e nos sentimos bem com isso. E talvez o mais importante para algumas pessoas seja que, quando ficamos bons em recebê-lo, até os feedbacks mais espinhosos começam a parecer um pouco menos ameaçadores.

No trabalho, tratar o feedback como algo que deve ser não apenas tolerado, mas sim ativamente procurado, pode ter um impacto profundo. O comportamento de *busca pelo feedback* — como é chamado na literatura especializada — está associado a mais satisfação no trabalho, maior criatividade, adaptação mais rápida a uma nova organização ou função e rotatividade menor. E a busca por feedback *negativo* está associada a melhores índices de desempenho.[15]

Talvez isso não seja tão surpreendente assim. É mais fácil trabalhar e conviver com quem deseja olhar para si mesmo. Estar com pessoas de pé no chão e receptivas é revigorante. Quando se está aberto ao feedback, suas relações de trabalho têm mais confiança, mais humor, você contribui de forma mais produtiva e resolve problemas com mais facilidade.

Nas relações pessoais, nossa capacidade de lidar com queixas, solicitações e orientação de pessoas queridas é fundamental. Mesmo nos melhores relacionamentos nos decepcionamos um com o outro, magoamos alguém sem querer ou — de vez em quando — de propósito. Nossa capacidade de compreender como estamos nos sentindo, por que nos aborrecemos e em quais situações nos chocamos com os demais impulsiona a saúde e a felicidade a longo prazo desses relacionamentos. O especialista em casamento John Gottman descobriu que a disposição e a capacidade de aceitar a influência e as contribuições do cônjuge são indicadores essenciais de um casamento saudável e duradouro.[16]

Em comparação, trabalhar ou viver com uma pessoa fechada para o feedback, ou que reage a ele na defensiva e com contestação, é extremamente cansativo. Estamos sempre pisando em ovos e vivemos com medo de conflitos desnecessários. A discussão se esvai e o feedback acaba ficando sem espaço, privando o receptor da oportunidade de entender o que vai mal e corrigir-se. Os custos operacionais envolvidos na resolução de questões muito simples tornam-se proibitivos; os pensamentos e sentimentos importantes ficam sem saída. Os problemas se agravam e o relacionamento fica estagnado. O isolamento leva à solidão.

E isso não é apenas deprimente, mas também destrutivo, sobretudo hoje em dia. O colunista Thomas Friedman aponta: "Estamos entrando num mundo que recompensa cada vez mais a ambição e a persistência do indivíduo e consegue medir exatamente quem está contribuindo e quem não está. Se você é motivado, beleza, este mundo foi feito para você. Os limites desapareceram. Mas se você não é motivado, este mundo pode ser um problema, porque as paredes, os pretextos que protegiam as pessoas estão desaparecendo".[17]

As recompensas são grandes, e nunca houve tanta coisa em jogo.

Isso indica que não se trata apenas de nós: tem a ver também com nossos filhos. Queiramos ou não, o modo como falamos sobre uma avaliação de desempenho injusta diante de nossos filhos ensina a eles como reagir a uma jogada infeliz que lhes custa a vitória num jogo. Nossos filhos reagem às dificuldades do modo como nos veem reagindo a elas. Um simples xingamento pode acabar com a autoestima deles? Eles vão examinar como nós reagimos a nossos próprios reveses — o que lhes ensina mais sobre resiliência do que todas as nossas conversas e sermões juntos.

A influência transformadora do modelo é determinante no trabalho também. Se você procura orientação, seus subordinados vão buscar a mesma coisa; se você assume a responsabilidade por seus erros, seus pares se sentirão encorajados a admitir os deles; se você adota uma sugestão de um de seus colegas de trabalho, eles ficarão mais abertos para suas sugestões. E esse efeito se torna mais importante à medida que você sobe na hierarquia de uma organização. Nada afeta mais a cultura de aprendizado de uma organização do que a forma como seus executivos recebem o feedback. E está claro que quanto maior a sua ascensão, mais rara fica a orientação franca, por isso você tem de se esforçar mais para obtê-la. Mas isso dá o tom de uma cultura organizacional de aprendizagem, de solução de problemas e de alto desempenho adaptativo.

À procura do pônei

Uma piada antiga conta que um menino muito otimista, cujos pais tentavam ensinar a ver o mundo de modo mais realista, ganhou deles um saco de esterco de cavalo de presente de aniversário.

"O que você ganhou?", perguntou-lhe a avó, torcendo o nariz por causa do cheiro.

"Não sei", gritou o garoto, encantado, revirando ansiosamente o esterco. "Mas acho que deve ter um pônei em algum canto aqui dentro!"

Receber feedback pode ser assim: nem sempre é agradável, mas pode haver um pônei em algum canto.

PRIMEIRA PARTE

O desafio
do feedback

CAPÍTULO 1

Três gatilhos
O QUE BLOQUEIA O FEEDBACK

Vamos começar pela boa notícia: nem todo feedback é difícil. O professor de seu filho, surpreendentemente, elogia a sociabilidade dele. Seu cliente dá uma sugestão inteligente sobre como lidar com o pedido dele para agilizar o processo. Você quer cortar uma franja, mas seu cabeleireiro tem uma ideia melhor que é mesmo muito boa. Recebemos esse tipo de feedback toda hora. Pode ajudar ou não, e, seja como for, você não vai se preocupar muito com isso.

A maior parte das pessoas lida bem com feedback positivo, embora até mesmo um elogio possa às vezes causar desconforto. Talvez por não se ter certeza de que seja sincero ou pelo temor de que não fizemos por merecê-lo. Mas fechar um negócio, saber que também é admirado por alguém que você admira, ou receber aquela pitada perfeita de orientação que eleva a marca de seu nível técnico pode ser eletrizante. Fizemos a coisa, funcionou, alguém gosta de nós.

Agora a notícia ruim: o feedback que nos deixa confusos ou com raiva, atrapalhados ou arrasados. Você está atacando *meu* filho, *minha* carreira, *meu* caráter? Você vai me deixar de fora da equipe? É isso mesmo que você pensa de mim?

Esse tipo de feedback nos irrita: sentimos o coração pequenininho, um aperto no estômago, os pensamentos voando dispersos.

Normalmente entendemos esse surto de emoção como uma pedra no caminho — algo que desconcentra e deve ser afastado, um obstáculo a superar. Afinal, quando estamos tomados de uma reação inflamada nos sentimos abomináveis, o mundo fica escuro, e nossa capacidade de comunicação escapa ao nosso alcance. Não conseguimos pensar, não conseguimos aprender, só defender, atacar ou bater em retirada.

Mas deixar de lado nossas reações inflamadas ou fingir que elas não existem não resolve nada. Tentar ignorar uma reação dessas sem identificar sua causa é como combater um incêndio desligando o detector de fumaça.

Os gatilhos são obstáculos, sim, mas não são *apenas* isso. Também são informações — uma espécie de mapa — que podem nos ajudar a localizar a raiz do problema. Entender nossos gatilhos e descobrir como desativá-los é o segredo para administrar nossas reações e encarar conversas de feedback com inteligência.

Vamos dar uma olhada de perto nesse mapa.

Três gatilhos de feedback

Como as pessoas que dão feedback são muitas, e nossas deficiências, aparentemente, não têm limite, pode-se imaginar que o feedback seja capaz de nos afetar de infinitas maneiras. Mas eis mais uma boa notícia.

Só existem três tipos de gatilho.

Nós os chamamos de "gatilhos de verdade", "gatilhos de relacionamento" e "gatilhos de identidade". Cada um deles é acionado por diferentes razões e provoca reações e respostas diferentes.

Os **gatilhos de verdade** são acionados pelo próprio conteúdo de um feedback sem cabimento, inútil ou simplesmente inverídico. Em resposta, nos sentimos indignados, ofendidos e irritados. Miriam percebe um gatilho de verdade quando o marido dela diz que ela esteve "de mau humor e distante" durante o bar mitsvá do sobrinho dele. "De mau humor? Você queria que eu subisse na mesa e sapateasse?" Esse tipo de feedback é absurdo. Puro equívoco.

28

Os **gatilhos de relacionamento** são desencadeados pela mesma pessoa que está nos presenteando com o feedback. Todo feedback é temperado pela relação que existe entre quem dá e quem recebe, e nossas reações podem se basear *naquilo em que acreditamos* sobre quem o dá (eles não têm credibilidade nessa área!) ou sobre *como nos sentimos tratados* por quem o dá (depois de tudo o que fiz por vocês, tenho de ouvir esse tipo de crítica mesquinha?). Nosso foco se afasta do feedback em si para se concentrar no atrevimento de quem o transmite (eles são mal-intencionados ou simplesmente estúpidos?).

Em comparação, os **gatilhos de identidade** não estão focados nem no feedback nem no emissor. Todos os gatilhos de identidade são sobre *nós*. Certo ou errado, sábio ou insensato, alguma coisa no feedback faz com que nossa identidade — nossa percepção de quem somos — fique abalada. Nós nos sentimos estupefatos, ameaçados, envergonhados ou desequilibrados. De repente, ficamos inseguros a respeito do que pensamos sobre nós mesmos e questionamos nossos ideais. Quando ficamos nesse estado, o passado pode parecer condenatório, e o futuro, sombrio. É o gatilho de identidade falando e, uma vez acionado, afasta a probabilidade de um exame detalhado de nossas forças e fraquezas. Só estamos tentando sobreviver.

Existe algo errado com as reações mencionadas acima? Se o feedback está com certeza fora de propósito, ou se o emissor é uma pessoa comprovadamente indigna de confiança, ou se nos sentimos ameaçados e desequilibrados, essas reações não são bastante razoáveis?

São.

Nossas reações inflamadas não representam obstáculo por serem irracionais. Nossos gatilhos são obstáculos porque impossibilitam um envolvimento positivo na conversa. Receber bem o feedback é um processo de classificação e filtragem — aprender como o outro vê as coisas, pôr à prova ideias que num primeiro momento pareceram inadequadas, experimentar. E de arquivamento ou descarte das partes dessa avaliação que pareçam inadequadas ou estranhas ao que você busca no momento.

E não é só o receptor que aprende. Durante uma conversa proveitosa, quem dá o feedback pode chegar a entender por que seus conselhos não estão ajudando ou por que sua avaliação é injusta, e então as duas partes podem enxergar seu relacionamento com mais clareza. Cada um percebe como está reagindo ao outro, mostrando um caminho mais produtivo do que ambos possam ter imaginado antes.

Mas é quase impossível fazer qualquer uma dessas coisas de dentro de nossos gatilhos. Assim, cometemos erros que nos fazem descartar um feedback potencialmente útil ou, o que é tão ruim quanto, levamos a sério um feedback que estaria melhor na lata do lixo.

Por que ficamos exasperados e o que fazer a respeito

Vamos olhar mais de perto cada um dos três gatilhos e traçar um panorama do que podemos fazer para administrá-los com mais eficácia.

1. Gatilhos de verdade: o feedback é errado, injusto ou inútil

Há muitas e boas razões para não aceitar um feedback, e a primeira da lista é sempre a mesma: ele está errado. O conselho é ruim, a avaliação é injusta, a percepção que a pessoa tem a nosso respeito está desatualizada ou incompleta. Rejeitamos, nos defendemos ou contra-atacamos — às vezes verbalmente, mas *sempre* em pensamento.

Mas compreender o feedback que recebemos a ponto de poder avaliá-lo com justiça acaba sendo muito mais difícil do que parece. Logo a seguir, cito três motivos que levam isso a acontecer e as possíveis atitudes a tomar.

Separe reconhecimento, orientação e avaliação

A primeira e surpreendente dificuldade para o entendimento do que nos foi passado é que nem sempre sabemos se aquilo é mesmo um feedback e, se for, não temos certeza de que tipo ele é e de que forma deveria nos ajudar. Sim, nós pedimos feedback; não, nós não pedimos nada disso que estão nos oferecendo.

O problema reside, até certo ponto, no entendimento do termo, que pode significar muitas coisas diferentes. Um tapinha no ombro é feedback, mas um esculacho também é. Indicadores úteis são feedback, mas ser mandado para escanteio também é. Não existe apenas feedback positivo e negativo, mas sim tipos diferentes por natureza, com objetivos completamente distintos.

A primeira coisa a fazer para avaliar um feedback é tentar entender com que tipo de informação estamos lidando. De modo geral, o feedback pode chegar de três maneiras: reconhecimento ("Obrigado!"), orientação ("Há uma maneira melhor de fazer isso") e avaliação ("Pode ir parando por aí"). Muitas vezes o receptor quer ou ouve um tipo de feedback, mas o emissor na verdade quis dizer outra coisa. Vamos supor que finalmente você decide mostrar a seu amigo artista o autorretrato que pintou. Nessa etapa de seu desenvolvimento, tudo o que você precisa é de um pouco de incentivo, algo assim como "Legal, continue trabalhando nele!". Mas, em vez disso, recebe uma lista de doze coisas que precisa corrigir.

Podemos inverter esse caso: você mostrou seu trabalho ao amigo artista esperando uma lista de doze coisas para corrigir, mas em vez disso ouve um "Legal, continue trabalhando nele!". Como isso vai ajudá-lo a melhorar?

Saiba o que você quer e saiba o que está recebendo. A correspondência é importante.

Entenda antes de mais nada

Parece óbvio, parece fácil: antes de decidir o que fazer com a informação que recebeu, assegure-se de tê-la entendido. Como nós, você provavelmente acha que já está agindo assim. Você ouve o feedback, e então o aceita ou rejeita. Mas, numa situação dessas, "entender" o que a outra pessoa quer dizer — o que ela está vendo, o que a preocupa, o que ela está sugerindo — não é tão simples. Na verdade, é bem difícil.

Vamos considerar Kip e Nancy. Eles trabalham para uma empresa que recruta talentos para empregos disputados no exterior. Nancy diz a Kip que ele demonstra ter um pé atrás com candidatos de formação não tradicional. Nancy diz que essa tendência "escapa" nas entrevistas que ele faz.

Num primeiro momento, Kip descarta esse feedback. Não "escapa" coisa nenhuma, porque ele não está sendo tendencioso. Na verdade, embora Nancy não saiba disso, o próprio Kip teve uma formação não tradicional, e se houvesse alguma tendência da parte dele seria a de favorecer candidatos que traçaram seu próprio caminho.

Portanto, até onde Kip consegue ver, esse feedback está simplesmente errado. Estamos sugerindo que ele deva aceitá-lo como certo, apesar de tudo? Não. Estamos dizendo que Kip ainda não sabe o que o feedback *realmente* significa. O primeiro passo seria então procurar entender exatamente qual é a preocupação de Nancy.

Ele acaba pedindo à colega que esclareça o feedback, e ela explica: "Quando você entrevista candidatos tradicionais, fala das dificuldades comuns inerentes ao cargo pretendido e observa como eles reagem a respeito. Com pessoas não convencionais, você não discute o cargo. Fala de amenidades e não os leva a sério".

Kip começa a entender e expõe a Nancy seu ponto de vista: "Na minha mente, estou levando muito a sério esses candidatos. Ouço as experiências e a criatividade deles — habilidades essenciais para quem pretende trabalhar no exterior, com limites pouco claros e condições difíceis. É melhor do que lhes apresentar dificuldades hipotéticas".

Seguindo a diretriz *entenda antes de mais nada*, Kip está começando a entender o ponto de vista de Nancy, e ela está refletindo sobre a perspectiva do colega. Um bom começo, mas, como veremos adiante, ainda há muito pela frente.

Enxergue seus pontos cegos

Para complicar ainda mais nosso desejo de entender o feedback, existe a questão dos pontos cegos. É claro que *você* não tem pontos cegos, mas com certeza sabe que seus colegas, sua família e seus amigos têm. Essa é a natureza dos pontos cegos. Além de sermos cegos para algumas coisas a respeito de nós mesmos, somos também cegos para o fato de sermos cegos. Ainda assim, para nossa irritação, os pontos cegos são claríssimos para todos os demais.

Essa é a principal causa de confusão nas conversas de feedback. Há vezes em que o feedback que sabemos que está errado está de fato errado. Mas há vezes em que o feedback simplesmente entrou em nosso ponto cego.

Voltemos a Kip e Nancy. Ela vê algo importante que ele não consegue ver: Kip. Nancy o observa e o ouve quando ele está fazendo uma entrevista, notando que o colega fica mais animado quando entrevista candidatos não convencionais; ele fala mais alto e interrompe o entrevistado com frequência, deixando menos espaço — às vezes quase nenhum espaço — para que ele exponha suas próprias ideias.

Kip fica tão surpreso com essa observação que mal pode acreditar no que está ouvindo. Ele simplesmente não sabia que estava fazendo aquilo. E fica consternado: se o que Nancy está dizendo for verdade, ele, apesar de suas boas intenções, estaria de fato prejudicando os candidatos com quem mais tem interesse de conversar. Sua leve tendência favorável aos candidatos não convencionais está na realidade agindo contra eles.

Assim, tanto Kip quanto Nancy aprenderam alguma coisa com a conversa. Nancy passa a entender as intenções de Kip de uma forma mais generosa, e Kip começa a ter uma ideia sobre como seu comportamento realmente afeta as entrevistas. A conversa não acabou, mas agora eles estão em melhores condições para discutir sem rodeios.

Administrar gatilhos de verdade não é fingir que há alguma coisa para aprender nem dizer que alguma coisa está certa quando você acha que está errada. Trata-se de reconhecer que as coisas são sempre mais complicadas do que parecem e fazer força para *entender antes de mais nada*. Mesmo quando você conclui que 90% do feedback é fora de propósito, os 10% restantes podem ser exatamente aquilo de que você precisa para crescer.

2. Gatilhos de relacionamento: quem você pensa que é para me dizer isso?

Nossa percepção do feedback é inevitavelmente influenciada (e às vezes contaminada) por quem nos dá esse feedback. Podemos ficar exasperados por alguma coisa a respeito do emissor — sua (falta de) credibilidade, sua (não) respeitabilidade ou seus motivos (questionáveis). Também podemos ficar irritados pelo modo como nos sentimos tratados por aquela pessoa. Ela tem consideração por nós? Está dando o feedback de forma respeitosa? (Por e-mail? Você está de brincadeira?) Será que está nos culpando quando o problema, na verdade, é com ela? Nossos vinte anos de convivência podem intensificar nossa reação, mas curiosamente os gatilhos de relacionamento podem ser acionados mesmo depois de apenas vinte segundos de contato, enquanto estamos parados num sinal vermelho.

Não distorça: separe *o que* de *quem*

Os gatilhos de relacionamento provocam mágoa, desconfiança e às vezes raiva. O único jeito de escapar disso é separar o feedback dos problemas de relacionamento que ele desencadeia, discutindo ambas as questões com clareza e separadamente.

Na prática, quase nunca fazemos isso. Pelo contrário, na condição de receptores, nos prendemos às questões de relacionamento e deixamos o feedback original escapar. Do ponto de vista do emissor, nós mudamos completamente o foco — do feedback que ele nos dá ("chegue no horário") para o que devolvemos a ele ("não fale assim comigo"). O foco no "quem" vence o foco de "o que", e o feedback original é bloqueado. Chamamos isso de *dinâmica da distorção*.

Voltemos a Miriam e ao bar mitsvá. Além de ter passado por um gatilho de verdade, a mulher suporta também um gatilho de relacionamento. Quando seu marido, Sam, a acusa de agir com indiferença, ela o enxerga como mal-agradecido e se magoa; por isso, acaba distorcendo: "Você tem ideia do que passei para conseguir ir a esse bar mitsvá? Remarquei a diálise da mamãe e tive de dar banho em

Matilda e vesti-la para que ela ficasse apresentável na festa do *seu* sobrinho, de cujo nome você sequer se lembra".

Miriam levanta questões importantes sobre gratidão e divisão de tarefas, mas, na verdade, vê na ingratidão de Sam a oportunidade para desviar o foco de seu comportamento um pouco antissocial. Se ele está verdadeiramente preocupado com o tratamento frio da esposa em relação a sua família, essa seria uma conversa importante — assim como a conversa sobre os sentimentos de Miriam serem menosprezados. Mas são assuntos diferentes e devem ser objeto de conversas separadas.

Tentar falar das duas coisas ao mesmo tempo é como misturar lasanha com torta de maçã no mesmo recipiente e levar ao forno. Não importa o tempo que fique assando; o resultado vai ser uma gororoba intragável.

Identifique o sistema de relacionamento

O primeiro tipo de gatilho de relacionamento vem da nossa reação à outra pessoa: não gosto da forma como estou sendo tratado ou não confio no seu julgamento. Podemos ter essas reações mesmo quando o feedback em si não tem nada a ver com o relacionamento: numa aula de tênis ou durante uma conversa com aquele amigo que sabe tudo sobre finanças pessoais.

Mas muitas vezes o feedback não só acontece no contexto do relacionamento: ele é criado pelo relacionamento. Entranhado no turbilhão emocional de cada relação, existe um emparelhamento de sensibilidades, preferências e personalidades. É a natureza de cada emparelhamento — mais do que a natureza de cada um dos envolvidos — o que cria atrito. Quem dá o feedback nos diz que precisamos mudar, e em resposta pensamos: "Você acha que o problema *sou eu*? Engraçado, porque é óbvio que o problema é *você*". O problema não é que eu seja *hiper*sensível, você é que é *in*sensível.

Outro exemplo: você estabelece metas de lucro muito altas para me motivar. Mas isso não me estimula; ao contrário, me desanima. E quando não consigo bater a meta, sua solução é fixar objetivos ainda mais altos para "me dar um gás". Agora me sinto ainda mais desesperado. Cada um de nós aponta o dedo para o outro, mas nenhum de nós aponta o problema. Nenhum de nós dois vê que estamos presos na espiral desse sistema integrado por duas pessoas e que ambos fazemos de tudo para perpetuá-la.

Assim, o feedback em relacionamentos raramente é uma questão de você *ou* eu; é mais frequentemente uma questão de você *e* eu. É uma questão do nosso sistema de relacionamento.

Quando alguém põe a culpa em você — injustamente —, culpá-lo de volta não é a solução. Para o outro, *isso* vai parecer injusto; pior ainda, ele vai supor que você está procurando desculpas. Então, o melhor é tentar entender as coisas desta maneira: "Qual é a dinâmica entre nós e como cada um está contribuindo para o problema?".

3. Gatilhos de identidade: o feedback é ameaçador e me desestabiliza

Identidade é a história que contamos a nós mesmos a respeito de quem somos e do que o futuro nos reserva. Quando recebemos um feedback crítico, essa história fica em perigo. Nossos alarmes de segurança soam, os mecanismos cerebrais de defesa se ativam e, antes mesmo que o emissor de feedback comece a pronunciar a segunda frase, já estamos nos preparando para o contra-ataque ou para entregar os pontos. Nossa reação pode ir de uma pequena descarga de adrenalina a uma profunda desestabilização.

Saiba como seu circuito e seu temperamento afetam sua história

Nem todo mundo fica bloqueado da mesma forma, em reação às mesmas coisas ou durante o mesmo tempo. Essa é a primeira dificuldade para entender os gatilhos de identidade: num âmbito estritamente biológico, cada um de nós tem "circuitos" distintos e reage à sua maneira a uma informação estressante, assim como cada um tem uma reação diferente a uma volta na montanha-russa. Raissa mal pode esperar para ir pela segunda ou terceira vez; Elaine acha que uma única volta pode ter acabado com sua vida. Entender os padrões comuns de circuito, assim como seu próprio temperamento, dá pistas sobre por que você reage de certa maneira e ajuda a explicar por que os demais não reagem como você espera.

Desarme as distorções

Consideremos o caso de Laila. Seja em razão de seu circuito, suas experiências de vida ou das duas coisas, ela é altamente sensível ao feedback. Não importa como ele seja, ela o distorce e amplifica. Laila não reage às palavras de quem faz sua avaliação, mas sim à própria percepção distorcida dessas palavras.

Quando o chefe comenta que ela vai precisar dar tudo de si na reunião do dia seguinte, Laila fica imaginando que o chefe deve achar que até agora ela não vinha se empenhando o suficiente. *Será que ele pensa que não sei o que estou fazendo? Será que ele pensa que eu não percebo a importância da reunião?* Ela evoca situações passadas e começa a duvidar que algum dia o chefe tenha tido confiança nela, já que é uma incompetente. Quinze anos de erros passados vêm à tona. Ela vira a noite em claro, e a reunião do dia seguinte é um desastre.

Felizmente para Laila (e para todos nós) é possível aprender a manter o feedback em perspectiva, mesmo quando isso não ocorre naturalmente. Laila precisa tomar consciência da forma como distorce o feedback e dos padrões que sua mente segue. Quando perceber isso, poderá começar a desarmar sistematicamente essas distorções. O que por sua vez vai ajudá-la a recuperar o equilíbrio, além de permitir que se envolva com o feedback e tire proveito dele.

Cultive uma identidade de crescimento

Além da tendência de distorcer o feedback, Laila tem uma mentalidade que representa um desafio: ela vê o mundo como um grande teste. Cada dia de trabalho é um teste, cada reunião é um teste, cada conversa com o chefe ou um amigo é um teste. Assim, cada instância do feedback torna-se o resultado de um teste, um veredicto. Mesmo quando alguém lhe dá uma orientação ou um incentivo — "Dê tudo de si amanhã!" —, ela entende como uma crítica à sua competência.

Uma pesquisa realizada em Stanford revela que há duas maneiras bem diferentes de entender a própria identidade — e depende delas o modo como reagimos à crítica, às dificuldades e ao fracasso. A primeira delas admite que nossas características são "fixas": se somos competentes ou inoperantes, receptivos ou arredios, inteligentes ou ignorantes, nós não vamos mudar. Trabalho duro e prática não servem para nada, somos o que somos. O feedback revela "como somos", portanto, há muita coisa em jogo.

Os que lidam com o feedback de modo mais frutífero têm uma identidade cujo núcleo se baseia em outro princípio. Essas pessoas se enxergam como se estivessem sempre evoluindo, em constante crescimento. Elas têm o que se chama de "identidade de crescimento". O que elas são agora é simplesmente isto: o que elas são *agora*. É um esboço a lápis de um momento, não um quadro a óleo com moldura dourada. Trabalhar duro vale a pena; dificuldades e até mesmo fracassos são as melhores maneiras de aprender e de se aperfeiçoar. Para uma identidade de crescimento, o feedback é informação útil sobre em que ponto estamos agora e sobre aonde queremos chegar a seguir. É uma opinião bem-vinda, e não um veredicto preocupante.

REAÇÃO DESENCADEADA	RESPOSTA QUE ENSINA
VERDADE	
Isso está errado. Isso não serve para nada. Não tenho nada a ver com isso.	*Separe reconhecimento, orientação e avaliação* Precisamos dos três, mas misturá-los nos leva a contradições. *Entenda antes de mais nada: passe de "Está errado" para "Explique melhor"* Os rótulos no feedback são vagos e confusos. Quem o aplica tem informações que não temos (e vice-versa). Cada um interpreta as coisas à sua maneira. *Determine pontos cegos: descubra como se fazer entender* Não podemos nos ver, nem ouvir nosso tom de voz. Precisamos que os outros nos ajudem a ver como somos e a perceber nosso impacto sobre os que nos cercam.
RELACIONAMENTO	
Depois de tudo o que fiz por você? Quem você pensa que é para falar assim? O problema é você, não eu.	*Não distorça: separe "o que" de "quem"* Fale tanto sobre o feedback quanto sobre os problemas de relacionamento. *Identifique o sistema de relacionamento: dê três passos para atrás* Volte atrás para analisar o sistema de relacionamento entre o emissor e o receptor, além da forma como cada um está contribuindo para os problemas que levam vocês a trocar feedbacks.

REAÇÃO DESENCADEADA	RESPOSTA QUE ENSINA
IDENTIDADE	
Eu faço tudo errado. Sou azarado. Não sou uma má pessoa... Ou será que sou?	*Saiba como o circuito afeta a forma como recebemos o feedback* As pessoas são muito diferentes no que se refere às reações positivas ou negativas ao feedback; reações extremas deturpam a percepção de nós mesmos e de nosso futuro. *Desarme distorções: veja o feedback em tamanho real* Tente corrigir pensamentos distorcidos e recuperar o equilíbrio. *Cultive uma identidade de crescimento: escolha a orientação* Estamos sempre aprendendo e crescendo. As dificuldades são o caminho mais rápido para o crescimento, principalmente se pudermos escolher a orientação.

Entre os capítulos 2 e 9, vamos examinar mais de perto cada um de nossos gatilhos, a maneira como nos afetam e estratégias importantes para lidar com eles de forma mais produtiva. Nos capítulos 10 e 11, voltaremos à questão de quando convém desconsiderar o feedback e de como lidar com ele. No capítulo 12 damos uma porção de ideias valiosas para testar a informação recebida e progredir rapidamente no crescimento.

Finalmente, no capítulo 13, classificamos os tipos de feedback em grupos e apresentamos ideias para fazer com que as organizações criem impulso. No que se refere a nossas equipes, nossas famílias, nossas empresas e nossas comunidades, estamos realmente juntos. Para criar impulso dentro de nossas organizações e de nossas equipes, devemos estimular as pessoas a conduzir seu próprio aprendizado e a procurar surpresas e oportunidades de crescimento. Assim, podemos ajudar uns aos outros a permanecer em equilíbrio.

Todos esses casos se baseiam em experiências de pessoas reais, embora seus nomes tenham sido preservados. Esperamos que você se reconheça em determinadas situações expostas nestas páginas, sentindo-se mais seguro ao perceber que não está sozinho nessa batalha.

SEGUNDA PARTE

Gatilhos de verdade: a dificuldade de *ver*

PANORAMA DOS GATILHOS DE VERDADE

Nos três capítulos seguintes, vamos examinar os gatilhos de verdade e a dificuldade de *ver*.

O capítulo 2 enumera três tipos de feedback e ajuda a ver a importância de qual tipo você quer e qual está recebendo. Tudo sempre se resume ao objetivo.

No capítulo 3, vamos mostrar como interpretar o feedback — de onde ele vem, o que ele sugere que você faça e por que o emissor e o receptor podem discordar. Antes de qualquer coisa, examinamos a dificuldade em entender o feedback e oferecemos os instrumentos necessários para captá-lo adequadamente.

No capítulo 4, examinamos os pontos cegos e mostramos que você tem os seus, por mais que ache que não. Mostramos o impacto que eles têm e por que é tão difícil nos vermos como os demais nos veem. Damos ainda algumas ideias para você derrotar seus pontos cegos e aprender apesar deles.

Enquanto estiver se aprofundando nesses capítulos, vá amadurecendo uma pergunta no fundo de sua mente: por que é que quando *damos* feedback quase sempre achamos que estamos certos, mas quando *recebemos* feedback é tão comum acharmos que ele está errado? Após a leitura do capítulo 4, você terá essa resposta.

CAPÍTULO 2

Separe reconhecimento, orientação e avaliação

É um lindo sábado de primavera.

Um pai leva suas filhas gêmeas, Annie e Elsie, para treinar no campo de beisebol. Mostra a elas como acertar a postura, manter o equilíbrio na rebatida e grudar o olho na bola.

Annie fica eufórica com a experiência. Está aproveitando o dia com o pai no gramado recém-cortado e pode sentir que está melhorando cada vez que bate com o taco. Elsie, por sua vez, está emburrada. Ela se encosta na cerca, e, quando seu pai tenta convencê-la a entrar na caixa do batedor para lhe dar umas dicas de timing, a menina faz cara feia: "Você acha que não tenho coordenação! Você sempre me critica!".

"Não estou criticando", corrige o pai. "Querida, estou tentando ajudar você a melhorar!"

"Está vendo só?!", choraminga Elsie. "Você acha que não sou boa!" O taco cai no chão, e ela sai do campo pisando duro.

Um pai, duas reações

O pai fica perplexo. Do seu ponto de vista, ele está tratando as gêmeas da mesma forma; ainda assim, as respostas delas ao feedback não poderiam ser mais distintas. Uma delas recebe sua orientação como ele pretendia, usando as dicas dele para aprimorar sua técnica e ganhar confiança. A outra se retrai, frustrada; recusa-se a tentar e fica até mesmo zangada com a opinião de seu pai.

Ele *está*, de fato, tratando as meninas da mesma forma. Está dando os mesmos conselhos no mesmo tom de voz. Se estivéssemos na arquibancada observando toda a cena, não veríamos diferença nenhuma.

Mas, dentro de campo, a diferença é clara. Cada uma das meninas está ouvindo algo diferente nas palavras do pai. Para Annie, as instruções dele chegam como um arremesso longo feito do meio do campo; para Elsie, é como se tivesse sido atingida por uma tacada forte.

Esse é um dos aspectos paradoxais do feedback que recebemos. Às vezes, nos sentimos como Annie: gratos, interessados, energizados. Em outros momentos, reagimos como Elsie: magoados, defensivos, ressentidos. Nossa reação nem sempre depende da habilidade do emissor ou do que ele diz. Em vez disso, ela tem mais a ver com o modo como ouvimos o que está sendo dito e que tipo de feedback pensamos que estamos recebendo.

Os três tipos de feedback

A empresa em que você trabalha foi vendida, sua função mudou e sua equipe foi trocada. São tempos de caos e incerteza, e você vem se encontrando regularmente com um colega, que também passou pelas mesmas mudanças, num bar em frente ao trabalho para comparar as opiniões de ambos sobre a transição.

Certa noite, você comenta com seu amigo que não está recebendo nenhum feedback de seu novo chefe, Rick. O amigo fica surpreso: "Ontem mesmo Rick disse a todo mundo na reunião que estava muito grato por ter você na equipe dele. Eu diria que isso é um feedback. O que você está esperando, um troféu?".

Claro, Rick *está satisfeito* com você, o que é bom. Mas você tem outra coisa em mente: "Esse é o problema. Eu era gerente de marketing para a área da Grande Miami. Agora sou gerente de produto para a costa do Pacífico. Eu nem mesmo sei o que é a costa do Pacífico". Um troféu seria ótimo, mas você precisa mesmo é de *orientação*.

Semanas depois, seu amigo pergunta como vão as coisas. Em geral, vão bem, você responde: "Eu disse ao Rick que precisava de direcionamento. Agora nos reunimos toda semana para discutir o que tenho feito e tirar minhas dúvidas. Ele tem muito o que dizer sobre a minha área". Seu amigo fica com inveja: "Então Rick está satisfeito com você. Ele está sendo seu orientador. Você deve estar no paraíso do feedback!".

Mas não é bem assim. Há outra coisa: desde a venda da empresa, você está se sentindo inseguro. Cargos e funções estão se sobrepondo, e há rumores de cortes de funcionários. "Não sei bem se estou apenas preenchendo um vazio até que Rick encontre alguém mais bem preparado para minha função", você admite para o amigo. "Estou aprendendo o mais rápido que posso, mas não sei se estou nos planos dele de longo prazo ou se estou só tapando um buraco."

Seu amigo sugere que você leve a questão diretamente a Rick, e é o que você faz. O chefe lhe diz que fez uma minuciosa *avaliação* de seu trabalho e acha que é extremamente consistente. E deixa escapar que está preparando você para ser seu sucessor quando ele for promovido para um novo cargo na matriz.

Naquela noite, você dá as boas notícias a seu amigo e recebe os efusivos cumprimentos dele, que então acrescenta: "Já que estamos falando de feedback, por que você nunca me pediu um?". Você responde: "Porque você não tem o que me oferecer como feedback". Depois de um silêncio embaraçoso, você diz: "Está bem, o que foi?". Com inesperada agressividade, seu amigo diz: "Qual foi a última vez que você pagou a conta? Qual foi a última vez que você falou de alguma coisa que não fosse de si mesmo?". Caramba!

Seu amigo chama isso de feedback, mas você tem certeza de que ele está tentando comprar uma briga.

As conversas entre Rick e você, bem como os papos com seu amigo, deixam claro que quando usamos a palavra "feedback" podemos estar nos referindo a três tipos de informação: reconhecimento, orientação e avaliação. Cada uma delas desempenha um papel importante, satisfaz diferentes necessidades e vem acompanhada de seu próprio conjunto de problemas.[1]

Reconhecimento

Quando seu chefe diz que está grato por ter você em sua equipe, está demonstrando reconhecimento.

O reconhecimento se refere fundamentalmente às relações e aos vínculos entre pessoas. Num nível mais literal, significa "obrigado". Mas o reconhecimento também transmite: "Estou vendo você", "Sei que está dando duro" e "Você é importante para mim".

Ser visto e sentir-se compreendido pelos outros é muito importante. Nas crianças, essas necessidades são bem aparentes, como quando elas gritam no parquinho: "Mamãe! Mamãe! Vem ver o que estou fazendo!". Na idade adulta, se por um lado já aprendemos a não incomodar os outros de uma forma tão óbvia, por outro nunca superamos a necessidade de ouvir alguém dizendo: "Uau, olha só você!". E nunca superamos a necessidade de lampejos de reconhecimento, que significam: "Sim, estou vendo você. Entendo você. Você é importante para mim".

Ser reconhecido nos motiva — nos dá impulso e energia para redobrar nossos esforços. Quando as pessoas se queixam de falta de feedback no trabalho, quase sempre querem dizer que não sabem se os outros percebem que estão dando duro. Não querem conselhos: querem reconhecimento.

Orientação

Quando você pede instruções a seu chefe, está querendo fazer dele seu orientador.

A orientação tem como objetivo tentar ajudar a pessoa a aprender, crescer ou mudar. O foco é incentivar a melhorar, seja por meio de capacitação, de uma ideia, de transmissão de conhecimentos, de uma prática específica ou de uma opinião sobre a aparência e a personalidade da pessoa.

Seja seu instrutor de esqui, o atendente da loja da Apple, o garçom veterano encarregado de lhe ensinar o serviço em seu primeiro dia de trabalho ou aquele amigo compreensivo que lhe dá conselho sobre sua vida pessoal confusa, todos eles são orientadores nesse sentido. São chefes, clientes, avós, colegas, irmãos, subordinados ou filhos. E, é claro, todos nós temos instrutores "acidentais". Aquele cara da Land Rover no seu retrovisor tem razão ao fazer sinal para você desligar o celular e permanecer na sua pista.

A orientação pode ser suscitada por dois tipos de necessidades. Uma delas é a de melhorar seus conhecimentos ou suas técnicas para se qualificar e enfrentar novos desafios. Em sua nova função, você está se esforçando para aprender sobre mercados, produtos, canais, cultura — e a situação da costa do Pacífico.

No segundo tipo de orientação, o emissor de feedback não está correspondendo à sua necessidade de desenvolver certas capacidades. Pelo contrário, ele está identificando um problema de relacionamento entre vocês: alguma coisa está faltando, algo está errado. Esse tipo de orientação muitas vezes é impulsionado pela emoção: mágoa, medo, ansiedade, confusão, solidão, traição ou raiva. O emissor quer que a situação mude, e muitas vezes isso significa que quer que *você* mude. "Nossa família não é prioridade para você", "Por que sempre sou eu quem tem de pedir desculpas?" ou "Quando foi a última vez que você pagou a conta?". O "problema" que a orientação pretende corrigir é o estado de espírito do provedor do feedback, ou um desequilíbrio visível no relacionamento.

Avaliação

Quando seu chefe diz que seu desempenho é "extremamente consistente" e que está preparando você para ocupar o lugar dele, está fazendo uma avaliação (nesse caso, positiva). A avaliação lhe revela em que situação você se encontra. É uma análise, uma classificação ou uma comparação. Seu boletim escolar, seu tempo de corrida, a medalha conquistada num concurso de culinária, o "sim" ao seu pedido de casamento — tudo isso é avaliação. Como também é avaliação aquele apelido que sua equipe lhe deu (sem que você saiba, é claro).

Até certo ponto, as avaliações são sempre comparações — implícitas ou explícitas — a outros ou a um padrão. "Você não é um bom marido" é uma síntese de "Você não é um bom marido comparado com o que eu esperava de um marido" ou "comparado com meu virtuoso pai" ou "comparado com meus três últimos maridos".

As avaliações ajustam expectativas, esclarecem consequências e subsidiam a tomada de decisões. Sua classificação tem implicações para o seu bônus anual; seu tempo no nado de costas determina se você se classifica ou não. Até certo ponto, o difícil de uma avaliação é a preocupação com as possíveis consequências — reais ou imaginárias. Você não se classificou (real), e nunca vai se classificar (prevista ou imaginada).

Algumas vezes, a avaliação contém juízos que vão além da análise em si: você não só não foi desclassificado no nado de costas, como foi ingênuo ao supor que seria capaz; assim, mais uma vez, ficou aquém de seu potencial. O julgamento de que "você foi ingênuo" e "ficou aquém" não se baseou na análise — o resultado do torneio. É uma camada suplementar de opinião acima disso. E é o chicote do juízo negativo — de nós mesmos ou dos outros —, que produz grande parte de nossa ansiedade relacionada ao feedback.

Surpreendentemente, o apoio — "Você pode fazer isso" e "Acredito em você" — também entra na categoria de juízos adicionais, mas do lado positivo.

JOGANDO PARA A PLATEIA

Seis anos de estudo de violino clássico deram a Luke uma técnica consistente, mas não o amor pelo violino. Então alguém lhe deu um uquelele, e ele ficou empolgado. Em pouco tempo Luke fez fama em sua cidade, e quando o programa *America's Got Talent* chegou lá, ele fez um teste bem-sucedido para o programa.

O menino de dezessete anos se apresentou para uma plateia local de 5 mil pessoas. Os holofotes o impediam de ver a plateia, mas não os três X de neon vermelho que brilhavam aos pés dele. Sharon Osbourne balançou a cabeça, e Howard Stern disse, dramaticamente: "Minha mãe me obrigou a estudar clarinete. Sua mãe *nunca* devia ter deixado você tocar uquelele". A plateia caiu na gargalhada.

Perplexo, Luke ficou mudo e se arrastou para fora do palco, onde foi interpelado por um câmera do programa: "Como você se sentiu? *O que achou do feedback dos juízes?*".

Boa pergunta.

Nas semanas seguintes, entre pesadelos com os X vermelhos, uma coisa ficou clara para Luke: o objetivo primordial do programa não era a avaliação sensata do talento de cada concorrente, para o interesse do candidato. O principal era entreter os telespectadores. Aquilo serviu como feedback para ele somente num sentido bem amplo. Foi uma avaliação, com certeza, quase uma paródia de avaliação: o que os juízes lhe disseram tinha a ver com seu futuro no programa, e certamente eles demonstraram o desprezo que sentem pelo uquelele como instrumento.

É fácil distinguir entretenimento de feedback autêntico quando se trata de outra pessoa. Mas, quando se trata de nós, é mais difícil.

Atualmente é mais importante do que nunca aprender a fazer essa distinção. Os espaços para o "feedback" sarcástico se multiplicam: comentários na internet, mural de mensagens, blogues, programas de entrevistas no rádio, reality shows. Comentários agressivos, ataques maldosos e desabafos anônimos nesses fóruns são comuns, provocando aplausos ou vaias do leitor. Os que escrevem esse tipo de comentário pretendem dizer alguma coisa que lhes parece inteligente, sarcástica ou que chame a atenção, e nem sempre têm consciência da pessoa real (usada como saco de pancadas) que está por trás daquela postagem.

Luke ainda se apresenta. "Não foi fácil voltar ao palco, principalmente porque tive de subir naquele mesmo palco três semanas depois", disse o adolescente. Ele já tinha vencido a competição regional de jovens talentos com sua divertida mistura de Bach, Sinatra e rock, e foi convidado para uma apresentação como vencedor.

Agora Luke diz que vai vender sua experiência no *America's Got Talent* para o mundo. "Aprendi muito sobre mim mesmo. Agora nada me assusta", disse ele, rindo. "A pior coisa que podia acontecer? Já aconteceu, e eu sobrevivi."

Precisamos dos três

Cada forma de feedback — reconhecimento, orientação e avaliação — satisfaz um grupo diferente de necessidades humanas. Precisamos da avaliação para saber em que posição estamos, estabelecer expectativas e nos sentir confiantes ou seguros. Precisamos de orientação para acelerar o aprendizado, focar nosso tempo e nossa energia no que realmente importa e fazer com que nossas relações sejam saudáveis e funcionais. E precisamos do reconhecimento para sentir que valeu a pena todo o suor e as lágrimas que dedicamos ao nosso trabalho ou relacionamento.

TIPO DE FEEDBACK	OBJETIVO DO EMISSOR
Reconhecimento	Reconhecer, conectar, motivar, agradecer
Orientação	Ajudar o receptor a aumentar seus conhecimentos, aprimorar suas técnicas, aperfeiçoar suas capacidades *Ou* abordar os sentimentos do receptor, ou ainda um desequilíbrio no relacionamento
Avaliação	Classificar ou comparar com um padrão, ajustar expectativas, subsidiar a tomada de decisões

A falta de avaliação

Como a avaliação é tão estrondosa e pode ter consequências dolorosas, é tentador considerar a possibilidade de removê-la do feedback. Será que precisamos mesmo dela?

De fato, é *positivo* evitar a avaliação quando o objetivo é orientação. Não diga "Você não é bom" quando o que pretende dizer na verdade é "Existe um jeito de melhorar".

Mas a supressão total da avaliação deixa um silêncio notável. Devo me candidatar à vaga que abriu ou será perda de tempo? Qual é o futuro desse relacionamento? Estamos indo morar juntos porque em breve vamos ficar noivos ou porque você quer poupar dinheiro enquanto não arranja uma pessoa melhor?

Ficamos ansiosos ao sermos avaliados e julgados, mas, ao mesmo tempo, precisamos de um "piso de avaliação" no qual possamos nos apoiar para ganhar a confiança de que, até agora, estamos indo suficientemente bem. Antes de receber orientação e reconhecimento, preciso saber que estou no lugar certo, que este relacionamento vai durar.

Quando falta avaliação, usamos orientação e reconhecimento para tentar descobrir nossa situação. Por que o chefe me orienta tanto sobre como lidar com o cliente de modo mais eficaz? E por que meu desempenho foi elogiado naquele primeiro grupo de e-mail, mas não no segundo? Devo me preocupar? Na falta de indicadores claros, vou continuar com a orelha colada no chão para ouvir os passos de qualquer coisa que se aproxime.

A falta de reconhecimento

O reconhecimento pode ser visto como o menos importante dos três tipos de feedback — quem precisa de palavras bonitas e bajulação? Você está sendo pago para isso? Ainda estamos casados, não estamos?

No entanto, a falta de reconhecimento pode deixar um vazio em qualquer relação — pessoal ou profissional. Claro, eu quero saber como me aperfeiçoar, mas também quero saber que você vê que trabalho com afinco, que estou me esforçando muito. Sem isso, sua orientação não vai dar certo, porque prestarei atenção em outra coisa.

No livro *Quebre todas as regras*, Marcus Buckingham e Curt Coffman discutem uma memorável pesquisa do Gallup com 80 mil gerentes. A pesquisa descobriu que responder "sim" a doze questões cruciais — apelidadas de Q12 — tinha forte correlação com satisfação dos funcionários, elevada retenção de pessoal e alta produtividade. Das doze perguntas, três eram diretamente ligadas ao reconhecimento:

Questão 4: Nos sete últimos dias, tive reconhecimento ou elogios por fazer um bom trabalho?

Questão 5: Meu supervisor — ou alguém do meu trabalho — parece se importar comigo como pessoa?

Questão 6: Há alguém no meu trabalho que incentiva meu desenvolvimento?[2]

Quando os trabalhadores respondem "não" a essas perguntas, não significa necessariamente que seus supervisores não se importam com eles ou que não dizem "obrigado". Eles só não estão fazendo isso da maneira que importa.

Para que o reconhecimento seja efetivo, precisa ter três qualidades. Primeiro, tem de ser específico. Isso é complicado, porque a maioria das pessoas manifesta reconhecimento ou avaliação positiva em comentários sucintos, como "Bom trabalho!", ou "Você é genial!", ou "Obrigado por tudo!".

Em contraste com a imprecisão de nosso reconhecimento, nosso feedback negativo — ou "áreas de aperfeiçoamento" — quase sempre se enquadra numa lista de 118 itens detalhados. Nós nos concentramos no negativo, porque estamos focados num problema imediato: sim, de modo geral você fez um bom trabalho, mas nossa tarefa neste momento é tratar o caos da cadeia logística ou o merchandising. Quando trabalhamos sob pressão, nossos sentimentos de ansiedade, frustração e raiva por causa do que está dando errado superam qualquer sentimento de agradecimento, mesmo quando, depois de uma reflexão, estejamos *realmente* sendo reconhecidos.

Com o tempo, o déficit de reconhecimento se instala. E esse déficit é normalmente uma via de mão dupla: "Eu acho que você não reconhece tudo o que faço e tudo o que tenho de suportar, e você pensa que eu não reconheço o que você faz, seja lá o que for". Podemos chamar isso de Distúrbio de Déficit de Reconhecimento Mútuo (DDRM): aí está um dos ingredientes para uma relação de trabalho problemática.

Segundo, o reconhecimento tem de vir de uma forma que o receptor o valorize, ouvindo-o claramente. Gary Chapman diz uma coisa parecida sobre o amor no livro *As cinco linguagens do amor*. Algumas pessoas captam o amor por meio de palavras ("Eu te amo"), enquanto outras o entendem com maior clareza por meio de atos, tempo de convivência, contato físico ou presentes. Se não me sinto amado, pode ser porque você não me ama — ou pode ser porque você está expressando seu amor de uma forma que não compreendo.[3]

A mesma coisa vale para o reconhecimento. Para algumas pessoas, o contracheque mensal é todo o "muito bem, bom trabalho" de que precisam. Para outros, o reconhecimento público é significativo, seja em forma de e-mail copiado para toda a equipe, elogios numa reunião ou prêmios da organização. Para alguns, são promoções e títulos — ainda que ganhem a mesma coisa ou até *menos*. E, para muitas pessoas, é o sentimento de ser um conselheiro confiável ou um ator indispensável. "Sei que você me valoriza porque rimos muito juntos ou porque sou a primeira pessoa que você procura quando tem um problema grave."

Terceiro, o reconhecimento significativo precisa ser autêntico. Se os funcionários começam a achar que qualquer um recebe agradecimentos por coisas mínimas — "obrigado por tem vindo trabalhar hoje" —, ocorre uma inflação de reconhecimento, e essa moeda perde o valor. O reconhecimento tampouco pode ser expresso de cara amarrada: "Não acredito que herdei esse incompetente, mas preciso depositar uma mensagem na 'caixinha de reconhecimento' dele, então, hã, *bom trabalho*!". Isso não engana ninguém, e agora eles confiam ainda menos em você.

A falta de orientação

Alguns relacionamentos de orientação exigem um esforço extraordinário, enquanto outros se mostram magicamente descomplicados. Mas, nos dois casos, quando a orientação funciona, pode ser muito gratificante e impactante para ambas as partes.

É claro que dar orientação pode ser uma tarefa estressante, confusa e ineficaz. Em algumas organizações, ela não é recompensada de modo formal — ou "levada em conta" —, e por isso raramente é oferecida. Até quando se estimula a orientação bastam umas poucas experiências em que o esforço para ajudar só tenha piorado as coisas, desperdiçado tempo ou sido recebido com questionamento ou ingratidão para que os mentores se convençam de que não vale a pena dar-se o trabalho.

Mesmo orientadores e orientandos bem-intencionados podem se frustrar. Estamos *tentando* dar ou receber orientação, mas como nosso esforço provoca resistência, desagrado ou se mostra ineficaz, acabamos caindo no déficit de orientação. Isso prejudica o aprendizado, a produtividade, o moral e os relacionamentos. E a situação fica particularmente dramática quando as pessoas de ambos os lados do relacionamento são bem-intencionadas e esforçadas.

Cuidado com as linhas cruzadas

Uma das principais dificuldades das conversas de feedback é que muitas vezes as linhas se cruzam. Isso pode acontecer de duas maneiras. A primeira: posso estar querendo um feedback diferente do que você está me oferecendo — por exemplo, eu esperava reconhecimento, mas você me deu avaliação. A segunda: você pretendia me dar um tipo de feedback, mas interpretei mal — por exemplo, você queria me dar orientação, mas eu entendi como avaliação.

Uma vez que as linhas se cruzam, é difícil desembaraçá-las.

Consideremos a confusão ocorrida no escritório de advocacia onde trabalham April, Cody e Evelyn. Todos eles são subordinados a um dos sócios, Donald, que tem fama de não ser bom em dar feedback. Incentivados pelo departamento de RH e pela campanha anual de desempenho, eles marcaram uma reunião com Donald para pedir-lhe um retorno.

A assistente de Donald, April, foi a primeira. Ele gostou que April tivesse tomado a iniciativa de pedir feedback. Deu a ela uma porção de sugestões específicas sobre como administrar melhor seu tempo, inclusive manter seu espaço de trabalho mais organizado e ser mais enfática quando precisasse dizer não. April agradeceu, saiu da sala de Donald e ficou sem entender o que tinha acabado de acontecer.

A assistente queria apenas um pouquinho de reconhecimento. Trabalhava para Donald havia oito anos e tinha ficado muito boa em prever as necessidades dele. Os outros diziam que ela trabalhava incansavelmente, mas muitas vezes ela se sentia estressada e sobrecarregada. Donald nunca elogia um trabalho, nunca agradece. Na verdade, parece que ele mal percebe a presença dela. April está precisando muito de um tapinha nas costas e um monumental "Estou vendo tudo o que você faz por mim".

Mas o que recebeu na reunião foi orientação — ideias sobre como poderia melhorar.

A conversa atingiu-a profundamente, fazendo com que se sentisse mais invisível do que nunca. Passa pela cabeça dela pedir demissão. O problema não foi um feedback errado ou mal transmitido. A orientação que ele deu foi pertinente e, na verdade, bastante útil. A decepção de April decorreu de uma linha cruzada: ela queria uma coisa e recebeu outra.

O advogado Cody, que trabalha há apenas um ano no escritório, não se deu melhor. Enviou a Donald um relatório de pesquisa que tinha redigido na última quinta-feira e esperava soluções específicas para tratar suas tarefas com mais eficiência no futuro. Muitas vezes, ele se sente perdido e sabe que a pesquisa lhe toma mais tempo do que deveria. Ele quer orientação. Donald lê o documento com atenção, sorri e diz a Cody: "Com base neste relatório e em outro trabalho que você fez, posso afirmar que para um advogado recém-formado você está no caminho certo". Cody recebeu avaliação. E, como April, ficou decepcionado: "Como é que isso vai me ajudar a entender o que estou fazendo?". Ele vai enfrentar sua próxima tarefa sentindo-se mais perdido do que nunca.

Evelyn é uma antiga advogada do escritório que quer saber se tem alguma chance de se tornar sócia da empresa. Quando ela começa a dizer o que está querendo, Donald interrompe: "Evelyn, sei que não sou muito bom nisso de elogiar as pessoas, mas posso te dizer que significa muito para mim ver que você fica até mais tarde e vem trabalhar nos fins de semana. Lamento não ter dito nada sobre isso ao longo destes anos todos".

Evelyn recebeu reconhecimento — o grandioso "muito obrigado" que April desejava. Mas é claro que o que a advogada queria era avaliação. Ela quer saber em que posição está em relação aos colegas na disputa por uma vaga na sociedade do escritório. Evelyn gostou do reconhecimento, mas agora está mais ansiosa do que nunca. Sempre trabalhou além do expediente, mas os dois últimos advogados com muitas horas de trabalho não foram chamados para integrar a sociedade porque não conseguiam trazer novos negócios. Evelyn fica imaginando se o agradecimento de Donald seria um "obrigado e até mais" criptografado — uma maneira indireta de dizer que as coisas não iam funcionar. Evelyn se vê obrigada a decifrar o enigma do reconhecimento em busca de traços da avaliação que ela queria.

Donald e seu pessoal tiveram resultado nulo no que se refere a boas conversas de feedback. Dito em outras palavras, tiveram pleno sucesso em linhas cruzadas. Nesse "todos contra todos" farsesco, April quer reconhecimento, mas recebe orientação; Cody quer orientação e recebe avaliação; e Evelyn quer avaliação, porém recebe reconhecimento. E, no final das contas, Donald fica tão satisfeito com suas novas habilidades como emissor de feedback que até se pergunta se poderia oferecer um treinamento interno para seus sócios a respeito disso.

Uma complicação: sempre há avaliação na orientação

Voltando ao campo de beisebol, o pai está fazendo o que pode para ser claro com as filhas gêmeas. Na sua mente, a intenção é óbvia: ele está sendo um orientador. É assim que Annie entende as coisas, mas, como ficou evidente, Elsie as vê como avaliação. "Você acha que não tenho coordenação!" e "Você acha que não sou boa!": Elsie acha que aos olhos de seu pai ela não está progredindo.

Assim, mesmo que ele tenha sido claro com relação a seus objetivos, ainda há uma linha cruzada. Por que Elsie interpreta a orientação como avaliação? Pode ser por muitas razões. Talvez ela perceba uma comparação implícita com a irmã, ou se sinta insegura quanto ao seu talento para o esporte, ou ainda acredite que o pai nem sempre é justo. Talvez ela tenha esperado a semana toda para ficar com o pai, mas pretendia fazer outra coisa além de jogar beisebol. Ou pode ser apenas que ela não tenha dormido bem ou que não tenha tomado o café da manhã.

Além de qualquer outra coisa que possa estar acontecendo entre Elsie e seu pai, existe também um componente estrutural em sua dificuldade de comunicação: em toda orientação há um pouco de avaliação. Quando o orientador diz "Isto é o que se faz para melhorar", transmite, implicitamente, a seguinte mensagem avaliativa: "Até agora você não vinha fazendo as coisas como deveria".

O pai está fazendo o possível para evitar a avaliação. Ele não diz: "Estou observando vocês duas. Annie, você tem coordenação. Elsie, você não tem". Essa seria uma avaliação explícita (sem contar que seriam palavras muito estranhas na boca de um pai). E, mesmo assim, já que em toda orientação existe um pouco de avaliação, ele não consegue evitá-la completamente. Para Annie, isso é irrelevante; ela está assimilando a orientação e descartando a parte avaliativa. Para Elsie, a avaliação fala mais alto e domina todo o resto.

A reação de Elsie à fala do pai nos faz lembrar que o controle do emissor do feedback sobre o equilíbrio entre orientação e avaliação é apenas parcial. Posso entender a recomendação "Mantenha as duas mãos no volante" como uma orientação ditada pelo bom senso, mas outra pessoa pode interpretá-la como avaliação: "Você é um irresponsável".

Na extremidade receptora, estamos sempre arquivando o conselho que nos dão nos escaninhos da avaliação ou da orientação. Você pode interpretar a sugestão de sua namorada "Ligue para sua mãe" tanto como um lembrete quanto como uma reclamação, dependendo de sua relação com ela. E o funcionário do departamento de trânsito que diz que você está na fila errada? O comentário pretende ser uma orientação (para que você não perca tempo) ou uma avaliação ("Você não consegue ler indicações simples, sua besta?").

Essa dinâmica corre solta nos locais de trabalho. Os sistemas de gestão de desempenho existem para atingir numerosos objetivos da organização, incluindo avaliação e orientação. Avaliamos funcionários para garantir que eles recebam promoção e pagamento justos, tenham certeza de seus incentivos e suas posições e para que o trabalho deles seja bem-feito e eficiente. Orientamos para ajudar as pessoas a crescerem e se aperfeiçoarem, preparando-as para ter mais sucesso na etapa seguinte.

O feedback oferecido como orientação é frequentemente entendido como avaliação. ("Você está me dizendo o que fazer para melhorar, mas na verdade está demonstrando que não tem certeza se sirvo para isso.") E as tentativas de obter orientação dos mentores podem acabar num feedback permeado por avaliação, provocando atitude defensiva e frustração em vez de aprendizado.

O que pode ajudar?

Duas coisas podem ser úteis para nos manter no caminho certo: alinhar nossos objetivos e separar (tanto quanto possível) a avaliação do reconhecimento.

Mantenha o alinhamento: entenda e discuta o objetivo

As linhas cruzadas ocorrem quando o emissor e o receptor estão desajustados. O remédio? Discutir explicitamente o propósito do feedback. Pode parecer óbvio, mas mesmo pessoas competentes e bem-intencionadas podem passar a vida sem ter uma conversa desse tipo.

A maior parte deste livro se dirige a receptores de feedback. Mas, neste ponto, damos ideias a ambos: emissor e receptor. Faça a si mesmo estas três perguntas:

1 Qual é o meu objetivo ao dar/ receber este feedback?
2 Esse objetivo é correto do meu ponto de vista?
3 Esse objetivo é correto do ponto de vista da outra pessoa?

Sua meta principal é orientação, avaliação ou reconhecimento? Você pretende melhorar, ponderar ou agradecer e dar apoio? Nem sempre você vai conseguir encaixar com clareza a bagunça que é a vida real numa dessas categorias, mas vale a pena tentar. Refletir sobre seu objetivo antes do diálogo vai ajudá-lo a ser claro durante a conversa propriamente dita. E, mesmo que você não consiga organizá-los, é sempre bom perceber quando seus objetivos estão um pouco confusos — até para você mesmo.

Durante a conversa, faça alguns testes: "Quero ser seu orientador. É assim que você vê nosso diálogo? Na sua opinião, é disso que você precisa?". O receptor pode responder que gostaria de saber se está fazendo *alguma coisa* certo — é um sinal de que ele está esperando algum reconhecimento e talvez um pouco de avaliação positiva.

Seja claro sobre o objetivo da conversa e especifique o que seria de maior ajuda para você. Depois discuta, e, se os dois precisarem de coisas diferentes, negociem. Lembre-se: a discordância explícita é melhor que o desentendimento implícito. A discordância explícita leva à clareza e é o primeiro passo para fazer coincidirem as necessidades das duas partes.

O receptor pode precisar pegar o touro pelos chifres: "Você está dando orientação, mas uma breve avaliação seria de muita ajuda: estou indo bem, de modo geral? Se estiver, posso ficar tranquilo e receber com prazer sua orientação". Ou: "Você diz que isto é orientação, mas pelo que entendo é uma avaliação também. Tenho razão ao pensar que você está dizendo que estou ficando para trás?".

Foi isso que acabou ajudando Elsie e seu pai. Ele parou de arremessar e perguntou: "Elsie, o que está acontecendo?". E a filha caiu em prantos. O pai compreendeu que Elsie estava, na verdade, esperando receber reconhecimento. Ela tinha treinado durante toda a semana e queria surpreendê-lo com seus progressos na manhã de sábado. Mas na hora H ela não conseguiu fazer grandes jogadas e ficou arrasada. Precisava do consolo do pai — com o reconhecimento de seu esforço e de sua decepção — mais do que de qualquer dica de arremesso.

Separe avaliação de orientação e reconhecimento

O som de corneta da avaliação é capaz de encobrir as melodias mais suaves da orientação e do reconhecimento.

Mesmo que eu chegue para minha análise de desempenho determinado a aprender meios de me aperfeiçoar, a avaliação pode ser um obstáculo. Se eu esperava um "superou as expectativas" e ouço apenas um "cumpriu as expectativas", qualquer orientação que eu possa receber depois disso provavelmente não será ouvida. Isso acontece mesmo que a orientação tenha sido criada para me ajudar a conquistar um "superou" no ano seguinte. Em vez de prestar atenção ao que está sendo dito, me concentro nos pensamentos e emoções transmitidos por minha voz interna: *E o que você me diz de todas as vezes que livrei sua cara com a matriz? O que tem de errado com você? E o que tem de errado comigo? E como isso vai influenciar na minha remuneração?*

Se no seu trabalho há conversas formais de feedback a cada seis ou doze meses (nas quais, por exemplo, supervisor e supervisionado explicitam objetivos ou um plano de qualificação para o ano seguinte, determinando técnicas específicas e resultados), as conversas de avaliação e de orientação devem se realizar com pelo menos alguns dias de intervalo — de preferência mais do que isso.

A conversa de avaliação deve ocorrer primeiro. Quando um professor entrega uma prova corrigida, a primeira coisa que o aluno faz é procurar sua nota. Só depois ele vai olhar as anotações à margem. Não podemos focar no progresso se ainda não sabemos como estamos indo.

Idealmente, recebemos orientação e reconhecimento durante o ano todo, dia a dia, projeto a projeto. É o que acontece quando estamos dirigindo e o condutor do veículo à nossa frente não anda quando o sinal fica verde. Nessa situação, não pensamos: "Vou reunir todas as ideias que tenho sobre esse motorista e dar-lhe feedback no fim do ano". Nós buzinamos, *na hora*. É agora que ele tem de avançar, é agora que ele precisa de "orientação".

Compreender se estamos recebendo reconhecimento, orientação ou avaliação é o primeiro passo. Mas mesmo quando todos os nossos objetivos estão alinhados, pode ser difícil entender o feedback, que corre o risco de ser totalmente descartado. Esse é o tema do próximo capítulo.

RESUMO: ALGUMAS IDEIAS BÁSICAS

Feedback significa três coisas diferentes, com objetivos diferentes:
* *Reconhecimento* — motiva e estimula.
* *Orientação* — ajuda a aumentar conhecimentos, técnicas, qualificação, crescimento ou desperta suscetibilidades no relacionamento.
* *Avaliação* — informa sobre a situação, alinha expectativas e subsidia a tomada de decisões.

Precisamos das três formas, mas muitas vezes os objetivos se desencontram.

A avaliação é o tipo de feedback mais estrondoso e pode se sobrepor aos outros dois. (E toda orientação tem um pouco de avaliação.)

É preciso ter clareza a respeito do que você quer e do que está sendo oferecido, e então alinhar a conversa.

CAPÍTULO 3

Entenda antes de mais nada

TROQUE O "ISSO ESTÁ ERRADO"
POR "EXPLIQUE MELHOR"

Irwin, advogado supervisor da defensoria pública, diz a Holly — recentemente contratada — que ela está "se envolvendo demais" na vida pessoal dos clientes e não mantém a distância profissional adequada. "Você não é mãe deles", previne Irwin. Holly apela para: "Olha, Irwin, eu fui criada naqueles bairros. Sei como é importante ter alguém ao seu lado, brigando por você". Irwin insiste: "Mesmo assim, você precisa criar limites".

Holly responde que vai pensar no caso. Mas não vai. Já é difícil assimilar um feedback correto; ela não vai perder tempo com um feedback que está errado.

Nesse aspecto, Holly é como todos nós. Não queremos assimilar um feedback sem valor ou inútil; assim, de modo muito compreensível, nos esquivamos dele. Ouvimos o que o emissor tem a dizer com uma pergunta em mente: "O que há de errado com este feedback?". E, como quase sempre acontece, vamos encontrar alguma coisa.

Somos bons para detectar erros

Se você já recebeu feedback no trabalho — ou se tem uma sogra — conhece bem as diversas formas e tamanhos do erro:

O erro 2 + 2 = 5: É literalmente um erro. Como posso ter sido indelicado nessa reunião se eu nem estava lá? Não, meu nome não é Mike.

O erro extraterrestre: Em algum lugar do universo deve haver uma forma de vida estruturada pelo carbono que possa ter achado o meu e-mail ofensivo, mas aqui na Terra todos entenderam que é uma piada.

No passado estava correto: Sua crítica ao meu plano de marketing se baseia em como o marketing funcionava quando você começou a trabalhar. Antes da internet. E da eletricidade.

Está certo de acordo com as pessoas erradas: Alguns me veem dessa forma, mas, da próxima vez, converse com pelo menos uma pessoa que não esteja na minha lista de inimigos pessoais.

O contexto está errado: Eu grito com o meu assistente, e ele grita comigo. É assim que nossa relação funciona — a palavra-chave é "funciona".

Para você pode até estar certo, mas para mim está errado: Temos características físicas diferentes. Ternos caem bem em você. Um moletom cai melhor em mim.

O feedback está certo, mas não neste exato momento: É verdade que eu poderia perder uns quilinhos. E farei isso assim que os quíntuplos saírem de casa.

Seja como for, é inútil: Dizer que devo ser um mentor melhor não vai me ajudar a *ser* um mentor melhor. E, por falar nisso, que tipo de mentor é você?

Por que é tão fácil detectar o erro? Porque quase sempre há *alguma coisa* errada — alguma coisa que o emissor do feedback está deixando de lado, evitando ou confundindo. Sobre você, sobre a situação, sobre as pressões que recaem sobre você. E quem dá um feedback vago agrava o problema, tornando fácil para nós deixá-lo de lado, evitando e confundindo o que está sendo dito.

Mas, no final das contas, a detecção de erros acaba não apenas com o feedback errado: destrói também o aprendizado.

A primeira tarefa é entender

Antes de decidir se o feedback está certo ou errado, é preciso *compreendê-lo*. Isso parece óbvio, mas na verdade normalmente passamos por cima do entendimento e mergulhamos em julgamentos apressados.

"Não é que eu passe por cima", você deve estar pensando. "Entendo o que o feedback significa, porque acabaram de me dizer o que significa. Eles estavam me dando feedback, eu estava ouvindo." Um bom começo, mas não é tudo.

O feedback chega com rótulos genéricos

Muitas vezes, o feedback chega embalado como um produto genérico na prateleira do supermercado, e em seu rótulo se lê apenas "sopa" ou "refrigerante". Os rótulos que o emissor do feedback usa podem parecer claros — "Seja mais proativo", "Não seja tão egoísta", "Não seja infantil" —, mas na verdade têm pouco conteúdo. Você nunca vai tomar o rótulo da sopa; da mesma forma, o rótulo do feedback não tem valor nutricional.

Lembre-se dos conselhos de Irwin a Holly: "Você está se envolvendo demais"; "Mantenha a distância profissional adequada"; "Você precisa criar limites". Todos são rótulos (até mesmo "Você não é mãe deles"). Se Holly quisesse seguir os conselhos de Irwin, o que exatamente ela teria de fazer de outro modo?

Holly acha que o recado é claro: dedique menos tempo a cada caso; não se aborreça tanto quando perder; não olhe o réu nos olhos dizendo que acredita nele; não revele sua própria história de luta e redenção. Em resumo, se importe menos. Holly não está interessada em se importar menos e, assim, não assimila o feedback.

Todas essas interpretações são plausíveis para os rótulos de Irwin. Talvez ele quisesse dizer essas coisas. Mas não queria. Na verdade, Irwin acha que estabelecer um forte vínculo pessoal com o réu é muito importante; convencê-lo de que você está do lado dele, ainda mais. Ele não se referia a criar limites no cuidado, no esforço ou na confiança.

O que ele queria dizer? Irwin explica:

Nesta profissão, temos de ser explícitos quanto a limites. Já escutei réus pedindo dez ou vinte dólares a Holly, e vi que ela lhes dava o dinheiro. Veja bem, se eles pedem dez dólares, provavelmente precisam de muito mais do que isso. Então é melhor indicar instituições que possam dar um jeito na vida deles. Quando eu estava começando, senti uma ligação pessoal forte com um cliente, e entrei nessa de atender a todos os seus pedidos. Em pouco tempo, ele estava tirando vantagem de mim. Pior ainda: o cliente deixou de confiar em minhas recomendações como profissional, porque passou a me ver como mais um otário que ele podia engambelar.

Será que Holly concordaria com o feedback de Irwin se o entendesse? Talvez. Ou talvez não. Mas pelo menos ela estaria em condições melhores para decidir.

Os rótulos desempenham uma função importante no feedback. Como o rótulo da sopa, eles nos dão uma ideia geral de qual será o conteúdo e podem nos ajudar quando voltamos ao assunto mais tarde. Mas o rótulo não é o que consumimos.

Vai um feedback aí?

Os designers gráficos irlandeses Mark Shanley e Paddy Treacy, cansados de receber feedbacks quase incompreensíveis de seus clientes, decidiram canalizar sua frustração e criaram pôsteres com algumas das maiores pérolas que ouviram.

A iniciativa foi um sucesso imediato. A dupla, então, convidou outros colegas da área de design gráfico para que criassem seu próprio portfólio de feedbacks desconcertantes.

Veja outros trabalhos da galeria de Mark e Paddy em www.sharpsuits.net ou compartilhe histórias, vídeos ou gráficos do seu pior feedback em www.stoneandheen.com.

Pôsteres criados por: **Urso-polar**: Mark Shanley + Paddy Treacy em markandpaddy.com; **Cabelo**: Steve Rogers; **Passaporte**: Austin Richards; **Fator frieza**: Maxi.*

* Pôster 1: Gostei. Mas não dá para deixar a neve um pouco mais quente?; pôster 2: O cabelo dele está muito polarizante; pôster 3: Não estou convencido de que um globo e um passaporte representem viagens; pôster 4: Podemos diminuir o elemento frieza e depois aumentar o elemento diversão em uns 25%?

Emissor e receptor interpretam o rótulo de maneiras diferentes

Os rótulos sempre significam alguma coisa específica para o emissor. Pense em alguma característica que chateia você numa pessoa próxima — irmão, chefe, amigo ou colega de trabalho. A primeira coisa que lhe vier à cabeça provavelmente é um rótulo:

"Ele é tão _____."
"Ela é muito _____."
"Minha mulher nunca _____."
"Meu colega é tão in_____."

Em nossa mente, temos um filme em alta definição que captura tudo o que queremos dizer com esses rótulos — o mau comportamento, o tom zangado, os hábitos irritantes que temos de tolerar. Quando usamos um rótulo, estamos vendo aquele filme, que é dolorosamente claro. É fácil esquecer que quando mencionamos o rótulo a outras pessoas, o filme não vai anexado. O que eles ouvem são palavras vagas. Isso quer dizer que mesmo quando "assimilamos" o feedback, é fácil interpretar mal o significado.

Adrianna disse a seu subordinado Nicholas que devia ser "mais assertivo" no setor de vendas. Ela chegou ao cargo de chefia em parte por causa de seu lendário talento como vendedora, e Nicholas se empenha em seguir os conselhos dela. Naquele mesmo dia, Adrianna o vê pressionando um cliente a concordar com os termos de uma transação: "Hoje, agora mesmo, antes de sair por aquela porta".

A chefe fica chocada e quer saber por que Nicholas estava ameaçando o cliente. Confuso, ele explica que estava sendo "mais assertivo", conforme a sugestão dela mesma. Céus!

A recomendação original de Adrianna se baseava na atitude que observara em Nicholas diante de um cliente enquanto tentava concluir uma venda. Ela temia que a personalidade dele, relaxada e sem energia, transmitisse falta de interesse no produto e no cliente. Quando sugeriu que fosse "mais assertivo", Adrianna quis dizer algo como: aja com mais energia. Mostre entusiasmo, deixe sua personalidade brilhar. Impressione o cliente com seu envolvimento e sua atenção. Quase o oposto do que Nicholas tinha entendido.

Na orientação, esse desencontro entre "o que foi ouvido" e "o que se quis dizer" é surpreendentemente comum.

ORIENTAÇÃO	O QUE FOI OUVIDO	O QUE SE QUIS DIZER
Seja mais autoconfiante.	Dê a impressão de saber as coisas, mesmo que não saiba.	Tenha a autoconfiança de admitir que não sabe.
Não seja tão exigente ao escolher um(a) namorado(a).	Você não é grande coisa, portanto não merece grande coisa.	Não cometa os erros que eu cometi, para não acabar como eu.
Gostaria que você não fosse tão dogmático.	Não seja interessante ao falar. Seja apático e sem graça.	Você não ouve nem a mim nem a ninguém. É cansativo.

A avaliação pode ser igualmente confusa:

AVALIAÇÃO	O QUE FOI OUVIDO	O QUE SE QUIS DIZER
Você recebeu nota 4, sendo que o máximo era 5.	No ano passado tirei 4. Me esforcei muito mais este ano e recebi outro 4. Ninguém vê que eu trabalho duro.	Ninguém tirou 5. Poucos tiraram 4 e você recebeu 4 duas vezes seguidas. Seu trabalho é fora de série!
Quero ver você outra vez.	Você é minha alma gêmea.	Foi divertido.

Considerando a frequência com que falamos por meio de rótulos, é um tanto surpreendente que alguma vez o feedback seja transmitido com sucesso.

Brinque de "Encontre o rótulo"

Em nossa vida, encontramos pessoas extraordinariamente hábeis em dar feedback. Elas dizem sempre coisas como: "Deixe-me explicar o que quero dizer, e faça-me perguntas para sabermos se estou sendo claro". Mas muitos não têm essa habilidade, e cabe a você se esforçar para entender o que se encontra sob o rótulo. A maneira mais segura de fazer isso é procurar o rótulo antes de mais nada.

Na verdade, uma vez que você se dispõe a localizá-los, é fácil encontrar os rótulos. Difícil é lembrar de procurá-los. É como contar o número de vezes que uma pessoa diz "e". É impossível fazer isso sem que você se empenhe conscientemente nessa tarefa, mas fica fácil uma vez que tenha tomado a decisão. O mesmo acontece com os rótulos: se você estiver atento a eles, vai ouvi-los por toda parte.

Depois de encontrar o rótulo, dê o segundo passo: é preciso combater a tentação de completá-lo com seu próprio entendimento. Se você já "sabe" o que o outro quis dizer, não há nada para aprender nem para despertar a curiosidade. "'Seja mais afetuoso'? Ótimo, ela quer que eu me disponha a fazer sexo mais vezes." Mas será que o rótulo "Seja mais afetuoso" realmente significa "Disponha-se a fazer sexo mais vezes"? Vejamos algumas outras possibilidades:

a pegue na minha mão em público;
b colabore mais em casa;
c seja mais alegre e carinhoso;
d diga que me ama pelo menos uma vez a cada dez anos.

Qual é a resposta correta? Você só vai saber quando conversarem sobre o assunto. Mas, se você deduzir que já sabe, não vão fazer isso nunca.

O que há sob o rótulo?

O conselho mais comum sobre feedback é: seja específico. É um bom conselho — embora não muito específico. O que significa ser específico, e específico a respeito *do quê?*

Para responder a essa pergunta, começamos com uma observação: se arrancarmos o rótulo, vamos descobrir que o feedback tem um passado e um futuro. Tem um componente *retrospectivo* ("Isso foi o que observei") e um componente *prospectivo* ("Isso é o que você precisa fazer"). Os rótulos habituais do feedback não nos dizem muito a respeito de nenhuma dessas direções.

Assim, para desvendar o feedback que existe sob o rótulo, precisamos "ser específicos" em relação a duas coisas:

1   de onde vem o feedback;
2   para onde vai o feedback.

De onde vem e para onde vai

Vamos dar um exemplo. Você diz que sou um motorista imprudente. É o rótulo. *De onde vem* esse feedback? De uma ocasião específica em que saímos juntos de carro, do fato de eu te ligar pelo celular enquanto dirijo ou de sua apreensão sobre uma batidinha que dei no ano passado? Eu teria melhores condições de decifrar o feedback se soubesse a resposta.

E *para onde vai* o feedback? Qual é o conselho? Você pretende que eu pare de colar no carro da frente, ou use óculos ao dirigir à noite, ou ande mais devagar em ruas cheias de gente, ou durma mais na véspera de uma longa viagem?

Veremos adiante, de um modo mais profundo, como discutir e entender de onde vem e para onde vai o feedback. Do lado "de onde vem", vamos examinar uma diferença fundamental: a que existe entre os "dados" do emissor (aquilo que ele observa) e a interpretação deles (o significado que ele extrai daquilo que observa). E, do lado do "para onde vai", vamos considerar a diferença entre o feedback de orientação — que tem como objetivo aconselhar — e o feedback de avaliação — que esclarece consequências. Essas distinções estão expostas no diagrama[1] a seguir, que vai fazer mais sentido nas páginas seguintes.

Descobrir de onde vem e para onde vai o feedback exige um pouco de prática, mas, depois de algumas tentativas, torna-se um hábito muito natural.

Pergunte de onde vem o feedback

Os emissores do feedback chegam a seus rótulos em dois passos: (1) eles observam os dados, e (2) eles interpretam os dados — criam uma historinha sobre o que isso significa.

Eles observam os dados

O feedback que você recebe está baseado nas observações do emissor — qualquer coisa que ele tenha visto, sentido, ouvido, cheirado, tocado, saboreado, lembrado ou lido é importante. Na literatura acadêmica, essas informações chamam-se "dados", embora neste contexto esse termo possa representar mais do que fatos ou números. Os dados incluem qualquer coisa que tenha sido diretamente observada: comportamento, declarações, tom de voz, roupas, criações, rendimentos anuais, meias no chão, boatos pelo escritório. Alguns exemplos de dados que podem acabar em feedback:

> Seu chefe ouve você dizendo a um colega que está ocupado demais para ajudá-lo.

> Seu parceiro de tênis observa que você já não é capaz de lembrar o placar.

> Seu relatório não distingue entre vendas on-line e presenciais.

Você esteve calado durante o jantar — até berrar com as crianças.

Os dados também podem incluir reações emocionais do emissor do feedback. "Quando você não responde aos meus e-mails, fico frustrado." "Estou preocupado com o que vai deixar de ser feito quando você tirar uns dias de folga." "Quando você dirige e chega tão perto do carro da frente, eu começo a suar frio."

Eles interpretam os dados

Normalmente, as pessoas não dão como feedback suas observações nuas e cruas. Antes de passá-las adiante, elas "interpretam" ou filtram o que veem com base em suas experiências anteriores, seus valores, pressupostos e as regras implícitas sobre o mundo. Assim, em vez de dizer "Ouvi você respondendo ao Gus que estava ocupado demais para ajudá-lo", seu chefe dirá "Você não está trabalhando em equipe".

Adrianna tem dados a respeito de Nicholas — sua abordagem de vendas, suas respostas para questões rotineiras, seu tom de voz, sua linguagem corporal. Tem também uma quantidade de dados que não se referem a Nicholas. Já viu dúzias de vendedores interagindo com clientes e tem um estoque de dados sobre suas próprias experiências em vendas ao longo dos anos.

Sem estar consciente disso, Adrianna *interpreta* o que vê e transforma os dados diretos em julgamentos: Nicholas é *muito* descontraído. Mas ele não demonstra interesse pelos clientes — o que é essencial para captar o interesse *deles* — e está perdendo vendas que poderia fechar.

Tudo isso é interpretação dos dados. Você não pode dizer "muito descontraído"; *descontraído* em si é um juízo sobre o comportamento observado em Nicholas, já *muito descontraído* é um juízo sobre um alto nível de descontração. E Adrianna pode ver que Nicholas perde vendas, mas imagina que ele só conseguiria fechá-las se tivesse outro comportamento. Isso envolve suposições sobre as consequências da abordagem dele e uma previsão do futuro caso ele mude.

Mas até que o futuro chegue, é uma conjectura — uma interpretação dada por Adrianna ao que ela vê.

Diz-se que todo conselho é autobiográfico, e até certo ponto é isso mesmo. Interpretamos o que vemos com base em nossas próprias experiências de vida, suposições, preferências, prioridades e regras implícitas sobre como as coisas funcionam e como uma pessoa deve ser. Eu vejo sua vida pela lente da minha vida; meu conselho para você se baseia em mim.

Eles confundem dados com interpretação (todos nós fazemos isso)

Você deve estar pensando: "As conversas seriam muito mais fáceis se o emissor se limitasse a mencionar os dados. Eles não deveriam dizer 'Seu relatório é confuso e raso', mas sim falar sobre os dados: 'Notei que você não distingue entre vendas on-line e vendas presenciais. Vamos discutir isso...'".

Seria muito bom se fizessem isso, mas normalmente não é o que acontece — não porque estejam querendo ser cautelosos ou pouco claros. O processo de transformação de dados em interpretação ocorre num piscar de olhos e é em grande parte inconsciente. O especialista em inteligência artificial Roger Schank faz uma interessante observação a esse respeito: ele diz que, enquanto os computadores estão organizados para administrar e acessar *dados*, a inteligência humana se organiza em torno de *histórias*.[2] Recebemos dados de forma seletiva e de imediato fazemos interpretações, o que resulta em rótulos baseados em julgamentos instantâneos: *Aquela reunião foi uma perda de tempo. Sua saia está curta demais. Essa gente da mesa ao lado não tem condições de educar um filho.*

Se alguém perguntasse o que foi que vimos, diríamos: "Vi péssimos pais em ação". Achamos que esse é o dado real, porque foi o que armazenamos na memória. Mas o dado real foi o modo como a mãe olhava para o bebê ou a indiferença do pai enquanto o bebê chorava. *Péssimos pais* não é o dado, mas sim a história que produzimos sobre o que ocorreu.

Agora que você está pegando o jeito nesse assunto, lembre-se de que umas páginas atrás nós apresentamos um dado: o fato de você ter "berrado" com as crianças. Na verdade, ter berrado é em si uma interpretação do que você fez. Outra pessoa poderia dizer que você foi seco, ríspido ou até mesmo bem claro. É fácil confundir nossa interpretação (berrar) com o dado (o que realmente se ouviu).

Se os emissores de feedback em geral não revelam as impressões por trás dos rótulos deles é porque eles simplesmente não têm conhecimento delas. E é sua tarefa fazer com que eles abram o jogo. O objetivo disso não é ignorar ou dispensar a interpretação. Os dados são cruciais, mas a interpretação também é. Afinal de contas, é o ponto de vista de alguém. Dessa forma, é importante que você tenha clareza sobre os dados e a interpretação.

Quando Nicholas ouve Adrianna dizer que ele precisa ser mais assertivo, poderia processar as coisas desta forma em sua cabeça: "Mais assertivo é um rótulo. Eu não sei de onde veio, nem para onde vai. No que se refere a de onde veio, eu gostaria de saber em que dado isso se baseia — o que foi que Adrianna viu ou ouviu — e como ela interpretou essa informação".

Quando Nicholas perguntar sobre os dados, pode haver alguns rodeios. Adrianna poderia responder: "No setor de vendas, reparei que você estava muito descontraído". A coisa vai na direção certa, mas, como já vimos, "descontraído" não é dado, mas sim interpretação. Nicholas precisa entender as observações que estão por trás dessa interpretação para entender exatamente o que "descontraído" significa para Adrianna. Isso vai exigir alguma discussão: "É meu tom de voz? O que tem de errado com meu tom de voz? É minha linguagem corporal? Mostre como é...".

Pergunte para onde vai o feedback

Até aqui, falamos sobre o sórdido passado do seu feedback. Agora vamos falar do futuro dele.

Nem todo feedback tem um componente prospectivo. Você nota que seu parceiro de tênis tem dificuldade para memorizar o placar.

Se compartilhar essa observação com sua mulher, provavelmente não haverá nenhum conselho nisso. *Poderia* haver — "Aqui estão três mudanças de comportamento que podem ser indício de demência" —, mas também pode ser que o seu propósito seja atingido apenas pelo fato de contar o acontecimento a sua mulher.

Com muita frequência, no entanto, o feedback terá um componente prospectivo. Como veremos adiante, no caso da orientação, esse componente tem a ver com o conselho; na avaliação, tem a ver com consequências e expectativas.

Ao receber orientação: esclareça o conselho

Em qualquer caso, você pode escolher se quer ou não seguir um conselho. Mas podemos testar a clareza de um conselho com a seguinte pergunta: se você *quiser* segui-lo, saberia como fazer isso?

Muitas vezes a resposta é não, simplesmente porque o conselho é vago demais. "Se você ganhar um Tony Award, faça de tudo para que seu discurso solte faíscas." "As crianças precisam de amor, mas também precisam de previsibilidade e limites." "Se você quer brilhar no trabalho, torne-se indispensável."

Há dois problemas com esses conselhos: (1) não temos certeza do que eles significam, e (2) mesmo que tivéssemos, não saberíamos o que fazer para segui-los. O que significa "soltar faíscas", e como faríamos para que nosso discurso adquirisse esse brilho mágico?

Dessa forma, na extremidade receptora, temos de ajudar quem

está do outro lado a ser mais claro. "Faíscas? Explique o que você quer dizer com isso. Dê alguns exemplos de discursos que soltaram faíscas. E dê também alguns exemplos dos que, na sua opinião, foram chatos." A comparação é quase sempre esclarecedora e juntos vocês chegarão a um acordo do que torna interessante um discurso de agradecimento.

Outro exemplo: Tom está atolado de trabalho, e sua amiga Liz insinua que ele "precisa aprender a dizer não". O conselho é ao mesmo tempo inútil e preocupante. Tudo o que Tom viu até agora é que Liz não sabe como as coisas funcionam onde ele trabalha.

Mas antes de descartar o conselho, Tom fica curioso para descobrir o que Liz entende por "dizer não". E pergunta a ela como deveria agir para pôr em prática o conselho, no caso de decidir aceitá-lo. Liz então é levada a falar de sua própria luta para dizer não: "A forma mais útil que encontrei foi a seguinte: sentei com a minha equipe e expus o meu problema. Expliquei que não queria me afastar do trabalho, mas começava a perceber que eu estava me tornando um gargalo e não seria capaz de fazer as coisas como eu desejava em todos os casos". Admitir o problema pôs os colegas de Liz a par dele, o que por si só já foi útil, mas também deu à equipe a oportunidade de encontrar soluções criativas que ela poderia não ter encontrado sozinha.

Liz fala também da nova medida que tinha adotado: "Não digo que sim nem que não a uma solicitação no momento em que é apresentada. Prefiro fazer algumas perguntas classificatórias". As perguntas que ela acha mais úteis são: "Isto é mais ou menos urgente do que aquilo que você me pediu ontem?" e "Alguma parte disto é mais importante do que as outras, e por quê?". Depois disso, ela diz a quem lhe fez a solicitação: "Vou dar uma olhada com cuidado no que tenho em minha mesa antes de dar uma resposta". Isso serve para controlar o impulso de dizer sim automaticamente e contribui para transformar a carga de trabalho e as prioridades num problema compartilhado.

Quando você discute o conselho com esse nível de detalhe, torna--se capaz de começar a visualizá-lo e, uma vez que o tenha visualizado, vai conseguir enxergar por que alguma coisa que parecia inútil apresentada sob o rótulo "diga não" pode acabar sendo útil no final das contas.

Ao receber avaliação: esclareça consequências e expectativas

Não é fácil esclarecer um conselho, e pode ser ainda mais difícil esclarecer as consequências e expectativas decorrentes de uma avaliação. Por quê? Porque ainda estamos sob efeito do impacto da própria avaliação. Eufóricos ou arrasados, nos encontramos num estado de espírito que não favorece a curiosidade.

No entanto, é particularmente importante entender a parte prospectiva do feedback quando se trata de avaliação. *O que isso significa para mim? O que vai acontecer daqui para frente, o que se espera de mim? Considerando minha situação, o que devo fazer agora?*

Eis o que normalmente acontece:

A AVALIAÇÃO: Depois de uma série de testes, Max é notificado de que sua capacidade de ouvir algumas frequências mais altas diminuiu cerca de 80%.

O QUE MAX DIZ: *É mesmo? Estou surpreso.*

O QUE MAIS TARDE MAX LAMENTA NÃO TER PERGUNTADO: *O que causou essa perda auditiva, e o que posso fazer para evitar que se agrave? O que são exatamente "frequências mais altas"? Que importância elas têm para a audição? O que significa "diminuiu cerca de 80%"? Como está minha audição comparada à de outras pessoas da minha idade? O contexto tem importância para o que eu serei capaz de ouvir? Vou piorar e, se for, com que velocidade?*

A AVALIAÇÃO: Margie não é a escolhida para a chefia de seu departamento.

O QUE MARGIE DIZ: *Fiquei decepcionada. Quem foi o escolhido?*

O QUE MAIS TARDE MARGIE LAMENTA NÃO TER PERGUNTADO: *Você poderia falar um pouco mais sobre o que me faltou no momento em que analisava minha adequação ao cargo? Que preocupações as pessoas ti-*

veram? Você tem alguma sugestão para que eu possa preencher algumas lacunas na minha experiência ou na minha formação? Como essa decisão vai afetar os meus projetos? E como fica a minha remuneração, agora e no ano que vem?

A AVALIAÇÃO: O tempo passa, e sua namorada de três anos continua recusando-se a casar com você.
O QUE VOCÊ DIZ: [Nada.]
O QUE VOCÊ LAMENTA NÃO TER PERGUNTADO (E TALVEZ AINDA DÊ TEMPO): *O que você está pensando sobre o futuro? Você está insegura quanto ao casamento ou quanto a mim? Existe alguma coisa em nosso relacionamento que você acha que devemos discutir? Você acha que vai estar preparada amanhã? No ano que vem? Nunca? O que você precisa para se sentir preparada? Acha que devemos terminar? Isso seria bom para você?*

Você já tem a capacidade de formular perguntas prospectivas — o macete é como usá-las. É como puxar a cordinha do paraquedas. Não é difícil, o essencial é lembrar-se de fazer isso na hora certa. Para esse fim, é útil ter no bolso uma pequena lista de boas perguntas antes de entrar em qualquer conversa de avaliação.

E, ao contrário do que ocorre quando você se esquece de puxar a cordinha do paraquedas, se não fizer as perguntas importantes, normalmente pode voltar a ter uma conversa sobre esse assunto depois.

Avaliação

Retrospectiva	RÓTULO	Prospectiva
Que critérios você usou? O que você considera mais importante? Há preocupações que eu deva saber? Está me faltando alguma qualificação ou experiência?		Quais serão as consequências? Como isso vai me afetar no ano que vem? Em que devo pensar ou me aprimorar? Quando poderemos ser reavaliados?

Deixe de detectar erros para detectar diferenças

Até agora, estávamos falando sobre o que se esconde sob os rótulos usados pelo emissor do feedback e sobre como o receptor pode formular boas perguntas para entender de onde vem e para onde vai o feedback. O emissor tem ideias em mente, e falávamos sobre como transferir essas ideias da cabeça dele para a sua.

Mas até agora deixamos uma coisa de lado: você não está tentando passar as ideias da outra pessoa para sua cabeça *vazia*; ao contrário, quer passar essas ideias para sua mente *cheia*. Você tem suas próprias opiniões e pontos de vista a respeito desse feedback, seus próprios dados e interpretações, suas experiências de vida, princípios e valores. Todo tipo de coisas que constitui o feedback na cabeça de quem o fez também está passando pela sua cabeça.

Essa é, na verdade, uma forte razão para apontarmos o erro: sabemos que o feedback está errado ou fora de propósito porque temos nossas próprias experiências e opiniões, que não são as mesmas do outro. Portanto, as dele estão erradas. A outra única possibilidade seria que as opiniões dele estivessem certas, e as nossas, erradas, mas isso parece ainda menos provável.

Há outra maneira de pensar sobre isso. Como receptores, não podemos usar nossas opiniões para desmerecer as opiniões do emissor, mas tampouco devemos descartar as nossas. Empenhar-se em *entender antes de mais nada* as opiniões dele não significa fingir que não temos experiências de vida ou opiniões. Pelo contrário, precisamos entender as opiniões dele estando conscientes das nossas. E isso é quase impossível se não nos dispusermos a uma mudança drástica — tomarmos distância do "Isso está errado" e nos aproximarmos de "Explique melhor: vamos tentar descobrir por que vemos isso de formas diferentes".

Se o motivo pelo qual não vemos um determinado caso de feedback da mesma forma não for simplesmente porque um de nós está errado, então *qual* é a razão? Podem ser duas: temos dados diversos e interpretamos esses dados de modos diferentes. Até este ponto, exploramos os dados e as interpretações para entender o feedback.

Daqui para a frente, vamos situar o ponto de vista do outro perto do nosso e explorar cada um de nossos dados e interpretações para entender por que às vezes há uma lacuna entre como outra pessoa vê as coisas e como nós as vemos.

Dados diferentes

Recorremos a dados diferentes porque somos pessoas diferentes. Temos funções diferentes, moramos em lugares diferentes, nossos corpos são diferentes. Recebemos educação e treinamento diferentes, temos sensibilidades diferentes e nos preocupamos com coisas diferentes.

Às vezes os dados que temos são uma questão de acesso: seu chefe sabe quanto ganham seus colegas de trabalho, mas você não sabe; funcionários da filial do Cairo conhecem a cultura local de um modo que os da matriz de Londres não conhecem; quando dois amantes se olham nos olhos, cada um deles vê uma pessoa que os demais não veem.

O lugar que você ocupa numa empresa afeta o que você vê. O CEO e a recepcionista têm acesso a dados diferentes em decorrência de como e onde empregam seu tempo, com quem falam e por quais tarefas são responsáveis. O CEO sabe o que está causando conflitos no conselho, decepcionando clientes importantes e preocupando os analistas de mercado. A recepcionista observa cada pessoa que chega ao edifício — membros do conselho, fornecedores, novos contratados, zeladores e jornalistas — e escuta o que todos dizem na sala de espera. Ela ouve fofocas e queixas — além de ficar sabendo sobre o que as pessoas gostam ou não no modo como o CEO lida com os conflitos no conselho, com clientes importantes e com analistas de mercado.

Ainda que tivéssemos acesso aos mesmos dados, nós tenderíamos a perceber coisas diferentes. Estamos todos passando pela mesma calçada, mas o historiador pode notar a calcetaria; o maratonista, o impacto sobre seus joelhos; o cadeirante, as áreas menos acessíveis.

Vivemos atolados em informação — muito mais do que podemos registrar — e por isso selecionamos pequenas amostras em que prestar atenção e ignoramos o resto. Neste exato momento, enquanto você está lendo este livro, pare e observe alguma coisa que não tinha notado antes. Talvez o ruído de fundo, uma brisa ou a pessoa estilosa que está do outro lado da rua. Até um momento, você deixava passar todas essas coisas e provavelmente não sabia que estava fazendo isso. Não vemos o que não estamos vendo, então não vemos *que* não estamos vendo.

Ter acesso a dados diferentes ou registrar esses dados de forma diversa explica o problema que Mavis está enfrentando. Ela é advogada e trabalha numa equipe multidisciplinar que inclui o pessoal de vendas, da produção, do jurídico e um gerente de conta. Cada equipe acompanha um cliente do começo ao fim de uma operação, do primeiro contato à execução.

Em sua análise anual de desempenho, Mavis recebe um duro feedback de Davis, o gerente de conta: "Você não entendeu o 'lado comercial' do negócio. Seu exame legal detalhado retarda o processo de venda e acabamos perdendo para concorrentes mais ágeis".

Mavis fica decepcionada. Esse pessoal de vendas — Davis incluído — está errado. Como advogada, Mavis sabe de coisas que outros membros da equipe não sabem. Conhece as questões legais, mas além disso sabe o número de negócios que acabam em litígio e o quanto isso custa à empresa, tanto em dinheiro como em credibilidade. E a primeira coisa que lhe vem à cabeça é a instrução que recebeu do conselho: "As agências reguladoras estão apertando, precisamos fazer tudo com absoluta integridade. Nosso pessoal de vendas é de primeira, mas cabe ao jurídico puxar o freio deles". Mavis supõe, inconscientemente, que Davis e os demais veem o que ela vê. Mas não é assim. Em alguns casos, eles têm acesso à informação, mas não se interessam por ela. Na maioria das vezes, nem chegam a ter acesso: eles não vão às reuniões do departamento jurídico com o conselho e não recebem relatórios sobre os processos.

Em vez disso, eis o que Davis observa: ele fala com clientes sobre o que eles precisam e por quê; vê o relatório semanal do departamento comercial, inclusive as estatísticas de fechamento de vendas; também ouve o que outras empresas prometem aos clientes e sabe que os termos que Mavis rejeita por motivos legais muitas vezes são aprovados por outras empresas. Davis conhece também o instável cenário de vendas. Hoje em dia, tudo tem a ver com preço e eficiência — derrotar o mercado ou perder o negócio. Sem negócio não há empresa e não há nem Davis nem Mavis. Não é brincadeira.

Mavis não vai fazer progressos tentando decifrar o feedback até que pergunte: "Por que vemos isso de modos diferentes? De quais dados você dispõe que eu não conheço?". Davis tem peças do quebra-cabeça que Mavis não tem e vice-versa, e eles não vão conseguir completá-lo juntos enquanto todas as peças não estiverem sobre a mesa.

A vida seria bem mais fácil se tivéssemos o hábito de fazer perguntas sobre dados diferentes. Mas não temos. Por quê? Porque *detectar erros* é muito mais sedutor do que *detectar diferenças*. Tomar consciência do que eles estão vendo que nós não notamos simplesmente não é tão bom quanto ouvir que eles estão errados. E uma vez que detectamos um erro, não conseguimos nos conter: queremos ir correndo endireitar as coisas. Mas é necessário combater esse impulso. Precisamos preferir, consciente e persistentemente, perguntar dobre os dados que eles têm e compartilhar os nossos.

A aquisição tendenciosa de dados

Há outro fator que dificulta a constatação das diferenças. Não é por acaso que notamos algumas coisas e não outras. Se quem deu o seu feedback gosta de você e acha que você é extremamente competente, vai notar todas as coisas fantásticas que você faz. Vai fazer tudo para encontrá-las. Seu brilhantismo também influencia o modo como ele interpreta o que vê. Aquele erro que você cometeu não passa da exceção que confirma a regra — segundo a qual você é muito competente, e, afinal de contas, não foi bem um erro.

Mas quando no relacionamento sobrevém atrito — a novidade da paixão acaba, as exigências aumentam, o bolor se instala — a tendência muda. Agora seu emissor começa a focar nas coisas que você desarrumou e a ignorar o que fez certo. Seu "apetite para correr riscos" passa a ser "perigoso"; sua "mão firme no leme" agora é vista como "intransigência". Os outros procuram dados que confirmem a opinião preconcebida deles sobre nós, seja ela boa ou má. É da natureza humana.[3]

Por outro lado, temos nossas próprias tendências. Em condições normais, vamos sempre encontrar uma história convincente para explicar e justificar nosso comportamento. Nós lembramos o que fizemos de certo e, como veremos no próximo capítulo, geralmente atribuímos boas intenções a nós mesmos. Noventa e três por cento dos motoristas americanos acreditam que dirigem melhor do que a média. Numa pesquisa da *BusinessWeek* em 2007, 90% dos gerentes entrevistados diziam acreditar que seu desempenho no trabalho estava entre os 10% melhores.[4]

Essas tendências podem fazer com que fique mais difícil detectar diferenças, já que sempre achamos que o outro é quem está sendo tendencioso. Na verdade, nós dois estamos sendo tendenciosos e precisamos um do outro para enxergar o quadro com maior clareza.

Diferenças de interpretação

A segunda razão pela qual o feedback pode fazer sentido para quem o dá, mas não para você, é a seguinte: até quando os dois têm acesso aos mesmos dados é possível *interpretá-los* de modo diferente.

Janie reclama com Ripley que ele não está cumprindo sua parte na arrumação da casa. Depois de ouvi-la com atenção, Ripley promete que vai mudar. E, na cabeça dele, muda mesmo. Mas Janie continua achando que a casa está um caos. A situação é incrivelmente estressante para ela, que não entende por que Ripley diz que está colaborando quando é claro que não faz isso. E Ripley não entende por que Janie continua reclamando agora que o problema foi resolvido.

Ripley e Janie têm acesso aos mesmos dados, mas dão a eles interpretações diversas. Quando Janie olha para a casa, vê bagunça e caos, e se desespera porque sua vida está fora de controle. Ela se sente sobrecarregada e dividida entre o trabalho e as tarefas da casa, e sente vergonha só de pensar no que sua mãe diria se visse como eles estão vivendo. Ripley olha para a mesma bagunça e vê uma vida familiar abundante, explodindo de energia, e alegria de crianças sendo crianças. Para ele, o caos é aconchegante.

Janie e Ripley acreditam que se entendem, já que estão olhando para a mesma casa caótica/ aconchegante. Mas nesse caso é a interpretação que conta. Ripley não vai entender o feedback de Janie até conseguir enxergar o significado da bagunça do ponto de vista dela.

As diferenças de interpretação das coisas que vemos são tão importantes para a compreensão do feedback recebido que vale a pena dar uma olhada mais atenta a uns poucos fatores essenciais que muitas vezes são embutidos em nossas interpretações.

Regras implícitas

Uma das razões mais importantes para interpretarmos dados de modos diferentes é que temos na cabeça regras variadas sobre como as coisas *deveriam* ser. Mas não pensamos nelas como *nossas* regras. Achamos que são simplesmente *as* regras.

Todo mundo em seu antigo trabalho adora você. Mas seus novos colegas de trabalho não. Eles dizem que você é difícil, mas você sabe que não mudou, e as pessoas com quem trabalha parecem normais. Qual é a diferença então? As regras implícitas que governam a interação. Em seu antigo trabalho, ser direto era uma qualidade: dar uns puxões de orelha, pôr as coisas em seu devido lugar. Já no novo trabalho espera-se que você seja "legal". Você não é muito desse tipo: na sua experiência, ser legal é ser indireto, que é igual a ser passivo-agressivo, que é igual a ser decepcionante e ineficiente. É isso que torna você difícil. Agora que você entende as regras implícitas, pelo menos vai saber por que está sendo visto dessa forma.

Cultura organizacional, cultura regional e até mesmo cultura familiar são coletâneas de regras implícitas sobre "como fazemos as coisas aqui". Mas cada pessoa tem suas próprias regras. As regras implícitas podem relacionar-se a questões específicas — como o fato de "ser pontual" significa estar sentado e pronto para sair ou apenas andando para lá e para cá. E as regras implícitas podem ser sobre assuntos mais gerais — a vida como ela "é" ou o que significa ser um amigo. Essas regras muitas vezes se expressam em pares conflitantes:

"O mundo é um pega para capar" versus "Sorria, e o mundo sorrirá para você".

"Conflito é ruim" versus "Conflito é saudável".

"É importante ser querido" versus "É importante ser respeitado".

O feedback que não faz sentido de repente pode se encaixar quando entendemos as regras implícitas que existem por trás das interpretações: eu achava que fazer perguntas na reunião da empresa seria visto como demonstrar interesse; mas descobri que é visto como indelicado e impertinente.

Heróis e vilões

Há um princípio que organiza nossas experiências: normalmente, somos os heróis da história. No discurso que fez a uma turma da Kenyon College, o escritor David Foster Wallace observou que "vocês foram o centro absoluto de todas as experiências que tiveram". Somos todos "senhores de reinos minúsculos, do tamanho dos nossos crânios".[5] Na nossa história, somos sempre Dorothy, a princesa ou Rudolph (a rena do nariz vermelho); nunca a Bruxa Malvada do Oeste, a ervilha ou outra rena qualquer.

Isso complica o feedback.

Um filho vai visitar o pai, que se recupera de uma cirurgia. Ao chegar, fica horrorizado ao ver seu pai com muitas dores e a cirurgiã recusando-se a lhe dar mais medicação para aliviá-las. Ele vai ao chefe do departamento para denunciar o tratamento desumano que a cirurgiã está dispensando a seu pai. Ela vai atrás, revirando os olhos como que para comunicar ao chefe do departamento a sua versão do caso: "Mais um parente difícil me fazendo perder um tempo precioso que seria mais bem empregado se eu o usasse para tratar os doentes".

Parte da dificuldade, nesse caso, é uma questão de dados: cirurgiã e filho veem o sofrimento do pai à luz de informações que o outro não tem. O filho *conhece* o pai: herói de guerra, jogador de futebol, estoico. Se ele está se retorcendo de dor, é porque o sofrimento deve estar insuportável. A cirurgiã *conhece* os efeitos dessa cirurgia e a lenta recuperação: a intensa dor pós-operatória desaparece em pouco tempo. Ela também já viu pacientes viciados em analgésicos e testemunhou o preço que eles e suas famílias pagam por isso.

O que mais complica a situação é que tanto a cirurgiã quanto o filho se veem como o herói da história. Cada um por seu lado acredita que está protegendo o doente e vê o outro, na melhor das hipóteses, como equivocado — e, no calor do momento, até mesmo como vilão. Por isso, temos agora dois heróis brigando pela medalha de honra. O feedback que cada um deles tem para o outro não se refere apenas à medicação. É uma questão moral.

Pergunte: o que é certo?

Detectar diferenças — compreender do modo mais detalhado possível exatamente por que você e o outro veem as coisas de maneiras que divergem — é uma lente essencial através da qual se assimila o feedback. Você começa a entender melhor de onde veio essa orientação, qual é o conselho, como fazer para pôr em prática e por que você e o emissor do feedback veem certas coisas de um jeito diferente.

Nesta altura do processo, pode ser útil também relacionar de que maneiras o feedback pode ser "certo". É preciso ter cuidado com isso, porque detectar o certo pode levar inadvertidamente a achar o erro. Se você está à procura do que é certo, corre o risco de cair na armadilha do certo-errado e, pelo menos com a mesma frequência, vai encontrar o que está errado.

Portanto, não estamos usando a palavra "certo" com o significado de uma determinação final de verdade objetiva. Vemos isso mais como uma mentalidade: o que faz sentido no que o outro diz, o que parece valer a pena tentar, como você pode atribuir outro significado ao que está ouvindo para lhe dar o benefício da dúvida quanto à utilidade do feedback. É como caminhar por uma floresta e identificar as aves em vez das árvores. Observar as aves não faz com que as árvores sejam um "erro".

Voltando ao caso de Mavis e Davis, ela pode perguntar por que os dois veem as coisas de modo diferente, mas também pode perguntar o que há de certo no feedback de Davis. O que há de certo é que a agilidade tem sua importância. O que há de certo é que o pessoal da equipe de vendas está frustrado. O que há de certo é que alguns concorrentes estão (aparentemente) encarando as questões legais de outra forma. O que há de certo é que fechar negócio é importante para Mavis, para Davis e para toda a empresa. Procurar o que há de certo no feedback é o modo de fazer com que a conversa deles ganhe força para a exploração de soluções conjuntas e que a avaliação de Davis não seja simplesmente descartada.

FEEDBACK	O QUE É DIFERENTE?	O QUE É CERTO?
Davis para Mavis: você está atrasando nossos negócios.	Dados diferentes, inclusive riscos reais de processo judicial, advertência do jurídico, relatório do fechamento das vendas e o que outras empresas estão fazendo.	A agilidade é importante. Se outros têm opinião diferente sobre questões legais, devemos saber por que e ver se concordamos ou não. Fechar negócio interessa a nós dois.
Margie não foi promovida a chefe de departamento.	Quem tomou a decisão sabe quais habilidades são necessárias para o cargo e sabe o que dizem os demais sobre a capacidade de liderança de Margie. Ela sabe das longas horas e do trabalho árduo que vem dedicando à empresa. As regras também são diferentes: ela acha que o tempo de empresa é importante, que a promoção é uma recompensa pela dedicação e que o novo trabalho se aprende fazendo. Seu chefe acha que alguém só é promovido se sua capacidade de assumir o novo cargo for evidente.	O certo é que tenho menos experiência com orçamento do que outros candidatos. O certo é que se eu compreendesse os critérios para a promoção, concordando com eles ou não, eu poderia tomar uma decisão bem informada sobre meus objetivos e meus próximos passos.
Ela ainda não quer casar comigo.	Ela pode ter ideias e sentimentos diferentes quanto ao relacionamento ou quanto ao casamento. Ela pode ter regras implícitas diferentes sobre a necessidade de se conhecerem melhor antes de assumir um compromisso ou pode ter experiências passadas que aumentam sua ansiedade. Ela pode estar focada em seus maiores medos, enquanto eu estou focado em minhas melhores esperanças.	O certo é que ela não está preparada. O certo é que entender o porquê pode me ajudar a ver se temos os mesmos objetivos e sentimentos. O certo é que tenho a responsabilidade comigo mesmo de fazer uma boa escolha daqui para a frente, apesar das informações sempre imperfeitas.

Quando vocês ainda discordam

Às vezes, mesmo depois de entender plenamente de onde vem o feedback e o que ele sugere, você simplesmente discorda dele. De fato, agora que realmente o entendeu, ele pode lhe parecer mais sem cabimento ou injusto do que antes.

É uma situação frustrante e difícil para ambas as partes, mas do ponto de vista da comunicação os dois tiveram sucesso. Seu objetivo é entender o feedback do emissor, e o dele é entender você. Se no fim você achar que a informação é útil, vai aproveitá-la. Caso contrário, pelo menos entendeu de onde o feedback veio, o que ele sugere e por que o rejeita. O mesmo vale para a avaliação: quanto melhor você entender as origens e consequências dela, mais condições terá de explicar por que discorda disso.

Ser transparente e sincero a respeito das próprias reações não é incompatível com ser aberto e interessado, diga-se de passagem. Você pode dizer o que está passando pela sua cabeça:

Nossa! É perturbador ouvir isso.

Eu nunca teria imaginado uma coisa dessas.

Isso está tão distante de como me vejo — ou de como espero ser visto — que fiquei quase sem palavras. Quero saber por quê, mas também quero ter certeza de que entendi perfeitamente o que você está dizendo.

Com esses comentários, você não vai acabar com a conversa, mas sim manifestar suas reações e continuar tentando entender. Dito isso, temos de admitir que existe aqui uma teoria: achamos que quanto melhor você compreender o feedback, mais probabilidade terá de encontrar nele *alguma coisa* útil, ou pelo menos de saber como e por que você está sendo mal interpretado.

"Por que o feedback não pode ser simplesmente objetivo?"

É compreensível imaginar: se a subjetividade e a interpretação tornam o feedback tão difícil, por que não somos simplesmente objetivos e nos limitamos aos fatos? Muitas organizações estão tentando fazer isso criando modelos de competência, guias de comportamento, fórmulas e indicadores para medir o desempenho. Esses recursos podem ser úteis para ajustar expectativas e esclarecer critérios. Mas não eliminam a subjetividade do feedback. Nada é capaz disso.

Seja qual for o indicador que você usar, sempre vai haver julgamentos subjetivos *por trás* dele: por que X é mais importante e por que Y não foi incluído? Há julgamentos subjetivos na escolha de qual indicador será aplicado: você "corresponde às expectativas" com base naquilo que eu espero. Essas expectativas são justas? Sim? Não? Como sabemos? No fim das contas, vamos chegar ao julgamento de alguém.

E os resultados financeiros — não são objetivos? Em certo sentido, sim. Um número é um número, independentemente das esperanças e crenças de quem quer que seja. Mas o que esse número *significa*? Meio por cento acima da média do mercado é bom ou ruim? Dobrar a previsão de lucros é bom, ou a previsão não serve como parâmetro? E qual a relação entre o desempenho do CEO e os lucros? Podemos discutir sobre isso, não podemos?

Não importa quão claramente se definam critérios e indicadores, alguém vai aplicá-los ao desempenho de uma pessoa e isso envolve fazer julgamentos. Se o conselho for autobiográfico, trata-se de avaliação. A avaliação que damos às pessoas é um reflexo de pressupostos, preferências, valores e objetivos, nossos ou de nossa organização. Eles podem ser gerais ou individuais, mas, de qualquer modo, são nossos.

E é assim que deve ser. As pessoas boas em orientação ou avaliação são úteis exatamente porque seus dons de julgamentos são fortes. Um aplicativo do iPhone é capaz de informar a uma cantora se ela está emitindo corretamente cada nota; ela contrata um professor de voz para ouvir a opinião dele, seu ponto de vista experiente. Ele pode ajudá-la a cantar de um jeito que *emocione* as pessoas. Um aplicativo não poderá lhe dizer se você está sendo um bom líder, criando coesão, persistência ou energia. As pessoas lideradas por você podem.

O objetivo não deve ser eliminar a interpretação ou o julgamento, mas sim emitir opiniões sensatas e torná-las transparentes e passíveis de discussão.

Uma conversa com comentário

Vamos dar uma olhada numa conversa em que o receptor tem reações de gatilho de verdade, mas mesmo assim tenta entender o feedback com empenho. O cenário é o seguinte: o CEO Paul pede a Monisha, chefe do RH, que crie e implante um estudo de clima organizacional determinando em que ponto os altos executivos da empresa podem melhorar. Monisha e sua equipe passam meses coletando dados sobre funcionários da corporação no mundo inteiro e obtêm resultados preocupantes.

Quando Monisha apresenta o que descobriu aos altos executivos da empresa, ela e Johann, o CFO, trocam palavras duras:

JOHANN: Monisha, de quantas maneiras diferentes você vai nos dizer que nossos funcionários acham que os executivos são incompetentes? Já entendemos. Mas vou ser franco, não levo muita fé em nada disso.

MONISHA: Johann, entendo que isso seja surpreendente, mas é importante que nós...

JOHANN: Se partirmos de premissas erradas, os resultados serão errados.

MONISHA: Você tem alguma pergunta específica sobre o que estou apresentando? Posso explicar-lhe a metodologia que usei.

JOHANN: Tenho certeza de que você tem coisas maravilhosas a dizer sobre sua metodologia, mas infelizmente alguém precisa fazer este negócio funcionar.

E, com isso, Johann sai da sala.

Paul fica contrariado com o comportamento de Johann, mas, verdade seja dita, sente a mesma frustração e o mesmo ceticismo. A reunião é adiada, e Paul acha um jeito de dizer a Monisha que sabe que ela e sua equipe trabalharam muito no projeto e, mesmo estando insatisfeito com os resultados, gostaria de entendê-los melhor. Ele pede a Monisha que dê uma passada na sala dele no dia seguinte para conversar.

A preparação de Paul: mentalidade e objetivos

A reação inicial de Paul é achar que o feedback não coincide com sua percepção sobre a empresa. Mas seu objetivo em relação à conversa não é aceitar ou rejeitar, e sim entender antes de mais nada. Ele procura se manter interessado, detectar rótulos e esclarecer os dados e a interpretação de Monisha. E vai também expor seus próprios pensamentos e opiniões.

A conversa

PAUL: Monisha, há muita coisa nisso para esmiuçar e discutir. Tenho dois impulsos iniciais. Um deles é: "Uau, se é isso o que as pessoas estão sentindo, esse é um verdadeiro sinal de alerta e preciso entendê-lo melhor". Ao mesmo tempo, admito que parte das conclusões não se encaixa com o que eu percebo no clima organizacional. Então estou confuso, por isso fico feliz que você esteja aqui para me explicar isso.

Comentário: Bom. A afirmação de Paul reflete uma mentalidade aberta e disposta a ouvir, mas ao mesmo tempo ele é franco sobre o que está pensando e sentindo.

MONISHA: Paul, você pode não dar importância a esse feedback, e entendo que esteja inclinado a isso, mas não acredito que dissimular a realidade nos leve a algum lugar.

Comentário: Não é a resposta que Paul esperava, mas ele não deve morder a isca. Ele não tem de protestar — "Não estou dissimulando a realidade!" —, mas se restringir ao que interessa: o que os resultados significam e como podem ser úteis.

PAUL: O feedback não corresponde ao que eu pensei que estava acontecendo, mas não quer dizer que o que eu pensava era exato. Então é isso que quero investigar e entender.

MONISHA: Acho que a primeira descoberta é que nossos gerentes de nível intermediário estão se sentindo sem autoridade e deixados de lado.

PAUL: Vamos ser mais específicos. O que significa dizer que eles estão se sentindo "sem autoridade e deixados de lado"?

Comentário: Muito bom. Paul não se defende com um comentário do tipo: "Bem, podemos incluí-los em cada uma de nossas decisões". Em vez disso, ele pergunta, tentando desvendar o que há por trás do rótulo.

MONISHA: Entrevistamos todos, de funcionários a vice-presidentes. Há em todos os níveis uma noção de que a direção da empresa não se comunica bem, que não se busca informação e que as contribuições não são valorizadas.

Paul começa a perguntar sobre números — quantos funcionários pensam assim, como a pesquisa foi estruturada etc., e Monisha lhe dá essa informação.

PAUL: Então vamos ver um exemplo concreto.

MONISHA: Muitas pessoas mencionaram a questão da ética. Ficaram insatisfeitas por terem de comparecer a uma série de workshops sobre ética ao longo do ano, enquanto a liderança foi a uma única sessão de apenas duas horas.

PAUL: Bem, sei que não contam como "workshops de ética" ou "encontros sobre ética", mas a ética está implícita em nosso trabalho, entra dia, sai dia. Estou em reuniões constantes com advogados, pessoal da conformidade, gerentes de risco. A ética e os valores estão no centro de tudo o que eu faço.

Comentário: Parece aceitável que Paul pense essas coisas e que as expresse. Mas, nesse contexto, seria melhor que ele fizesse isso de um modo que convidasse a aprofundar a conversa. Assim, por exemplo:

PAUL: Se as pessoas estão sentindo que esse é um programa hipócrita, ou que a liderança da empresa não o adota, posso imaginar que se sintam frustrados. Do meu ponto de vista, grande parte do meu trabalho tem a ver com ética. Tenho reuniões com advogados, pessoal da conformidade e gerentes de risco. Mas é óbvio que as pessoas de nível intermediário estão vendo as coisas de outra maneira, e isso é um problema.

MONISHA: Sim, estão vendo as coisas de outra maneira. Em certa medida, é uma questão de percepção, de mensagem. Mas acho que há algo mais profundo. Um típico problema de atitude.

PAUL: Não entendi bem o que você quer dizer. O que significa mensagem versus atitude?

Comentário: Bom. Se não entender completamente alguma coisa, pare com tudo e pergunte.

MONISHA: Eis a diferença entre um problema de mensagem e um problema de atitude: Qual a principal razão para que a liderança da empresa dedicasse apenas duas horas ao trabalho de ética?

PAUL: Para começar, queríamos passar a mensagem de que é uma coisa importante.

MONISHA: Mas acho que a mensagem que eles captaram foi: "A liderança na verdade não precisa disso". Não é a mensagem que você queria passar, mas a mensagem é, na verdade, um reflexo *exato* da atitude da liderança.

PAUL: Ah, isso é interessante. Você está dizendo que passamos uma mensagem que não pretendíamos, mas que é a verdade.

MONISHA: Acho que sim.

PAUL: Só para esclarecer, você acha que essa é a percepção que alguns têm de mim pessoalmente? Que eu acho que a liderança não precisa de treinamento em ética?

Comentário: É uma pergunta útil. Se isso não for dito, Paul pode sair da conversa com a impressão de que Monisha falava dos demais, mas não dele.

MONISHA: Não tenho informação específica sobre como as pessoas veem você, mas deixe-me perguntar: qual é sua atitude em relação à liderança da empresa e o treinamento em ética?

PAUL: É como você diz. Penso mesmo que dedico bastante tempo à ética e não sinto necessidade de participar pessoalmente dos workshops. Mas isso passa uma mensagem ruim.

MONISHA: Então você pode escolher entre duas soluções. Pode ser mais claro ao explicar por que acha que a liderança não precisa disso e os demais sim, ou pode cultivar a mentalidade de que você precisa disso de fato e, em seguida, participar plenamente. Imagino que ao me ouvir você esteja pensando: "Sou ocupado demais para isso".

PAUL: É o que estou pensando. Idealmente, eu poderia participar, mas sou muito ocupado.

MONISHA: O que faz com que o pessoal dos níveis inferiores pense: se a liderança é ocupada demais para participar, que importância isso tem? Ou, alternativamente, talvez pensem que isso é importante sim, o que significa que é importante para a liderança também.

PAUL: Entendi, estou começando a ver que alguém pode estar ressentido ou pensando que somos hipócritas. Isso é um tanto chocante. Em todo caso, já temos bastante coisa para pensar e ainda não falamos de grande parte da pesquisa. Mas o que vimos me ajudou a ter uma noção mais clara de como os outros podem ver a liderança da empresa e as razões disso.

Essa conversa entre Paul e Monisha não é fácil, mas é importante. O principal dela é objetividade e raciocínio. Paul não está querendo concordar ou discordar, contestar ou aceitar. Está tentando entender. Não é uma sessão de resolução de problemas, mas sim de entendimento. Se Paul tivesse seguido seus impulsos, teria discordado de Monisha logo de cara, e a conversa terminaria aí. Mas, em vez disso, ele procura rótulos e faz força para desvendar o que há por trás deles, e quando não tem certeza sobre o que Monisha quer dizer, não deixa passar. Ele pergunta.

Desistir de detectar erros não é fácil, e não é preciso desistir completamente. Você pode se permitir uma detecção de erros recreativa nos fins de semana, com amigos, tomando uma cerveja. Discutam, acusem, descarreguem, neguem — ponham seus oponentes em apuros. Se é divertido, é divertido.

Mas quando se trata de coisa séria, quando você está recebendo um feedback importante para o emissor ou potencialmente importante para você como receptor, deixe de lado a detecção de erros. Você precisa ser bom em perceber as diferenças e, às vezes, fugir de sua facilidade para encontrar acertos. O aprendizado real exige que você pratique esse esporte cansativo, porém compensador.

RESUMO: ALGUMAS IDEIAS BÁSICAS

O feedback é dado em forma de rótulos vagos, e somos propensos a detectar erros.

Para entender o feedback, discuta:
- *De onde ele vem*: os dados e interpretações.
- *Para onde ele vai*: conselho, consequências, expectativas.

Pergunte: O que há de *diferente* quanto a:
- Dados que estamos examinando?
- Nossas interpretações e regras implícitas?

Pergunte: O que há *de certo* no feedback para descobrir o que é legítimo e quais preocupações vocês têm em comum?

Trabalhar juntos para obter um quadro mais completo aumenta as oportunidades de aprendizado mútuo.

CAPÍTULO 4

Enxergue seus pontos cegos

DESCUBRA COMO VOCÊ É VISTO

Annabelle é uma pessoa fantástica. Rápida, criativa, incansável e criteriosa. Lembra o aniversário de todo mundo. Mas o que faz dela uma pessoa insubstituível é a combinação improvável de uma inteligência analítica com um peculiar poder de sedução.

E todos os integrantes de sua equipe estão cheios dela.

Não é uma crise. Annabelle não é autoritária nem desleal. Muito pelo contrário: ela se preocupa com os membros de sua equipe e acha que eles são mais produtivos quando estão contentes.

Mas eles não estão contentes. Annabelle sabe disso porque sua segunda avaliação 360 graus em três anos resultou nessa constatação. Segundo os colegas de trabalho, ela é "difícil", "impaciente", "não nos trata com respeito". É duro lidar com isso. Transmitir respeito é exatamente aquilo em que Annabelle vem se empenhando desde sua avaliação anterior. E, depois de três anos, acontece outra vez, sem nenhum reconhecimento de suas insistentes tentativas.

Annabelle se pergunta se não estaria acontecendo alguma outra coisa. Talvez seus subordinados estejam fazendo um joguinho político ou gostem de lançar indiretas para a chefe. Ou talvez seja uma projeção. Às vezes, as pessoas entram num relacionamento do tipo

107

"pai e filho" com uma figura que representa autoridade para superar problemas que não têm relação nenhuma com aquela situação.

Annabelle tem razão: uma outra coisa *está* acontecendo. Mas os membros da equipe não estão fazendo nenhum jogo, nem a perseguem nem a confundem com pais ausentes.

Embora Annabelle esteja *tentando* tratar a equipe com respeito, está também mandando sinais inconscientes que põem a perder seu esforço. Tony explica: "Quando Annabelle está sob pressão, é difícil trabalhar com ela. Ela diz 'por favor' e 'obrigada', mas revela uma impaciência e um desrespeito subjacentes. Se vou à sala dela com uma pergunta, ela revira os olhos e responde de modo grosseiro. Em seguida me aponta a porta, que, como ela alegremente me faz lembrar, está sempre aberta".

Annabelle sabe como *pretende* ser vista. Mas está cega para a impressão real que causa nos outros.

Annabelle não está sozinha.

Zoe acha que é receptiva a novas ideias, mas é sempre a primeira a atacar uma sugestão criativa.

Mehmet toma perguntas corriqueiras ("Teve um bom fim de semana?") como críticas ("Você está supondo que não tive?") e não entende por que os outros acham que ele se irrita facilmente.

Jules continua falando muito tempo depois de você dizer que precisa ir embora. Às vezes, até mesmo depois que você já foi.

Como essas pessoas podem ser tão sem noção? Será possível que nós também sejamos assim?

É possível.

Na verdade, existe sempre um abismo entre a pessoa que achamos que apresentamos aos demais e a maneira como os outros nos veem. Podemos não nos reconhecer no feedback dado pelos outros, mesmo quando todos os demais concordam que essa é a ideia generalizada sobre quem somos e como somos.

Por que existe esse abismo entre a autopercepção e o que os outros veem em nós? A boa notícia é que os modos como somos compreendidos ou mal compreendidos pelos outros são surpreendentemente sistemáticos e previsíveis.

O mapa do abismo

O mapa do abismo destaca os principais elementos que influenciam o modo como eu suponho que estão me vendo versus o modo como eu realmente estou sendo visto. Lido da esquerda para a direita, o mapa do abismo evidencia a causa de nossos pontos cegos.

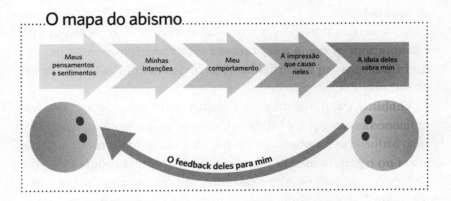

Vamos começar na ponta esquerda: nossos próprios pensamentos e sentimentos. A partir deles, formulamos intenções — o que estamos tentando fazer, o que queremos que aconteça. Para materializar nossas intenções, fazemos e dizemos coisas, ou seja, externamos comportamentos. Esses comportamentos causam aos outros uma impressão e, baseados nela, eles constroem uma ideia sobre nossas intenções e nosso caráter. Eles então nos devolvem alguma versão dessas percepções sob a forma de feedback. Quando os outros descrevem você — para você mesmo —, a pessoa de quem estão falando pode ter apenas uma vaga semelhança com o "você" que você conhece. Hesitamos, olhamos de lado, balançamos a cabeça. Não nos reconhecemos.

Em algum ponto desse jogo de telefone sem fio as mensagens foram distorcidas. Olhando mais de perto o modo como as informações se deslocam sobre o mapa, poderemos descobrir onde e por quê.

Vamos usar o mapa do abismo para explicar o que está acontecendo com Annabelle.

Recordando o cenário: três anos atrás, em sua primeira avaliação 360 graus, Annabelle soube que seus subordinados achavam que ela não os tratava com respeito. Ficou consternada ao descobrir que eles estavam insatisfeitos e queria de verdade que ficassem mais contentes, por isso vinha tentando ser mais "respeitosa" desde então.

Vamos para o mapa ver o que acontece. O foco de Annabelle está em mudar de comportamento (flecha 3); mas seus pensamentos e sentimentos (flecha 1) permanecem intactos. Esse é o problema.

Quais são os pensamentos e sentimentos *reais* de Annabelle a respeito de sua equipe? Eles estão enraizados em expectativas e suposições que se acumularam durante anos. Ela tem um padrão alto de exigência para si mesma e para os que a rodeiam. Isso é decorrente de uma combinação entre seu temperamento e sua história familiar, bem como das experiências na escola e no trabalho, onde ela recebeu feedback positivo por ser talentosa e discreta. Como uma cidade que aos poucos toma forma na curva de um rio, essas experiências se acumularam, formando uma cidade de valores, suposições e expectativas sobre o que significa ser "boa" ou "competente".

Assim chegamos às correntes cruzadas que serpenteiam em torno da situação dela: Annabelle com frequência se aborrece quando membros de sua equipe vêm a ela com problemas que ela teria resolvido sozinha. Ela acha que eles não estão se empenhando ou se esforçando o quanto deveriam. Em consequência, ela fica impaciente, se aborrece e se decepciona com sua equipe.

Isso tudo cria um desajuste entre os pensamentos e sentimentos dela, de um lado (flecha 1), e suas intenções (flecha 2), de outro. Ela pensa que esse desajuste está escondido, mas, na verdade, seus pensamentos e sentimentos vazam e se revelam em seu comportamento (flecha 3), seja pela expressão facial, pelo tom de voz ou pela linguagem corporal.

Seus colegas de trabalho "leem" esses pensamentos e sentimentos que vazam e se perguntam sobre as intenções de Annabelle. Ela vê suas intenções como positivas: "Quero que meus colegas se sintam respeitados e estou tentando agir de forma respeitosa". Mas seus colegas contam outra versão da história. Eles a veem como enganadora e até mesmo manipuladora. "Você quer que a gente *pense* que nos respeita, mas não é verdade. Agora você está sendo não apenas desrespeitosa, está sendo falsa."

A equipe de Annabelle está ainda mais descontente e frustrada agora, deixando isso bem claro na avaliação 360 graus. Ela recebe a avaliação e se sente chocada, menosprezada e mal compreendida. Annabelle e sua equipe estão numa arriscada espiral descendente.

Mais adiante vamos examinar algumas das coisas que os outros veem em nós e que nós mesmos não vemos — nossos pontos cegos. A seguir, analisaremos três "amplificadores", que são diferenças sistemáticas entre como os outros contam a história de quem nós somos e como contamos a mesma história. Os amplificadores agravam o abismo no mapa.

Pontos cegos comportamentais

Ponto cego é algo que não vemos sobre nós mesmos, mas que os outros veem. Cada um de nós tem suas próprias particularidades nesse quesito, mas existem alguns pontos cegos que todos nós temos.

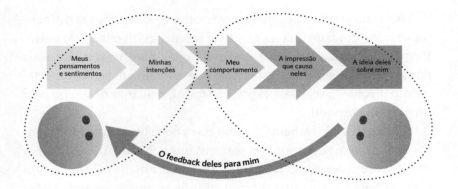

Se em nosso mapa fizermos um círculo em torno das coisas de que eu estou consciente e das coisas de que você está consciente, concluiremos que meu comportamento está em *sua* consciência e muito pouco na *minha*. Todos nós sabemos disso a respeito das relações humanas, e ainda assim surpreende o fato de nosso próprio comportamento ser em boa medida invisível para nós.

O rosto que se entrega

Quem pode ver o seu rosto? Todos. Quem não pode ver o seu rosto? Você.

Transmitimos uma enorme quantidade de informação por meio de expressões faciais. Mas nosso próprio rosto é um ponto cego. A culpa é da anatomia humana: estamos presos dentro de nós mesmos, olhando para fora. Sabemos de nossa aparência pelo espelho do banheiro, mas não sabemos de nossa aparência no mundo, em movimento, interagindo com pessoas reais, reagindo a acontecimentos verdadeiros em nossa vida.

Um bom par de omatóforos ajudaria — desses que rodam e sustentam os olhos, como os dos alienígenas de filmes B da década de 1950. Com omatóforos, teríamos muita informação sobre o modo como as pessoas reagem a nós: "Oh, agora posso ver por que você pensa que estou na defensiva. É que *pareço mesmo* estar na defensiva!".

Por que será que comunicamos tanta coisa pela expressão facial?

Não é pelo fato de nosso rosto ser tão maravilhosamente claro ou expressivo, pois não temos um letreiro na testa anunciando nossos sentimentos. É porque a maior parte dos seres humanos é muito boa para ler a fisionomia *dos outros.* Essa capacidade se desenvolveu ao longo de milhares de anos. Os seres humanos tiveram sucesso em termos evolutivos não por serem os mais fortes ou mesmo os mais inteligentes, mas sim porque cooperavam uns com os outros. Juntos podemos fazer coisas (como caçar grandes presas) que não faríamos individualmente.

Mas não apenas cooperamos: também competimos uns com os outros. E quando alguns estão tentando ajudar e outros só querem prejudicar, a vida social de uma pessoa se complica. Essa dança de cooperação-competição recompensa aqueles que conseguem distinguir com segurança quem é amigo de quem não é. Isso exige a capacidade de fazer conjecturas acertadas a respeito dos sentimentos e das motivações dos outros.[1]

Como fazemos essas conjecturas? Ouvimos o que os outros dizem a respeito de seus sentimentos e motivações, com certeza, mas só isso não basta. E se os outros estiverem tentando nos enganar? Precisamos de uma maneira de avaliar sentimentos e motivações que não se baseie apenas em comunicação intencional. Por isso desenvolvemos a capacidade de ler nuances no rosto e na voz, e, dessa forma, formulamos uma "teoria da mente"[2] sobre aqueles com quem interagimos.

A habilidade de ler a expressão das pessoas é mais perceptível justamente na ausência dela. Os autistas com frequência lutam exatamente com isso. Eles não olham as pessoas nos olhos e não decifram os sinais sociais transmitidos pelo rosto ou pela voz.[3] Para eles, pode ser muito difícil aprender essa linguagem, que parece tão natural para a maioria das pessoas.

A não ser nesses casos, lemos esses sinais o tempo todo e de forma quase sempre inconsciente. O escritor de assuntos científicos Steven Johnson observa que podemos medir "o humor de outras pessoas apenas analisando seus olhos ou os cantos de sua boca", e acrescenta que esse é "um processo de segundo plano que desemboca em nossos processos de primeiro plano; estamos conscientes das ideias que ele nos dá, mas em geral não temos consciência da forma como realmente obtemos essa informação, ou mesmo de nossa habilidade para extraí-la".[4]

A voz que se entrega

O tom de voz também transmite uma surpreendente quantidade de informação sobre nossos sentimentos. Os outros captam significados não apenas daquilo que dizemos, mas de *como* dizemos. É impossível determinar a porcentagem precisa disso (uma pesquisa sugere 38%),[5] mas a questão permanece: o tom de voz diz muito.

Um ator é capaz de dizer "eu te amo" de cem maneiras distintas para transmitir cem diferentes significados. Pode ser uma expressão de paixão ou resignação, certeza ou dúvida. Pode ser uma declaração ou uma pergunta. Você *sabia* que eu te amo? *Eu* te amo? Você *me* ama? Tom, altura e cadência — o que os linguistas chamam de contorno entoacional — reforçam ou subvertem significados, além de proporcionar rica informação sobre as emoções de quem fala.

Os bebês organizam o que ouvem no sulco temporal superior (STS) do cérebro, situado bem acima da orelha. Aos quatro meses de idade, toda informação auditiva — seja a voz da mãe, seja uma buzina — é captada pelo STS. Mas, aos sete meses, os bebês começam a selecionar a voz humana como o único som que desperta a atenção do STS,[6] e o STS mostra atividade especialmente elevada quando a voz transmite emoção. Essa pequena parte do cérebro é dedicada a captar a linguagem e decifrar tons e significados.

Mas preste atenção: quando falamos, o STS *desliga*. Não ouvimos nossa própria voz, ou pelo menos não da mesma maneira como ouvimos a voz dos outros. Isso explica por que muitas vezes nos surpreendemos quando recebemos feedback baseado em *como* dissemos alguma coisa. ("Tom? Não estou usando tom nenhum!") Também explica por que nossa voz parece tão estranha quando nos ouvimos numa gravação. Quando transmitida por um alto-falante, nossa própria voz chega ao STS, e de repente passamos a nos ouvir como os outros nos ouvem. ("Essa é *minha* voz?") Passamos cada dia da vida nos ouvindo, contudo não nos ouvimos.

Curiosamente, pode ser essa a razão pela qual grandes cantores de ópera têm professores de voz. "Nós nos referimos a eles como nossas 'orelhas externas'", diz o soprano Renée Fleming. "O que ouvimos quando cantamos não é o que a plateia ouve."[7]

Sophie Scott, pesquisadora da University College London, defende que nosso STS "ouvinte" pode não captar o som de nossa própria voz porque estamos absortos em "ouvir" nossos pensamentos. Nossa atenção só pode se concentrar numa coisa de cada vez, por isso focamos em nossas intenções — calculando como fazer o que estamos tentando fazer. Annabelle foca em seus pensamentos e intenções, não no comportamento ou na entonação.[8]

Então, assim como a expressão facial, nosso tom de voz muitas vezes trai nossos pensamentos e sentimentos de uma forma que não conseguimos perceber. Tentamos parecer à vontade, mas damos impressão de desconforto; queremos nos mostrar confiantes, mas nos revelamos dramáticos e inseguros; queremos comunicar amor, mas plantamos uma semente de dúvida.

O padrão que se entrega

É fácil entender como as coisas sutis que fazemos caem num ponto cego — uma testa franzida aqui, um tom áspero ali. O que é assombroso é que podemos não ter consciência de padrões de comportamento grandes, aparentemente óbvios.

Isso ficou claro para Bennett numa noite em que brincava de mímica com a família. Quando o filho de cinco anos representou uma pessoa andando de cá para lá tagarelando ao celular, sua filha exclamou: "É o papai!". Bennett protesta: "Como assim *sou eu*?". Ao que ela respondeu: "É porque você está *sempre* no celular!".

Será que ele está mesmo? Bennett se esforça para minimizar o tempo que passa ao celular quando as crianças estão por perto. Mas não é assim que elas veem as coisas: na mente delas, ele está constantemente interrompendo o tempo que passa com a família para fazer e atender ligações. Uma razão para a diferença de pontos de vista é a percepção do tempo. Quando você está ao telefone, mergulha na conversa que está tendo e o tempo voa. Os que estão perto de nós escutam apenas a pavorosa "meia-conversa", sem enredo, apenas uma ininteligível parte do que está sendo dito, e o tempo se arrasta.

Mesmo os grandes padrões de nossa vida são quase que absurdamente óbvios para os outros, mas podem ser pontos cegos para nós. Durante os quatro últimos anos, você teve seis relacionamentos diferentes. No começo de cada um, você declara para os amigos: "É minha alma gêmea!". O relacionamento passa por uma fase frenética, com viagens e aventuras extravagantes, se estabiliza durante alguns meses e depois, aparentemente do nada, você o termina. A única coisa curiosa sobre isso é que, embora seus amigos tenham conseguido mapear o curso de seu novo relacionamento desde o início, você está totalmente inconsciente sobre o fato de que seus relacionamentos se encaixam numa regra. Na verdade, você só começa a ver isso quando seu amigo mais chegado faz um gráfico demonstrando esse padrão.

Linguagem corporal nos e-mails

Parece incrível, mas mesmo por e-mail as pessoas tentam ler emoções e tom de voz. Mais precisamente, apesar da falta de acesso ao rosto e à voz do remetente, mantemos o desejo de conhecer o estado de espírito e as intenções dele, e para isso reunimos os dados possíveis.

Os e-mails podem fornecer pistas óbvias — como MAIÚSCULAS, uma porção de !!??!! e quem foi de repente (estrategicamente?) copiado na mensagem —, assim como outras mais sutis, como a escolha de palavras ou a ocasião. Nós nos perguntamos por que a resposta foi tão rápida ou por que demorou tanto. A resposta de três palavras foi incisiva ou simplesmente adequada? A enxurrada de palavras foi apenas criteriosa ou um sinal de irritação? Nós sabemos o que *disseram*; mas queremos saber o que *quiseram* dizer.

116

Eles podem ver exatamente o que estamos tentando ocultar

O fato de os outros estarem sempre observando nosso rosto, tom de voz e comportamento não significa que estejam sempre interpretando certo. Muitas vezes eles são capazes de perceber que o que dizemos não coincide com o que estamos sentindo, mas nem sempre podem saber como isso acontece.

Às vezes as pessoas interpretam mal. Você se sente intimidado na entrada do coquetel, querendo que alguém se aproxime de você. Mas sua hesitação pode ser vista como indiferença, como se estivesse se achando "bom demais" para os outros presentes. Eles captaram alguma coisa em sua atitude, mas interpretaram errado.

Outras vezes, as pessoas percebem exatamente aquilo que estamos tentando esconder. Os colegas de Annabelle captaram bem. Os olhos revirados, os suspiros, o sorriso amarelo — ela está tentando esconder seus verdadeiros sentimentos, mas infelizmente deixou que eles a entregassem. Ela não precisa dizer "Estou aborrecida". O rosto diz isso por ela.[9]

Três amplificadores de pontos cegos

Os outros observam coisas em nós que somos literalmente incapazes de observar. Nossos pontos cegos são pontos de luz para eles. Mas observações distintas são apenas uma parte da questão do ponto cego. Há três dinâmicas diferentes que amplificam o abismo entre como nos vemos e como os outros nos veem. Os três amplificadores estão inter-relacionados, mas cada um merece ser examinado em particular.

Amplificador 1: a matemática emocional

As emoções desempenham papel importante no abismo que existe entre como os outros nos veem e como supomos que somos vistos. Subtraímos certas emoções da equação: "Aquela emoção não revela de verdade quem eu sou". Mas os outros a duplicam: "Essa emoção revela *exatamente* quem você é".

A filha de Sasha acaba de sair de casa para cursar a faculdade, e de repente Sasha se sente abandonada. Sua amiga Olga tem sido sua tábua de salvação, dando-lhe total apoio. Por isso, Sasha fica atônita ao ouvir de uma amiga em comum que, segundo Olga, ela era "egocêntrica" e "se fazia de vítima".

Sasha não se reconhece nessa descrição. Claro, ela fala da solidão que sente, mas isso é normal quando sua única filha sai de casa, não? O que Sasha não tem plena consciência é da natureza incessante de suas reclamações com Olga. Por horas a fio, dia a dia, ela fala de seu sofrimento sem notar o efeito que isso causa em sua amiga e sem nunca perguntar a ela sobre sua vida. (Olga, por sua vez, está passando por um momento difícil.)

Podemos entender tanto Sasha quanto Olga. Sasha está sofrendo, e Olga se sente sobrecarregada por ser usada como apoio. Compreendemos por que Sasha se queixa com Olga e por que Olga desabafa sobre ela com outra amiga. Nosso objetivo não é julgar, mas observar o modo como Sasha subtrai suas emoções da história de quem ela é. Essa matemática emocional explica a reação de Sasha ao ouvir o feedback. Não só fica magoada por Olga ter falado com uma amiga em comum, mas também desconcertada pelo conteúdo. *Isso não é verdade*, ela pensa. *Por que Olga disse isso?*

Muitas vezes, a raiva também se torna invisível para quem a sente. Você e seu colega estão trabalhando sob intensa pressão para finalizar uma apresentação que farão para o conselho na manhã seguinte. Tarde da noite, seu colega de repente tem uma ideia diferente e começa a falar dela com animação. Você interrompe: "Está pensando em começar de novo? A esta hora? Nem #@#&%&!". E então você sai da sala de reuniões para não correr o risco de dizer mais alguma coisa.

No dia seguinte, quando seu colega menciona seu chilique e o modo intempestivo como saiu da sala, você não acredita: "Nunca ergui a voz com você", garante. "E não fui 'intempestivo'." Na sua cabeça, não foi mesmo. Quando nos zangamos, focamos na provocação, na ameaça. É a ameaça que recordamos depois. Para o colega, a ameaça foi *sua irritação*. Para ele, não foi só uma parte da história, foi o núcleo da história. Sua raiva é essencial no modo como seu colega o vê e interage com você.

Como esse exemplo revela, fortes emoções podem ser vistas como se fossem parte do ambiente e não de nós mesmos. *Eu não estava exatamente zangado*, pensamos, *a situação é que era tensa*. Mas situações não são tensas. As pessoas é que são.

Amplificador 2: situação versus caráter

A matemática emocional é um subconjunto de uma dinâmica mais ampla. Quando alguma coisa vai mal e faço parte dela, minha tendência é atribuir meus atos à situação; você tende a atribuir meus atos ao meu caráter.[10]

Se me sirvo do último pedaço do bolo numa festa, você diz que é porque sou egoísta (caráter); eu digo que é porque ninguém mais o queria (situação). Quando me conecto a uma teleconferência com cinco minutos de atraso, você diz que sou desorganizado (caráter); eu digo que estava fazendo malabarismos com cinco coisas ao mesmo tempo (situação). Quando tiro um dia de folga para tratar de assuntos pessoais, você diz que sou irresponsável (caráter); eu explico que tinha de providenciar transporte para minha tia Adelaide, que está doente (situação).

A diferença nesses casos não se limita à questão de dar uma desculpa. É realmente um meio alternativo de contar a história. Em casos extremos, ajuda a explicar por que uma pessoa condenada por fraude, que levou à falência dezenas de investidores, por exemplo, pode pensar em si mesma como um membro honrado da sociedade: "Sempre fui generoso e interessado em assuntos comunitários. Nunca quis prejudicar ninguém. Mas fui envolvido por uma coisa que fugiu do meu controle". Foi a situação, não fui eu.

Amplificador 3: impressão versus intenção

O terceiro amplificador já foi mencionado no mapa do abismo: nós nos julgamos por nossas intenções (flecha 2), enquanto os outros nos julgam pelas impressões que causamos (flecha 4). Mas mesmo as boas intenções podem causar impressões negativas, o que contribui para o abismo entre a história que você conta sobre mim e a história que eu sei que é "verdadeira".

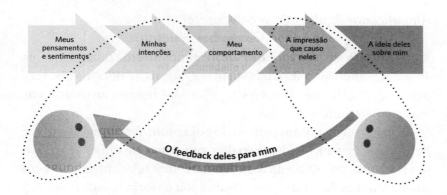

Vimos isso acontecer com Annabelle. Muitas vezes, ela fica decepcionada com seus colegas e não os respeita. Mas ela quer que eles se sintam valorizados e felizes, por isso formula a intenção de se mostrar respeitosa. Ela está tentando fazer uma coisa positiva. O que poderia haver de errado nisso?

O que está errado é que a impressão que ela causa nos outros é negativa. Os colegas dela não pensam: "Bem, a impressão foi negativa, mas o importante é que você teve boas intenções". Muito pelo contrário, eles notam a impressão negativa e concluem que Annabelle é ao mesmo tempo difícil e falsa. Ela se julga por suas intenções; seus colegas a julgam pelas impressões que ela causa.

Esse é um padrão comum. Minha história sobre minhas interações com as pessoas é conduzida por minhas intenções. Tenho boas intenções — estou tentando ajudar, guiar, até mesmo orientar. Suponho que minhas boas intenções levem a boas impressões —

meus colegas vão se sentir amparados, guiados e agradecidos por meu esforço em ajudá-los a crescer. Portanto, os outros devem saber que sou uma boa pessoa.

Mas para os que estão à nossa volta, a história é contada por impressões. Apesar de minhas melhores intenções, posso causar uma impressão negativa: você pode se sentir dominado e controlado. Então passa a supor que estou agindo de propósito ou que pelo menos eu sei que estou sendo mandão e não me importo o suficiente para mudar. E, se tenho intenções negativas ou negligentes, devo ser uma pessoa ruim. Agora seu feedback me diz que sou mandão e controlador, e me sinto chocado e perplexo. Descarto o feedback, porque não combina com a pessoa que eu sou. Está errado. E você conclui que eu não tenho consciência de quem sou, ou que estou tão na defensiva que me recuso a reconhecer o que todo mundo sabe que é verdade.

A solução é separar intenções de impressões durante a discussão do feedback. Quando Annabelle fica sabendo que é considerada uma pessoa difícil, insiste em afirmar que ela não é assim, e o que ela diz em essência é: "Tenho intenções positivas, portanto as impressões que causo são positivas". Mas ela na verdade não percebe as impressões que está causando. Deveria, então, falar de intenções e impressões separadamente. "Venho me esforçando para ser mais paciente (flecha 2, minhas intenções), e, no entanto, parece que não é essa a impressão que tenho causado (flecha 4). É desconcertante. Vamos tentar desvendar o porquê."

Os que dão feedback também confundem impressões com intenções. A informação que eles passam se baseia em intenções supostas. Em vez de dizer "Você está querendo ficar com o crédito pelas ideias de outras pessoas" (o que pressupõe intenções), eles deveriam manifestar o impacto que esse comportamento teve sobre eles: "Fiquei preocupado e confuso quando você disse que tinha sido ideia sua. Achei que eu merecia o crédito pela ideia". Mas poucos emissores de feedback são tão hábeis ou cuidadosos (porque eles são, como se sabe, pessoas terríveis).

121

Resultado: nosso eu (geralmente positivo)

Todos esses amplificadores — nossa tendência em subtrair certas emoções de nossa autoimagem, de ver os erros como se fossem causados pela situação e não pela personalidade, de focar em nossas boas intenções e não nas impressões que causamos nos outros — fazem sentido. É por isso que temos estatísticas como esta: 37% dos americanos se dizem vítimas de assédio no trabalho, mas menos de 1% se reconhece como assediador. É claro que um assediador pode ter muitas vítimas, mas é improvável que cheguem em média a 37.[11]

O mais provável é que pelo menos uma parte dos que se sentiram assediados esteja recebendo esse mau tratamento de pessoas que não estão conscientes da impressão que causam. Elas se julgam por suas intenções ("Eu só estava tentando fazer as coisas direito!") e atribuem as reações dos outros à hipersensibilidade (caráter) ou ao contexto ("Olhe, era uma situação tensa. Qualquer pessoa teria reagido dessa forma."). Dizer a esse grupo que não assedie os outros não é a solução, porque eles não percebem o que estão fazendo. Em vez disso, discutir a impressão causada por comportamentos específicos (e proibi-los, quando necessário) ajuda a parte ofensora a se enxergar no momento e começa a iluminar seu ponto cego. E ensinar as pessoas como solicitar e compreender o feedback — mesmo que pareça desagradável ou errado — pode ajudar as duas partes a pôr as coisas no lugar com mais sucesso.

Conspiramos para nos manter reciprocamente no escuro

Isso levanta a questão: por que as pessoas não nos *contam*? Por que foi necessária a indiscrição de uma amiga em comum para que Sasha soubesse que estava abusando da solidariedade de Olga? Por que foram necessários três anos e uma nova avaliação 360 graus para que Annabelle descobrisse que o desrespeito ainda emana firme e forte de suas atitudes?

Muitas vezes, quando estamos do lado que dá o feedback, sonegamos a informação crítica para não ferir os sentimentos dos outros ou começar uma briga. Nós imaginamos que eles já devem saber, ou que é função de uma terceira pessoa tocar no assunto, ou ainda que se eles realmente quisessem saber, teriam perguntado.

O resultado dessa omissão é que fica fácil para o receptor assumir uma falsa posição de conforto, já que não há opiniões que corroborem as críticas a ele: "Se o que você está dizendo fosse verdade, outras pessoas teriam falado sobre isso. Como não falaram, não deve ser verdade". É só mais uma das razões pelas quais é tão difícil nos enxergarmos com clareza.

O que pode nos ajudar a ver nossos pontos cegos?

Vamos começar pelo que *não* ajuda. Você não vai se ver com mais clareza pelo fato de olhar com mais disposição. Sabe por quê? Quando você olha com mais disposição, o que vai ver é que não tem nenhum ponto cego e que, portanto, o feedback está errado. Você se perguntará sobre as causas desse feedback errado, e sua mente vai embarcar numa explicação sobre motivos ocultos ou transtornos de personalidade das pessoas que deram o feedback. Temos a mesma reação do mapa do abismo em relação a eles quanto eles em relação a nós, só que ao contrário. Sabemos que estamos aborrecidos com o feedback errado e que os outros estão nos dando essa informação intencionalmente. O que significa que eles devem ter um plano, ou que alguma coisa muito errada está acontecendo com essas pessoas.

Use suas reações como alerta de pontos cegos

Pensamentos como os que vimos são tão frequentes que você, na verdade, pode fazer bom uso deles. Em vez de descartar o feedback ou menosprezar a pessoa que o deu, use esses pensamentos como um alerta para pontos cegos. Quando você se pegar pensando "Qual será o plano dele?" e "O que há de errado com esse cara?", faça de tudo para que seu próximo pensamento seja "Imagino que esse feedback deva estar tocando no meu ponto cego".

Pergunte: o que está me atrapalhando?

Para descobrir, temos de ser específicos. O feedback que pedimos normalmente é muito geral, ou os outros entendem que o que estamos querendo de fato é reconhecimento (e, às vezes, eles têm razão). Perguntamos algo não comprometedor como "E então, como estou me saindo?" ou "Você tem algum feedback para mim?", o que deixa a outra pessoa tentando descobrir o que queremos ouvir na verdade — Como você está se saindo em *quê*? Neste projeto? Em nosso relacionamento? Sua liderança? Sua vida? — e até que ponto ela pode ser franca. Não é muito diferente de perguntar a um filho de nove anos como foi o dia dele. Não ficaríamos surpresos com uma resposta nada estimulante: "Foi bom".

Em vez disso, pergunte (ao emissor do feedback, não à criança de nove anos): "O que você acha que estou fazendo ou deixando de fazer que está me atrapalhando?". Essa pergunta é mais específica sobre a franqueza que você espera, assim como sobre a impressão que causa aos demais. É também uma questão mais seletiva e mais fácil para os outros responderem. Podem até começar timidamente ("Bem, há ocasiões em que eu suponho que você às vezes..."), mas se você reage com interesse autêntico e com gratidão, eles serão capazes de pintar um quadro mais claro, detalhado e útil.

Procure padrões

Nossa resposta habitual a um feedback inquietante é procurar um segundo feedback que contradiga o primeiro, para nos proteger. Você diz que sou egocêntrico? Então como foi que ganhei o prêmio de trabalho comunitário no ano passado? Você acha que interrompo? Vou precisar te interromper agora, então... porque praticamente tive vontade de bocejar durante sua péssima apresentação na semana passada.

Em vez de correr atrás de feedback contraditório, respire fundo e procure um feedback coerente — coerente de dois modos. Primeiro, considere até que ponto os dois lados estão falando do mesmo comportamento, mas interpretando-o de modos divergentes (como ilustra a tabela). Você pode estar sendo mal interpretado (tímido versus indiferente), ou talvez não esteja consciente das impressões que causa (sociável versus dominador). De início, o feedback pode não ser o que você esperava; mas, uma vez que seja reinterpretado, você poderá pelo menos identificar o comportamento que está sendo discutido.

Há uma segunda maneira de procurar coerência: pergunte a si mesmo "Onde foi que ouvi isso antes?". Esta é a primeira vez que você recebe um feedback como esse ou já ouviu isso de outras pessoas (ou da mesma pessoa) ao longo dos anos? Os padrões podem dar pistas úteis para os pontos cegos. Se sua professora do ensino fundamental e sua primeira mulher reclamavam de sua higiene, pode ser hora de dar ouvidos a isso.

COMO EU ME VEJO	COMO VOCÊ ME VÊ
Tímido	Indiferente
Alto-astral	Hipócrita
Espontâneo	Espalhafatoso
Sincero	Maldoso
Apaixonado	Instável
Sagaz	Arrogante
Exigente	Crítico
Sociável	Dominador
Sistemático	Irritante

Peça uma segunda opinião

Se o feedback não lhe parece correto, leve o conjunto completo de perguntas a um amigo. Não diga: "Isso não pode estar certo, pode?". Exponha o problema com clareza: "Acabei de receber este feedback. Parece que está errado. Minha primeira reação é não querer aceitá-lo. Mas fico pensando se talvez não esteja tocando em algum ponto cego. Você me vê agindo assim às vezes? E, em caso positivo, quando? Que impressão isso pode passar sobre mim?". Você precisa informar seu amigo de que quer franqueza. Vejamos por quê.

Espelhos complacentes versus espelhos francos

Dar feedback é como segurar um espelho para ajudar uma pessoa a se ver como é. Mas nem todos os espelhos refletem a mesma coisa. No que se refere ao feedback, existem dois tipos de espelho: os *complacentes* e os *francos*.

Um espelho complacente nos mostra o melhor de nós, bem descansados e sob uma luz favorável. Nós vamos até esse espelho em busca de apoio. Sim, a maneira como você agiu naquele momento não foi muito boa, mas não é assim que você realmente é. Isso não é grande coisa. É uma imagem ruim. Jogue-a fora. Você é uma boa pessoa.

Um espelho franco mostra o que parecemos agora, quando não estamos na melhor forma e bastante cansados. É um reflexo verdadeiro daquilo que os outros veem hoje, quando estamos estressados e distraídos, deixando transparecer nossa frustração. "Sim, você efetivamente deu essa impressão. Isso não é bom."

Consciente ou inconscientemente, estamos sempre pedindo às pessoas próximas que sejam espelhos complacentes. Ao revelar a um amigo o feedback que recebemos daquele cara do setor de compras, estamos solicitando implicitamente que fique do nosso lado: "Ele está exagerando, não está? Ele simplesmente não entendeu que tenho coisas mais importantes com que me preocupar, certo?". Como a Rainha Má de *Branca de Neve e os sete anões*, não estamos pedindo ao espelho uma resposta sincera, mas sim procurando segurança e apoio.

Segurança e apoio são essenciais, e nossos amigos e pessoas queridas são extremamente capazes de nos proporcionar isso. Mas esse papel pode deixá-los de mãos atadas, pois as pessoas que procuramos para que nos deem apoio hesitam em concordar com o feedback crítico e franco que recebemos. Contudo, esse feedback pode ter sua utilidade: "Quer saber? Não acho que esse cara de compras tenha razão, nem acho que tenha dito as coisas da melhor maneira, mas consigo entender aonde ele quis chegar. Talvez você pudesse trabalhar melhor alguns aspectos".

Eles hesitam não por covardia, mas por confusão e preocupação. Querem o melhor para nós, mas não têm certeza de que *só* dar apoio seja o melhor a fazer. E, ainda assim, não sabem como romper o padrão que se impôs. E eles têm razão de se preocupar: quando alguém que sempre agiu como espelho complacente se transforma num espelho franco, podemos nos sentir traídos e vulneráveis.

Você pode usar a ideia de espelhos francos e espelhos complacentes para esclarecer o que está perguntando aos amigos. Quando você mostrar um roteiro que acabou de escrever ou a reforma que fez na casa, dê a eles alguma pista. Até que ponto você está querendo franqueza ou precisando de apoio? Ser claro ajuda a evitar linhas cruzadas.

Faça registros de si mesmo

Para muita gente, ver-se em vídeo ou ouvir a própria voz gravada é extremamente desagradável. Mas pode ser muito esclarecedor, pois nos possibilita ouvir nosso tom de voz e observar nosso comportamento de maneiras normalmente invisíveis para nós.

Foi a gravação em áudio de sua reunião semanal de criação que ajudou Zoe a identificar um de seus pontos cegos. Ela, que se orgulha de cultivar a criatividade, ficou surpresa ao ouvir um boato segundo o qual seu apelido entre os colegas era Maria Carabina, porque sempre "dispara contra qualquer ideia". Por esse motivo, ela solicitou a um de seus colegas que gravasse algumas reuniões com um smartphone. Ter pedido a um membro da equipe que assumisse a tarefa não só deu a eles algum controle como também amenizou a preocupação de que ela estivesse reunindo dados sobre *eles* e não sobre si mesma.

Zoe ficou perplexa ao ouvir as gravações. "As primeiras palavras que saem de minha boca são *sempre* negativas. Quando alguém dá uma sugestão, minha primeira atitude é levantar problemas. 'É isso o que me preocupa' ou 'É por isso que eu duvido que possa dar certo'. Fica óbvio nas gravações, mas eu não tinha ideia de que estava fazendo isso."

Na mesma hora, Zoe entendeu o que estava acontecendo. Ela acredita sinceramente que as novas ideias são a força vital de uma empresa, mas também tem medo de perder tempo. Sua ansiedade a respeito dessa possibilidade corrói a conversa, já que ela pede ideias mas imediatamente invoca suas preocupações sobre tomar o caminho errado. Tendo consciência disso, ela está trabalhando com a equipe para que todos controlem a tensão juntos.

A tecnologia voltada para a coleta de informações sobre nossos pontos cegos está sempre evoluindo. No Laboratório de Dinâmicas Humanas do Instituto de Tecnologia de Massachusetts (MIT), Sandy Pentland e sua equipe criaram um crachá eletrônico e aplicativos para smartphone que captam dados enquanto as pessoas interagem entre si ao longo do dia. Projetados para rastrear tom, altura e ritmo da voz, bem como gestos e outras pistas não verbais, os aparelhos ajudam os pesquisadores a determinar como esses sinais sociais influenciam a produtividade e a tomada de decisões.[12] Algumas de suas primeiras descobertas são impressionantes. Em contextos tão diversos como ambientes de trabalho, eventos de *speed-dating* e pesquisas de opinião sobre política, aproximadamente 40% das variações nos resultados podem ser atribuídas a mudanças nos sinais sociais, comportamentos que derivam principalmente de nossos pontos cegos. Em outras palavras, o conteúdo da conversa — a argumentação de venda, a tentativa de conquista ou a sondagem de intenção de voto — não mudou tanto. Mas os argumentadores, os futuros namorados e os pesquisadores passaram a mostrar sinais sociais alinhados com os de seus interlocutores. Falantes e ouvintes sorriram, ficaram mais animados, o tom de voz aumentou e os gestos entraram em sincronia.

Examinando esses sinais, os pesquisadores do MIT podem prever desfechos que tiveram sucesso ou que foram malsucedidos. A tecnologia deles vem sendo usada para ajudar autistas a ver e compreender sinais sociais; em breve, eles nos ajudarão a entender a impressão que causamos como líderes, colegas e membros de uma família sobre aqueles que nos rodeiam e sobre os resultados que obtemos.

Foque na mudança de dentro para fora

Quando Annabelle recebeu o feedback e soube que os colegas achavam que ela agia com desdém, ela entendeu o problema como sendo de seu comportamento: "Eles não gostam quando eu demonstro falta de respeito, então vou tentar agir de forma mais respeitosa".

Mas seus colegas não queriam que ela *parecesse* respeitá-los; queriam que ela *sentisse* respeito por eles. Annabelle precisava entender que as pessoas acabam lendo sua atitude e seus sentimentos reais, sejam eles quais forem. Então há duas possibilidades. Ela pode: (1) discutir seus verdadeiros sentimentos — explicando por que está decepcionada com os colegas, de onde vêm suas expectativas e o que se poderia fazer; ou (2) esforçar-se para mudar seus sentimentos — não aquilo que ela demonstra, mas seus sentimentos autênticos.

A primeira opção, talvez de modo surpreendente, pode eliminar muita pressão. Annabelle pode tornar explícitas suas expectativas e assim o problema se resolve com os colegas: essas expectativas são realistas? Se são, como estimular os membros da equipe para que consigam alcançá-las? E o que Annabelle está fazendo que talvez possa impedi-los de avançar? Se ela faz críticas destrutivas que inibem o esforço deles, não vai demorar muito para que desistam de se esforçar.

A segunda opção exige que Annabelle negocie com seus próprios sentimentos e atitudes. Não se trata de fingir ou esconder, mas sim de cultivar empatia e gratidão pelos outros verdadeiramente. É possível que ela precise ver o esforço dos colegas de uma nova forma, passe a conhecê-los melhor como pessoas ou tenha de trabalhar duro para ver o que eles estão fazendo corretamente.

Se negociar consigo mesma, vai ganhar o apoio da equipe: "Fico frustrada facilmente quando estou sob pressão. Estou aprendendo que demonstro isso de modos que não percebo. A partir de agora vou me esforçar para reagir melhor à pressão, e vocês podem me ajudar apontando minha reação no momento".

Basta admitir o padrão que todo mundo já está vendo e manifestar com clareza que está tentando mudar.

Tenha um objetivo

O subtítulo deste capítulo é "Descubra como você é visto". Devemos deixar claro que dizemos isso num contexto de alguém que lhe dá um feedback. Não estamos recomendando que você trate de descobrir tudo sobre como os outros o veem, queira você ou não, queiram eles ou não.[13] As pessoas têm todo tipo de pensamentos complexos a nosso respeito; alguns de seus pensamentos negativos nos surpreenderiam, e alguns dos positivos nos surpreenderiam mais ainda.

Em muitas circunstâncias, saber que alguém tem uma opinião favorável sobre nós é tudo o que precisamos. Se essa não é toda a verdade, é verdade até certo ponto, e é bom sentir que outras pessoas pensam coisas boas de nós. Isso nos faz sentir mais à vontade, confiantes e felizes.

Mas esse raciocínio cai por terra, no entanto, quando alguém tenta nos dar um feedback. Nesse caso, é importante fazer força para saber mais sobre como os outros veem você, seja porque isso vai ajudá-los ou porque vai ajudar você. Nessas ocasiões, iluminar seus pontos cegos vai fazer toda a diferença.

RESUMO: ALGUMAS IDEIAS BÁSICAS

Todos nós temos pontos cegos porque:
- não enxergamos nosso próprio rosto, que por vezes pode nos entregar;
- não podemos ouvir nosso tom de voz;
- desconhecemos até mesmo nossos grandes padrões de comportamento.

Os pontos cegos são amplificados por:
- *Matemática emocional*: subtraímos nossas emoções, enquanto os demais as duplicam.
- *Atribuição*: nós atribuímos nossas falhas a situações, enquanto os outros as atribuem a nosso caráter.
- *Abismo entre impressão e intenção*: nós nos julgamos por nossas intenções, enquanto os demais nos julgam pelas impressões que causamos a eles.

Para enxergar nossos pontos cegos, precisamos da ajuda dos outros.

Peça a outras pessoas que sejam um espelho franco para ajudar você a se ver no momento.

Pergunte: O que estou fazendo que está me atrapalhando?

TERCEIRA PARTE

Gatilhos de relacionamento: o desafio do *nós*

PANORAMA DOS GATILHOS DE RELACIONAMENTO

A questão de quem seja a pessoa que nos dá feedback não parece importante. Independentemente da fonte, o conselho é sábio ou tolo; as ideias, valiosas ou sem valor. Mas acontece que importa *sim*. Muitas vezes, ficamos mais mobilizados pela pessoa que nos dá o feedback do que pelo feedback em si. Na verdade, os gatilhos de relacionamento são os que provocam os desencaminhamentos mais comuns nas conversas de feedback.

Nos capítulos 2, 3 e 4, examinamos os gatilhos de verdade — os que nos levam a ficar desconcertados pelo conteúdo do feedback. Nos capítulos 5 e 6, exploraremos as razões mais comuns que nos levam ao desconcerto não pelo conteúdo do feedback, mas por quem, onde, quando, por que e como ele é dado. Na verdade, cada uma delas volta ao quem. "Você está me dizendo isso *agora*, no casamento da minha melhor amiga? É sério?" Desqualificamos o feedback porque o como, o quando, o onde e o motivo pelo qual ele é feito dizem alguma coisa terrível sobre o quem. *Portanto, não precisamos escutar.*

No capítulo 5, observamos que podemos descartar o feedback pela forma como percebemos o *tratamento* que o emissor nos dá — por exemplo, se ele estiver sendo injusto ou desrespeitoso. Podemos também desconsiderar o feedback com base no que pensamos *sobre* o emissor — talvez acreditemos que ele não tenha credibilidade, ou suspeitemos que esteja mal-intencionado. Vamos mostrar como você pode aprender com o feedback e tirar proveito dele mesmo quando for dado de maneira medíocre ou quando vier de alguém de quem você não gosta ou em quem não confia. E também daremos uma olhada em por que diabos você deve querer essa informação.

O feedback abordado no capítulo 5 pode ser sobre qualquer coisa — sobre como se alimentar de maneira saudável ou sobre seus rendimentos no ano. No capítulo 6, veremos o feedback criado pelo próprio relacionamento. Ele normalmente nasce de diferenças, incompatibilidades ou atritos entre você e o emissor. A outra pessoa sugere que, se você mudar ("Seja pontual!" ou "Pare de ser tão controlador!"), o problema estará resolvido. Quase sempre reagimos afirmando que não somos nós o problema, e sim eles. O problema não é que nós estejamos cinco minutos atrasados, mas sim que eles estejam tão tensos. E não teríamos de ser controladores se eles levantassem o traseiro da cadeira e tomassem alguma iniciativa.

Assim, eles acham que o problema somos nós e nós achamos que eles são o problema. Agora vamos mostrar que o feedback nos relacionamentos raramente tem a ver com você *ou* comigo. Normalmente tem a ver com você *e* comigo em nosso sistema de relacionamento. Entender esses sistemas vai ajudar a eliminar acusações passadas e incentivar a prestação conjunta de contas, além de falar produtivamente sobre esses temas desafiadores, mesmo quando a outra pessoa acha que essa reunião de feedback é só sobre *você*.

Ao ler os dois próximos capítulos, tenha em mente alguns emissores de feedback da sua própria história de vida. O que torna tão difícil ouvir o que eles têm a dizer sobre você, e o que é possível aprender com eles mesmo assim?

CAPÍTULO 5

Não entre pelo desvio

SEPARE *O QUE* DE *QUEM*

Num episódio da série de comédia *Lucky Louie*, da HBO, Louie chega em casa depois de um cansativo dia de trabalho na oficina para um fim de semana romântico muito aguardado com sua mulher, Kim. Levou um presente para ela — rosas vermelhas —, que lhe ofereceu com uma mesura. Kim olha desapontada e, depois de um momento, dá um conselho a Louie:

KIM: Ouça. Tente não me levar a mal, tá? Mas se vamos ficar casados pelos próximos trinta anos, preciso que você saiba que rosas vermelhas não são as minhas flores preferidas. Eu simplesmente não gosto de rosas vermelhas, o.k.?

LOUIE: O.k. Bom... Hã... Posso criticar a maneira como você me disse isso? Não é pra tanto. Você poderia ter agradecido pelas flores primeiro para *depois* dizer que não gostava de rosas.

KIM: Eu já tinha dito a você que não gostava de rosas vermelhas. Lembra?

LOUIE: Ah, é, acho que me lembro de alguma coisa assim. Mas é um presente, então é feio recusar. Você deveria ter me agradecido, certo?

E a coisa vai por esse caminho até a última troca de farpas:

139

KIM: Como você espera que uma pessoa agradeça por ganhar uma coisa que ela já disse explicitamente que não quer?

LOUIE: Sabe qual pergunta seria melhor? Como é que você ganha rosas vermelhas de presente e reage desse jeito?![1]

Briga 1 × 0 Fim de Semana Romântico.

O que aconteceu? A história superficial é clara: Louie dá rosas para Kim, Kim dá um feedback para Louie, e então eles têm uma briga. É claro que as reações deles indicam que a conversa é sobre alguma coisa mais profunda: não são as rosas, é o relacionamento.

Gatilhos de relacionamento criam conversas desviadas

O feedback de Kim aciona um gatilho de relacionamento para Louie.

O feedback dela é simples: não gosto ou não quero ganhar rosas vermelhas. Mais importante: ela fica decepcionada porque Louie *deveria* saber que ela não gosta de rosas vermelhas — não porque espera que ele leia seus pensamentos, mas porque ela já lhe disse isso muitas vezes. Para Kim, as rosas são a prova cabal da sensação de que Louie não a escuta. Mais tarde, Kim explica:

KIM: Quando eu digo alguma coisa e percebo que você não me ouve, fico muito ofendida. Sinto como se a minha opinião não tivesse importância.

Como Louie reage ao feedback de Kim? Ele muda totalmente de assunto. Mas, espere um momento: Kim está falando de rosas vermelhas, e Louie está falando de rosas vermelhas. O mesmo assunto, certo?

Mas não é. Kim usou as rosas vermelhas para discutir o quanto sente que ele não a vê nem a escuta. Louie passa batido pela questão dos sentimentos de Kim e fala de seu próprio assunto: como *ele* se sente não reconhecido. Não há nada de errado com essa reação ou

140

com esse assunto, mas não coincide em nada com o de Kim. Agora temos duas pessoas dando feedback e nenhuma para recebê-lo.

A dinâmica em que Louie e Kim entraram é tão comum que demos a ela um nome: conversa desviada. A conversa deles muda sutilmente de rumo, como que saindo do trilho principal, de um assunto para outro. Não demora nada para que cada um siga em sua própria direção, distanciando-se do outro cada vez mais.

Uma parte fundamental dessa dinâmica é que a pessoa que recebe o feedback original não tem consciência de que está mudando de assunto: Louie não pega o desvio para evitar o feedback de Kim. Ele muda de assunto porque se sente atingido. Quando a esposa diz que não gosta de rosas vermelhas, Louie se magoa e se decepciona. Para ele, a falta de consideração de Kim é o assunto da conversa. Suas emoções fazem com que Louie desvie a conversa, saindo dos próprios trilhos.

O desvio derrota o feedback

O desvio tem duas consequências principais, uma boa e uma ruim. A consequência positiva é que pode ser importante pôr sobre a mesa o segundo assunto — às vezes, mais importante que o feedback que o desencadeou. Pode ser que tenhamos hesitado em abordá-lo antes, mas aqui está ele, finalmente, exposto. E, agora que está exposto, podemos lidar com a questão.

A consequência negativa é que, agora que temos dois assuntos, a conversa embaralha. Lidar com dois temas não é por si só um problema — podemos abordar dois, doze ou vinte numa única conversa. Mas nas conversas desviadas, nós *não entendemos* que há dois assuntos diversos, e por isso os dois se perdem, já que cada um dos interlocutores ouve o que o outro diz pelo filtro de seu próprio assunto.

Quando Kim diz "Como você espera que uma pessoa agradeça por ganhar uma coisa que ela já disse explicitamente que não quer?", o assunto é "Louie não me ouve", e a afirmação dela diz isso. Mas depois de passar pelo filtro do assunto "Kim não me agradece" de Louie, a sentença fica sendo mais uma prova da ingratidão de Kim. O que Kim e Louie aprenderam com essa conversa de feedback? Cada um "aprendeu" o que já sabia: que Louie não vai ouvir, mesmo que lhe digam que ele não ouve. E que Kim é egoísta e indelicada, e acha que Louie nunca tem razão.

O desvio silencioso pode ser pior

Às vezes, o desvio do trilho principal para um dos lados não fica ao ar livre, mas é subterrâneo. Nossas reações permanecem trancadas em nossa cabeça, gritando objeções silenciosas, enquanto suportamos ressentidos as críticas da nossa enteada ou da supervisora do departamento. Já faz muito tempo que desviamos para nosso próprio assunto: *Uau, você me dizendo que tenho de ficar calmo? Você é a pessoa mais pavio curto que já conheci. E agora acabei de descobrir que também é a mais sem noção.* E então vamos embora e desabafamos com outras pessoas nossa frustração. ("Jenna é a pessoa mais neurótica do planeta ou só deste hemisfério? Não consigo decidir.") Nós triangulamos o conflito, e a experiência dá curto-circuito em todas as direções.

Dois gatilhos de relacionamento

Como vimos, a dinâmica do desvio tem quatro passos: recebemos o feedback; percebemos um gatilho de relacionamento; mudamos o assunto para como *nós* nos sentimos; e, no quarto passo, cada um fala de uma coisa. Para melhorar nossa capacidade de administrar o impulso de tomar um desvio, precisamos melhorar nosso entendimento dos gatilhos de relacionamento que geram essa tendência. A seguir, veremos dois tipos essenciais de gatilhos de relacionamento: (1) o que pensamos sobre as pessoas que nos dão feedback, e (2) como sentimos que somos tratados por elas.

O que pensamos sobre o emissor

Há pessoas que admiramos tanto que seus atos e conselhos parecem ter uma aura dourada. Nossa suposição em qualquer caso é que suas informações são corretas, sensatas, profundas — exatamente o que precisávamos ouvir. Tentamos imitá-las e absorvemos cada uma de suas palavras. O feedback que elas dão já é pré-aprovado.

E há também todos os demais. O feedback desses outros pode não chegar pré-desqualificado, mas decretamos alerta máximo contra eles. Podemos desqualificar o emissor de muitas maneiras — as mais comuns dizem respeito a confiança, credibilidade e (falta de) competência ou capacidade de julgar. E já que o desqualificamos, rejeitamos a essência de seu feedback sem pensar duas vezes. Baseados em *quem*, descartamos o *quê*.

> ## O QUE PENSAMOS *SOBRE* O EMISSOR
>
> *Competência ou capacidade de julgar*: Como, quando e onde dar o feedback.
> *Credibilidade*: Ele não sabe do que está falando.
> *Confiança*: Os motivos dele são suspeitos.

Competência ou capacidade de julgamento: como, quando e onde dar feedback

O primeiro alvo, e o mais fácil, é *como*, *quando* e *onde* o feedback é oferecido (todas essas condições têm reflexos diretos sobre o *quem*). O emissor não consegue lidar com a situação com o cuidado necessário; o modo como ele dá o feedback mostra sua falta de competência; o momento e o lugar mostram sua falta de capacidade de julgamento.

Por que você disse isso na frente da minha noiva?

Você esperou até agora para tocar nesse assunto?

Você poderia ter agradecido pelas flores primeiro para *depois* dizer que não gostava de rosas.

Ficamos ofendidos — e muitas vezes com razão — com o onde, o quando e o como, e disso sobrevém um desvio clássico. Entramos numa discussão acalorada sobre como foi inadequado abordar o problema do controle da raiva diante de um cliente, mas nunca voltamos a discutir a essência desse problema. Eu fico no meu trilho; você, no seu — e em pouco tempo nos perdemos de vista.

Credibilidade: ele não sabe do que está falando

Podemos também reagir à falta de competência, formação e expe-

144

riência do emissor do feedback: ele nunca abriu um negócio; ela nunca foi técnica de futebol; ele morou a vida toda em Dodge City, no Kansas, e está oferecendo seus "conhecimentos" sobre a experiência da imigração; eles estão cheios de conselhos para os pais porque não são pais. Por que deveríamos ouvi-los?

São reações compreensíveis. Mas persiste o fato de que muitas vezes podemos tirar proveito das ideias de novatos ou mesmo de gente de fora, que não entende muito "como as coisas são feitas". Eles podem formular justamente a pergunta "ingênua" mas correta, ou ver as coisas de uma nova perspectiva. Não surpreende totalmente que a tecnologia MP3, que revolucionou a indústria fonográfica, e a do smartphone, que inovou as telecomunicações, tenham vindo de fora desses universos. Novas ideias muitas vezes vêm de pessoas sem a credibilidade tradicional, que estão mais livres para enxergar além, exatamente porque não sabem que existe um esquema definido. A história está cheia de exemplos de batalhas que foram vencidas graças à ideia de um jovem cabo que deu uma boa sugestão.

Mesmo nas relações pessoais, uma nova perspectiva pode abrir caminho numa história complexa e através de raciocínios elaborados que construímos com o tempo. Um novo amigo pode ver que um velho amigo talvez não esteja sendo justo ou fazer uma sugestão que facilite a dinâmica entre você e seu meio-irmão, enraizada em hábitos e história. Quando uma pessoa pergunta por que você deixou sua sócia humilhá-lo daquele jeito, isso faz com que você pense antes de explicar como ela é e como tem de conhecê-la para entender. E, assim, é possível considerar se as ideias da outra pessoa para mudar a situação podem ajudar.

Mais um exemplo de questão de credibilidade que desencadeia reações tem a ver com valores e identidade. Não queremos ser o tipo de líder — ou o tipo de pessoa — que o outro é. Então, por que aceitaríamos sua orientação?

Muito bem. Se ele está orientando você sobre como enganar sua esposa ou como fraudar o fundo de pensão, proceda com cautela de qualquer maneira. No entanto, é mais comum que as pessoas que orientam pretendam ajudá-lo a navegar pelo ambiente complexo no qual você se encontra ou a lidar com obstáculos que estão mais à frente e que eles já viram de perto. Muitas vezes existem aspectos úteis e até sábios no conselho delas, mesmo que você prefira praticá-los de uma forma mais coerente com seus próprios valores.

Não que a credibilidade e os conhecimentos sejam irrelevantes. A experiência dos outros é um fator que pesa na utilidade do feedback, mas não use a inexperiência como pretexto para rejeitar um conselho logo de cara.

Confiança: os motivos dele são suspeitos

"Confiança" neste contexto se refere às motivações do emissor: para levarmos em conta a orientação de outra pessoa, é fundamental aceitar sua avaliação ou acreditar na autenticidade de seu reconhecimento.

A TOCA DO COELHO DAS INTENÇÕES

Você quer me prejudicar.

Você está projetando seus próprios problemas em mim.

Você quer mostrar quem manda aqui.

Você está sendo tendencioso.

Você está se sentindo ameaçado por mim.

Você não tem desconfiômetro e não para de dizer bobagens.

Você está com ciúme.

Você está querendo criar caso.

Você está sendo legal, mas não sincero.

Você está querendo me controlar.

Você não pode ser tão cabeça oca.

A desconfiança pode ser desencadeada de diversas maneiras. Às vezes, receamos que as intenções da outra pessoa sejam condenáveis. Não confiamos no feedback porque seu emissor está querendo nos prejudicar ou controlar. Ou simplesmente duvidamos que haja intenções boas e sinceras. Ou, de um jeito ou de outro, pode ser que ele nem se importe comigo — está dando feedback só para riscar esse item da sua lista de obrigações.

Está bem, vamos ticar "feedback recebido" e seguir em frente.

Outras vezes você pode se perguntar se o emissor está falando a verdade. Será que ele disse coisas legais sobre meu trabalho porque me acha bom mesmo ou porque não tem coragem de expor o que pensa de verdade? E o que será que ele fala de mim pelas costas?

As intenções raramente são declaradas e, ainda que sejam, podemos acreditar ou não nelas. Você diz que está "apenas tentando ajudar", mas na verdade parece que está "apenas querendo que me demitam". A dificuldade aqui, como vimos, é que as intenções são invisíveis. Ficam trancadas na cabeça do emissor, e ele próprio pode não ter plena consciência delas. Isso faz com que as intenções sejam traiçoeiras. Ficamos muito preocupados com os propósitos dos outros, mas simplesmente não podemos saber quais são.[2] Então nos metemos na toca do coelho que é tentar adivinhar, e ficamos cavando no escuro. Quando finalmente saímos da toca, estamos ainda sem nenhuma certeza, ou pior: pensamos que conhecemos as intenções do outro, mas isso não é verdade. Não é que se deva sempre pressupor que elas sejam boas. Mas precisamos estar conscientes de que *não sabemos* quais são, o que faz da discussão sobre intenções um beco sem saída.

Além disso, a questão das intenções nada tem a ver com a adequação ou com a utilidade do feedback. O emissor pode estar com ciúme, disposto a cometer uma maldade ou totalmente maluco, e ainda assim o feedback dele pode estar certíssimo, a coisa mais útil que ouvimos nos últimos meses. Ou talvez ele tenha mesmo em mente nossos interesses. Mas a sugestão de que você use leggings de couro amarelo para ir ao escritório continuaria sendo uma péssima ideia.

Por tudo isso, trate confiança e conteúdo como temas separados, porque *são* coisas separadas. Examine o que faz sentido pelo feedback em si. E pode contar ao emissor a impressão que essa conversa lhe causou, sem insistir que você sabe exatamente quais foram as intenções dele. Não use o gatilho de relacionamento da confiança para desqualificar automaticamente o feedback.

Jogadores-surpresa

Os gatilhos de relacionamento baseados naquilo que pensamos sobre quem nos dá o feedback ajudam a explicar por que nossos melhores amigos podem nos dizer coisas que outras pessoas não podem. Se confiarmos neles e acharmos que eles têm credibilidade num assunto em especial (conselhos sobre a carreira, mas não sobre a vida amorosa, ou vice-versa), estaremos propensos a ser mais receptivos ao feedback deles.

Os gatilhos de relacionamento também explicam por que às vezes as pessoas mais próximas *não podem* nos dar feedback, por mais bem-intencionadas ou precisas que elas sejam.

Estranhos

Fred estava apoiado em sua muleta, lendo o cardápio do café, quando uma mulher bateu no ombro dele. "Não quero ser intrometida", ela disse, "mas notei que você está usando suas muletas da mesma forma que usei as minhas no ano passado. Parece que não é a melhor maneira de usá-las, e acabei com uma lesão no quadril. Passei seis meses me recuperando da lesão original e outros seis para me curar do uso errado das muletas."

A mulher mostrou a Fred como ajustar o ponto de apoio para caminhar, e ele chegou em casa animado para mostrar a sua namorada, Eva, o que tinha aprendido. Eva ficou indignada: "Estou lhe dizendo isso há semanas. Você *me* ignora, mas assim que uma estranha diz a mesma coisa, você acredita?".

De fato. O conselho era idêntico, mas a pessoa que o deu mudou. E isso eliminou o gatilho de relacionamento que bloqueava o feedback que vinha de sua namorada. Do ponto de vista de Fred, Eva gosta de mandar nele, e isso não o agrada muito. E ela nunca usou muletas, então o que sabe sobre isso? A estranha do café? É outra história. Por que a estranha diria uma coisa dessas se não estivesse querendo ajudar? E ela deixou claro de cara que já tinha estado na mesma situação que Fred. Credibilidade. Sem segundas intenções. Feedback aceito.

Aqueles de quem você menos gosta e que são menos parecidos com você

Curiosamente, outras peças valiosas no jogo do feedback são as pessoas que você acha *mais difíceis*. Sabe aquela mulher da contabilidade que está sempre amolando você com papéis? A cliente do exterior que parece pensar que você é idiota? Aquele parente que faz todas as reuniões familiares girarem em torno dele, inclusive funerais? É deles que estamos falando.

Você não confia nessas pessoas. Você não gosta delas. Dizem sempre a coisa errada na hora errada. Por que razão você daria ouvidos a um feedback *delas*?

Porque elas veem você de um ponto de vista especial. Normalmente, gostamos de gente que gosta de nós e que é como nós.[3] Então, se você convive quase sem nenhum atrito com seu colega de quarto ou trabalha bem com seu companheiro de equipe, há grandes chances de vocês terem modos de vida, suposições e hábitos semelhantes. Suas expectativas e preferências podem não ser idênticas, mas se estabelece entre os dois uma agradável complementaridade. Em razão disso, muitas vezes você trabalha melhor e é mais produtivo com essa pessoa.

Mas as pessoas próximas não podem ajudá-lo a aparar suas arestas, porque não as veem. A mulher da contabilidade vê. Ela acha que você é arrogante, insolente, irresponsável. Desagradável, grosso, arredio. Você sabe que o problema está nela — essa mulher tira você do sério. Mas é *você* quem sai do sério. É você sob pressão, você em conflito.

Muitas vezes, é aqui que temos mais espaço para crescer. Quando somos submetidos a estresse ou estamos em conflito, perdemos qualidades que normalmente temos, impressionamos os outros de modos que não vemos, ficamos perdidos com estratégias positivas. *Precisamos* de espelhos francos nesses momentos, e quase sempre esse papel é mais bem desempenhado pelas pessoas com quem menos nos damos bem.

Se aquela cliente do exterior acha que você é um idiota, é porque deve estar acontecendo alguma coisa que você não entende; e, sem a ajuda dela, não vai descobrir. Pode ser uma diferença cultural que você precisa dominar caso queira ser eficiente naquele mercado. Ou é possível que seu tom de voz e sua escolha das palavras a aborreçam de um modo que você não compreende. Isso vale a pena ser desvendado. E você vai precisar da ajuda dela para isso.

Quer acelerar seu crescimento? Vá direto às pessoas com quem teve mais problemas. Pergunte a elas o que você está fazendo para piorar a situação. Elas certamente vão lhe dizer.

Como nos sentimos tratados por eles

O primeiro tipo de gatilho de relacionamento deriva do que pensamos a respeito do emissor do feedback. O segundo tipo vem de *como nos sentimos tratados por ele.*

Esperamos muito de nossos relacionamentos, sejam eles profissionais ou pessoais, informais ou íntimos. Entre as coisas que desejamos, há três interesses que normalmente esbarram nos espinhos do feedback: nossa necessidade de reconhecimento, de autonomia e de aceitação.

COMO NOS SENTIMOS TRATADOS POR ELES

Reconhecimento: Eles veem nosso esforço e nosso sucesso?
Autonomia: Estamos dando espaço e controle adequados?
Aceitação: Eles respeitam ou aceitam quem somos (agora)?

Reconhecimento

Desde que sua irmã teve um AVC, há três anos, você foi a pessoa que mais cuidou dela. Tem sido muito difícil. À medida que aumenta o seu cansaço, sua paciência diminui. Hoje de manhã, você deu uma bronca em sua irmã; por acaso, o filho dela estava por perto. E ele deu uma bronca também: *"Nunca mais* fale assim com a minha mãe!".

Certo, ele tem razão. Mas onde está o reconhecimento pelos anos de cuidados? Onde está o agradecimento por dar banho na mãe dele e vesti-la todos os dias? Onde está a gratidão por tê-la alimentado, carregado e levado de um lado para o outro? Você entende por que seu sobrinho ficou chateado, mas no quadro geral o feedback dele é profundamente — talvez até detestavelmente — injusto e fora de propósito. Pelo menos é isso que você sente no momento.

Podemos perder o controle mesmo quando um relacionamento vai bem e o problema é irrelevante. De bom grado, Ernie cobriu a licença de Samantha, que tirou uns dias para visitar algumas faculdades com o filho dela. Quando Samantha voltou, a primeira coisa que fez foi questionar por que o colega ainda não tinha ligado de volta para um cliente. Não havia melindres entre os dois, mas Ernie ficou irritado. Ele não disse: "Esse feedback é ótimo, porque me ajuda a aprender a lidar com seus clientes de uma maneira mais imediata". Mas disse: "O que há de errado com você?!". Não que o feedback esteja errado, mas porque Ernie acha que ele foi despropositado. Sem contar que suas expectativas de ouvir um caloroso "obrigada" foram frustradas asperamente.

Esse tipo de reversão também é parte daquilo que irritou Louie: "Estou fazendo uma coisa legal para você, mas sua reação não é apenas neutra, é negativa". Num instante, Louie passa da alegria à tristeza. Seja o feedback de Kim válido ou não, ele não consegue ouvi-lo. Ainda está ferido pela dor inesperada.

Autonomia

A autonomia tem a ver com controle. Ao dizer o que devemos fazer ou como devemos fazer alguma coisa, o emissor do feedback pode cruzar essa linha rapidamente. Muitas vezes, nossos limites são invisíveis — para os outros e para nós também —, até que sejam violados. É nessas ocasiões que, de repente, os contornos se materializam.

Na infância, estamos sempre testando esses limites em relação aos nossos pais: "Os biscoitos que estão na bandeja do meu cadeirão são meus, então vou jogar todos no chão se me der na telha". Depois de adultos, continuamos a testar limites. Seu chefe não chegou a lhe dar um feedback prévio a respeito de um e-mail antes de você enviá-lo para toda a sua equipe. Não importa. É *seu* e-mail para *sua* equipe sobre *sua* campanha de marketing daqueles novos biscoitos. Pelo menos, é assim que você vê as coisas.

Somos particularmente sensíveis a intromissões que procuram controlar quem somos. "Cai fora!", temos vontade de dizer. "Eu controlo minhas atitudes: controlo meu comportamento, minha personalidade, a forma como me visto, ando e falo. Quando você me dá esse tipo de feedback, não está só violando limites, mas também está confundindo o papel que desempenha na minha vida."

Meu mapa de autonomia e o seu vão entrar em confronto de vez em quando, levantando dúvidas sobre quem tem a incumbência de decidir. É uma negociação, e é preciso haver uma série importante de conversas, claras e explícitas. Podemos imaginar situações em que vamos concordar com o receptor do feedback ("Se eu tiver de debater com os superiores cada e-mail que mando à equipe, nunca vamos fazer nada") e outras ocasiões em que ficaremos do lado do emissor ("Você ainda é novo aqui, e é minha responsabilidade garantir que seus e-mails se enquadrem nas normas da empresa"). Seja qual for a decisão, entender que perdemos a paciência não pelo conselho em si, mas por estarem nos dizendo o que devemos fazer, vai nos ajudar a abordar o assunto correto. Podemos ter uma conversa explícita sobre os limites adequados da autonomia em vez de discutir à toa se suas sugestões gramaticais para o texto do meu e-mail fazem ou não sentido.[4]

Aceitação

É o paradoxo que está no centro de muitas conversas de feedback: temos dificuldade para aceitar a avaliação ou orientação de uma pessoa que não nos aceita do jeito que somos.

Meu pai gosta de dar conselhos. Eu bem que poderia ouvi-lo se, pelo menos uma vez, ele dissesse apenas: "Sabe, filho, você se saiu bem".

Nada do que eu faço está bom para a minha chefe, parece que só a minha presença na equipe já a incomoda. Mas ela sabe que precisa do meu trabalho.

Minha ex, no final das contas, simplesmente queria que eu fosse outra pessoa.

É um terreno complicado. As outras pessoas querem, de alguma forma, que sejamos diferentes. Nós queremos saber se estará tudo bem se não mudarmos. Você diz que me ama, apesar dos meus defeitos; quero que você me ame *por causa* deles.

Uma dinâmica que contribui para essa dificuldade é que os dois lados podem ter visões diferentes do que significa aceitação. Aquilo que para o emissor do feedback parece apenas uma simples recomendação sobre um pequeno ajuste de comportamento pode soar para o receptor como uma rejeição de quem ele *é*.

É isso o que está acontecendo com David e Cheng. David sempre dá conselhos a Cheng sobre como galgar os degraus do sucesso: "Ninguém é mais talentoso do que você, mas neste ramo a imagem é tão importante quanto o conteúdo. Se você quer se destacar, precisa investir alto nisso".

Cheng acha a orientação de David vazia e ofensiva. Explica a David que ele não é assim. Se é para progredir, que seja por seus próprios méritos; se não, pelo menos terá vivido a seu modo. Não vale a pena sacrificar a humildade e a autenticidade que estão no cerne de sua identidade para fingir ser quem não é, falso e cheio de si.

David fica confuso com a reação de Cheng. Na sua cabeça, está sugerindo um pequeno ajuste no comportamento do colega que poderia aumentar ainda mais seu potencial. Nada tem a ver com "quem Cheng é na verdade". O que ele está recomendando é superficial — essa é a questão. David se pergunta se o mantra "eu sou assim" de Cheng não seria na verdade uma forma de se proteger das críticas.

Isso levanta a segunda questão desagradável sobre aceitação e mudança. Quando dizemos "aceite-me como eu sou", estamos mesmo pedindo imunidade contra a crítica? Esqueci de pegar as crianças na escola? Bom, eu sou assim! Perdi a cabeça diante de nossos novos patrocinadores? Estava apenas sendo eu mesmo! Bati o carro depois de beber demais na festa? É a minha cara!

Todos nós precisamos nos sentir aceitos como somos, mas precisamos também ouvir o feedback — principalmente quando nossa conduta afeta outras pessoas. Ser aceito não pode ser uma rota de fuga da responsabilidade pelas consequências, como veremos de forma mais detalhada no capítulo 10. Então, busque aceitação. E se esforce para não errar com as crianças e os patrocinadores (nem com o carro).

Gatilhos de relacionamento: o que dá certo?

Nosso objetivo não é eliminar as questões de relacionamento que desencadeiam reações. Como dissemos, às vezes o segundo tópico é tão importante quanto o primeiro. O objetivo é perceber melhor as situações em que temos dois temas sobre a mesa e abordar cada um em sua essência, sem deixar que os assuntos se embaralhem ou que um deles seja anulado.

Há três iniciativas que podem nos ajudar a administrar gatilhos de relacionamento e evitar desvios. Primeiro, temos de ser capazes de enxergar os dois tópicos em questão (o feedback original e o problema de relacionamento). Em seguida, é necessário dar um rumo independente a cada um dos assuntos da conversa (e manter no mesmo rumo e ao mesmo tempo as duas pessoas envolvidas). E, por fim, precisamos ajudar os emissores a serem claros a respeito do feedback original, principalmente quando o problema tem a ver com o relacionamento.

Detecte os dois assuntos

A primeira habilidade é tomar consciência. Não podemos dar a cada tópico seu próprio rumo se não tivermos consciência de que há dois assuntos. Vamos fazer um treino de detecção. Encontre o desvio nos exemplos seguintes:

FILHA: Mãe, você nunca me deixa sair. Você me trata como criança. Não tem confiança em mim?
MÃE: Você devia agradecer por ter uma mãe que se preocupa com você.

O tópico número um é a opinião da filha, segundo a qual a mãe a trata como criança que não merece confiança. A mãe responde desviando-se para o tópico número dois: seu sentimento de que a filha é ingrata (um gatilho de reconhecimento). Seria melhor que a mãe se mantivesse no primeiro assunto. Ela poderia pedir a opinião da filha: "Vamos falar sobre como você gostaria de ser tratada". Ou poderia esclarecer sua própria concepção de credibilidade: "Quero acreditar em você, mas a confiança precisa ser conquistada...". Depois dessa conversa, a mãe poderia voltar à questão da falta de reconhecimento da filha e do significado de gratidão para cada uma delas.

CHEFE: Você não bateu sua meta de vendas.
VENDEDOR: Por que você está me dizendo isso bem agora que estou entrando em férias?

O primeiro assunto é a meta de vendas. O segundo é a hora adequada para falar sobre números (habilidade/julgamento do emissor).

MULHER: A casa está uma bagunça! Você tinha de ter dado banho e jantar para as crianças antes que eu chegasse do trabalho. Agora vamos nos atrasar para o concerto!
MARIDO: Não fale comigo nesse tom. Não sou seu cachorro.
MULHER: Aonde você quer chegar com isso? Você não fez nada do que prometeu e agora põe a culpa em mim?

MARIDO: É isso! É exatamente desse tom de voz que estou falando.

O primeiro tópico é o que a mulher sente ao ver que o marido não fez o que tinha prometido. O número dois é o tom de voz dela e a reação do marido a isso (autonomia).

Um pedestre bate em nosso carro quando paramos no sinal vermelho. Ele grita: "Você parou na faixa de pedestres!". Nós buzinamos e gritamos: "Não se atreva a bater no meu carro!".

O primeiro assunto é o feedback do pedestre, de que não devíamos estar parados na faixa. O segundo é o nosso feedback, dizendo que ele não deveria bater em nosso carro (autonomia/ habilidade). Ficamos tentados a focar apenas na batida e não no feedback original, mas este pode ser legítimo. Se temos o costume de invadir a faixa de pedestres, podemos não entender que isso dificulta a travessia de cadeirantes ou crianças, por exemplo.

Dê a cada assunto seu próprio rumo

Muito bem, você detectou os dois assuntos. E agora?

Sinalização

No momento em que você perceber que há dois elementos em jogo, diga isso em voz alta e proponha um modo de avançar. Da mesma forma que a sinalização de trânsito direciona o tráfego de trens no cruzamento, você estará dando um sinal para marcar o ponto em que os dois rumos — os dois assuntos — se separam.

Ella é uma professora assistente que trabalha com crianças portadoras de deficiência. Dedica horas extras às crianças antes e depois da escola, além de ocupar suas noites projetando atividades e reunindo material para trabalhos manuais. A professora que Ella auxilia quase não lhe dá orientação ou reconhecimento; e Ella, para não perturbar, não pede nada.

Depois de oito meses, a outra professora diz: "Você está focada demais no Howard. Temos mais nove crianças nesta sala". Ella fica chocada e pensa: "Depois de oito meses, o primeiro feedback que você me dá é dizer que estou cuidando demais de uma criança? Você não percebe o que eu significo para estas crianças? Não nota o quanto me dedico a este trabalho?". O desvio dela é silencioso — suas objeções não são ditas em voz alta —, mas seu desagrado provavelmente transparece no modo como ela foge rapidamente para o corredor.

Quando se acalma, Ella entende a situação e pensa: "Há dois assuntos aqui. Um é o tempo excessivo que dedico a Howard, e o outro é o que está me irritando neste momento — eu me sinto totalmente desconsiderada, sobretudo porque ao longo do ano não recebi um só agradecimento ou uma orientação".

O próximo passo é a sinalização. Ella volta para a sala e diz à professora: "Vamos conversar sobre Howard e sobre como emprego meu tempo. Isso é importante. Esta é a primeira vez que recebi algum feedback. Então, depois de falarmos sobre Howard, gostaria de voltar à questão de como recebi essa avaliação e o que você vê de positivo no meu trabalho com as crianças".

O modelo para a sinalização de trânsito é este: "Vejo dois temas relacionados, mas que devem ser separados. Os dois são importantes. Temos que abordá-los exaustivamente, mas um assunto por vez, cada um no seu próprio rumo. Depois de acabar de discutir o primeiro tópico, vamos dar meia-volta e discutir o segundo".

É claro que pessoas normais não falam dessa forma, e exibir placas de trânsito não é algo natural para a maioria das pessoas. Exige que a gente saia da conversa para examiná-la de fora. Na verdade, essa interrupção do fluxo normal é uma das razões de isso ser tão útil: ela quebra o padrão da conversa reativa por ser superexplícita a respeito do que está acontecendo. Use suas próprias palavras, mas seja claro.

Qual assunto deve ser discutido primeiro? Há dois fatores a considerar. Primeiro, é preciso dar uma vantagem ao feedback original. Era o que a outra pessoa queria discutir e, não havendo indicação em contrário, é melhor começar pelo tema abordado por ela. Mas o segundo fator a ser levado em conta é a emoção. Se sua reação ao gatilho de relacionamento for tão forte que pode impedi-lo de assimilar o que o emissor está dizendo, você deve propor que comecem pela discussão do seu assunto. Isso vai ajudá-lo a ouvir o feedback da outra pessoa e, no final das contas, é o que importa para ela.

Ouça as questões de relacionamento procurando o que há por trás do "conselho"

Mesmo quando estamos bem alertas a ponto de resistir aos desvios, podemos cair em outra armadilha muito comum: permanecer no assunto do emissor, mas sem entender direito o que é. Isso acontece até certo ponto por causa do modo muitas vezes desastrado pelo qual as outras pessoas expõem suas preocupações. Nosso emissor diz que está dando um "conselho de amigo" para nos ajudar, quando na verdade está levantando um problema de relacionamento muito mais profundo entre nós. Interpretamos o comentário pelo que ele aparenta ser e supomos que entendemos. Mas, na verdade, não.

Lembre-se de Louie e Kim. Observe que o que a mulher diz quando dá a orientação ao marido é essencialmente: "Se quer me dar um presente, saiba que não gosto de rosas". Seria perdoável supor que o assunto tem a ver com presentes. Mas com o desenrolar da conversa, fica claro que, para Kim, o que importa é o fato de seus sentimentos não serem percebidos.

Isso é comum. Muitas vezes, quando nos sentimos magoados, decepcionados, ignorados, ofendidos ou ansiosos, tentamos manter ocultos nossos sentimentos. E para dar alguma pista sobre eles, usamos o disfarce de "orientação bem-intencionada". Mas na verdade não estamos dando orientação para favorecer a outra pessoa. Queremos que ela mude para o *nosso* benefício.

Então, quando você recebe orientação, deve fazer a seguinte pergunta para si mesmo: isso é para me ajudar a crescer e melhorar ou é o meio que o emissor encontrou para tratar uma questão importante de relacionamento que o preocupa?

Você deveria ser mais receptiva

pode significar: "Estou decepcionado porque você não atende minhas ligações".

Acho que você seria mais feliz se não pensasse em trabalho noite e dia

pode significar: "Você está tão preocupado com trabalho que me sinto sozinha".

Se você delegasse a mim algumas de suas tarefas, teria tempo para as coisas importantes

pode significar: "Quero que você me dê mais responsabilidades".

Você está bebendo demais, isso não é bom para você

pode significar: "Estou preocupada com o fato de você beber tanto, isso está atrapalhando nosso relacionamento".

Qual é a importância de entender mal o tópico do outro? Às vezes, nenhuma. Se eu beber menos, será bom para mim e um alívio para a outra pessoa. Mas se eu interpretar a orientação simplesmente como uma sugestão para mim, posso não concordar quanto ao que me faz feliz. Posso dizer: "Na verdade, quando trabalho menos, fico impaciente". Caso encerrado, vamos adiante. Mas se a preocupação dela é sentir-se sozinha, passei totalmente longe do verdadeiro assunto.

Isso não quer dizer que toda orientação que você recebe contenha sentimentos feridos disfarçados de orientação. Não presuma simplesmente que sempre há alguma coisa mais profunda acontecendo. Em vez disso, procure descobrir: estamos no mesmo trilho? Qual é o verdadeiro tema neste caso?

Na verdade, às vezes nem o emissor entende que sua orientação deriva principalmente da própria ansiedade ou frustração dele. Sua mãe pergunta: "Por que você ainda não se casou? Acho que não está se esforçando para conhecer mais pessoas". Sua mãe está lhe dando uma orientação (indesejável), sim. A tentação é:

a   discordar do ponto de vista dela ("Isso não é verdade, estou *sim* me es-forçando"); ou
b   desviar como reação por não se sentir aceito ("Estou plenamente feliz sendo solteiro. Por que você está sempre querendo que eu mude?"); ou
c   desviar para proteger sua autonomia ("Mãe, tenho 38 anos. Sou capaz de cuidar da minha vida!" Ao que ela responde: "Aparentemente não!".).

Dê ouvidos a seus próprios gatilhos de autonomia e aceitação. Eles podem ser seu segundo assunto. Mas dê ouvidos também aos medos e preocupações por trás do conselho de sua mãe, que podem estar no cerne do que está acontecendo com ela. Em vez de discutir o conselho amoroso dela, pergunte: "Com o que você está preocupada?". Você poderá ouvir alguma das seguintes respostas:

Estou preocupada porque você não vê que fica mais difícil à medida que os anos passam.

Tenho medo de que você acabe ficando com alguém de quem não goste (como eu fiz).

Tenho medo de que você acabe ficando com alguém de quem *eu* não goste.

Estou preocupada porque você pode não ser capaz de se sustentar so-zinho.

Me pergunto se alguma vez você ouviu um conselho meu (parece que não).

Me pergunto se fiz algo de "errado" para que as coisas acontecessem assim com você.

Não vou descansar enquanto você não se casar.

Observe que nenhuma dessas respostas se refere a estratégias de conhecer pessoas, o assunto inicial da "orientação". Entender as inquietações dela vai facilitar também seus próprios gatilhos de relacionamento — trata-se menos de aceitar você como é e mais das preocupações dela com quem ela é, além das preocupações dela com você. Depois de entender isso, os dois poderão decidir se ainda é importante discutir os gatilhos de aceitação e autonomia.

Louie e Kim: escolha os dois

Depois que você conhece os gatilhos de relacionamento e as conversas desviadas, vai vê-los por toda parte. Como um rato num labirinto, você vai começar a perceber quantos rumos as conversas de feedback podem tomar, dividindo-se em dois ou três assuntos de uma só vez.

Vamos considerar como seguiria a conversa se, em vez de tomar um desvio, Louie respondesse de modo mais eficaz. Ele poderia dizer algo como: "Eu esperava que você ficasse contente com as flores, mas vejo que ficou aborrecida. Então me ajude a entender por quê". Essa seria uma maneira de Louie ficar no rumo de Kim (o feedback dela para ele) e entender antes de mais nada. Ou ele poderia sinalizar com uma placa se dissesse: "Está bem, esqueci que você não gosta de rosas. Você me lembra de novo por quê? Depois é minha vez de dizer que estou me sentindo meio subestimado pelo esforço que fiz. Nós devíamos falar sobre as duas coisas". Esse seria um exemplo em que Louie deixaria claro que há dois assuntos importantes sobre a mesa, e cada um precisa de seu próprio rumo.

É claro que se Louie (ou Kim) tivesse abordado a conversa com mais habilidade não haveria dramas, gritos ou lágrimas. Isso seria um problema para uma telenovela em busca de audiência; mas uma coisa boa para você e seus relacionamentos reais.

RESUMO: ALGUMAS IDEIAS BÁSICAS

Podemos ficar irritados com a pessoa que nos dá o feedback.

- *O que pensamos a respeito do emissor*: Ele tem credibilidade? Confiamos nele? Essa pessoa nos dá um feedback com bom julgamento e habilidade?
- *Como nos sentimos tratados pelo emissor*: Aceitos? Reconhecidos? Nossa autonomia é respeitada?

Os gatilhos de relacionamento criam desvios nas conversas — situações em que os interlocutores falam de coisas diferentes, achando que estão falando da mesma coisa.

Detecte os dois assuntos da discussão e ponha cada um em seu rumo.

Jogadores-surpresa no feedback:
- Estranhos
- Pessoas difíceis

As pessoas que nos parecem difíceis podem ver as piores coisas em nós e estão em situação privilegiada para servir de espelhos francos sobre as áreas em que temos mais espaço para crescer.

Ouça as questões de relacionamento que estão por trás da orientação.

CAPÍTULO 6

Identifique o sistema de relacionamento

DÊ TRÊS PASSOS ATRÁS

Você está tomando o café da manhã com sua mulher, sonolenta e mal-humorada. Ela lhe dá um feedback: *Faça alguma coisa para parar de roncar*. Não tente pôr a culpa no cachorro. Não se trata da TV ou dos vizinhos. "É muito simples", diz ela. "Você ronca. E eu não consigo dormir. Você tem um problema. Dê um jeito nisso."

Você jamais poria a culpa no cachorro. Seria ridículo. O problema é sua mulher. Ela conta o caso da seguinte maneira: "Você ronca. Ponto". Mas você conhece melhor o problema. Sim, você ronca. Mas de modo muito discreto — tão discreto que deveria ter uma palavra específica para ele. As pessoas normais não se importam com seu ronco. Sua primeira mulher sequer o percebia. O problema é que sua atual mulher é hipersensível ao barulho, principalmente quando está estressada e ansiosa. Mas com adolescentes em casa, quem não estaria estressada e ansiosa? E ela se recusa a ouvir suas ideias sobre o que fazer para relaxar e não vai usar o aparelho de ruído branco que você comprou para ela.

O problema é que sua mulher é hipersensível e teimosa. *Ponto*.

Quem é o problema e quem precisa mudar?

O feedback é quase sempre desencadeado por um problema: alguma coisa anda mal. Alguma coisa está errada. Sua mulher não está dormindo bem. Seu chefe reclama que você não vem cumprindo sua parte na equipe. Sua relação com o cliente está tensa. O cara novo está se revelando o mais irritante companheiro de trabalho que você já imaginou. Não é por acaso que chega o feedback, numa direção ou noutra.

Não há nada de errado com isso. Quando alguma coisa vai mal, precisamos ser capazes de falar a respeito para saber o que é e como corrigir.

Mas é aí que as coisas ficam esquisitas. Quando somos nós a parte *que dá* o feedback, achamos que estamos fazendo críticas construtivas e oferecendo orientação pertinente. Temos certeza de ter identificado corretamente a causa do problema e estamos nos adiantando para resolvê-lo.

Mas quando somos a parte que *recebe* esse tipo de feedback, não o aceitamos como uma coisa "construtiva". Ouvimos como se fosse uma acusação: *A culpa é sua. Você é o problema. Você precisa mudar.* E isso nos parece incrivelmente injusto, porque o problema não somos nós, não é nossa culpa ou, pelo menos, a culpa não é *só* nossa: *Se você não fosse tão teimosa e usasse o aparelho de ruído branco, não teríamos nenhum problema.*

Mesmo para as pessoas mais sensatas, não é fácil discutir por que nossas perspectivas parecem tão diferentes. Deve ser mais do que simplesmente uma questão de qual lado estamos na conversa de feedback, não é mesmo?

E é mesmo. Mas, para saber por quê, precisamos entender os sistemas de relacionamento.

Veja o sistema de relacionamento

Um "sistema" é um conjunto de componentes interdependentes ou em interação que forma um todo complexo. Cada parte do sistema influencia as demais; e modificar uma dessas partes causa um efeito propagador em todo o conjunto. Um relacionamento é um sistema, uma equipe é um sistema, uma organização é um sistema. A cadeia alimentar é um exemplo de parte do ecossistema; o modo como você e sua filha se comunicam quase que exclusivamente por mensagens de texto é parte de seu sistema atual mãe-adolescente.

Quando algo vai mal num sistema, cada um de nós percebe coisas que o outro não vê, e essa capacidade de percepção não foi atribuída ao acaso entre as pessoas. Quando algo vai mal, fico propenso a ver as coisas que *você* fez que levaram a isso, e você tende a ver as coisas que *eu* fiz. Você sabe que ronco, e eu sei que você é sensível. Você sabe que eu perdi a data de entrega, e eu sei que você sempre me dá prazos falsos (aparentemente até agora).

Portanto, você, de boa-fé, me atribui a culpa; eu fico indignado, dou meia-volta e, de boa-fé, ponho a culpa em você. Cada um de nós vê, e com razão, em que ponto o outro está contribuindo para o problema, e cada um de nós acredita que não deve arcar com o peso todo do problema.

Esta é a Noção de Sistema Número Dois: cada um vê uma parte do problema (a parte pela qual o outro é responsável). A Noção de Sistema Número Um é a seguinte: cada um de nós faz parte do problema. Talvez não na mesma medida, mas ambos estamos envolvidos, e cada um afeta o outro. Se você não roncasse — ou qualquer que seja o nome que você dá a isso — sua mulher poderia dormir. Se sua mulher estivesse menos estressada — ou se fosse menos teimosa — conseguiria dormir. É preciso duas pessoas, *sendo do jeito que são*, para que se crie o problema. É assim que o sistema funciona.

Uma visão de sistema nos ajuda a entender o que está causando decepções, dificuldades ou equívocos (e, portanto, preparando o terreno para o feedback) em primeira instância. Ela nos auxilia a identificar a causa inicial e o modo como todos os integrantes do sistema estão contribuindo para o problema. E explica as reações contraditórias que temos dependendo de que lado estamos: os receptores reagem defensivamente porque veem com clareza a contribuição do emissor para o problema, e os emissores se surpreendem com a atitude defensiva do receptor, porque para eles a responsabilidade do receptor é óbvia. E quase sempre achamos que o problema seria mais bem resolvido e com maior facilidade se *o outro* mudasse.

Se vamos ter conversas mais proveitosas sobre feedback, precisamos identificar melhor de que modo emissor e receptor (além de outras pessoas) estão contribuindo para o problema em pauta. Isso nos ajuda a ir além da culpa e da defensiva no esforço para entender, além de gerar soluções mais duradouras. Quase sempre, quando examinamos um sistema de relacionamento, descobrimos coisas simples que cada um de nós pode mudar com grande impacto sobre o todo. E isso talvez ajude todo mundo a dormir melhor.

Dê três passos atrás

Vamos examinar os sistemas a partir de três pontos de observação: de perto, um pouco distante e de longe. Cada ponto nos possibilita ver diferentes padrões e dinâmicas em nossos sistemas de relacionamento.

Um passo atrás: intersecções entre mim e você. Desse ponto de observação, vemos a relação entre nós como um par. Qual combinação específica entre mim + você está causando um problema e como cada um de nós está contribuindo para ele?

Dois passos atrás: confronto de papéis. Esse ponto de observação expande nossa perspectiva e nos permite examinar o papel que cada um de nós desempenha na equipe, na organização ou na família. Quase sempre, os papéis constituem uma razão de confronto decisiva, embora geralmente invisível.

Três passos atrás: o quadro geral. Desse ponto, podemos ver a paisagem completa — com outras pessoas, estruturas e processos que orientam e determinam as escolhas que cada um de nós faz e os resultados a que chegamos.

Um passo atrás: intersecções entre mim e você

Quase sempre o feedback é exposto como: "Você é assim e este é o problema". Mas, nos relacionamentos, "você é assim" na verdade significa "você é assim *em relação* a como eu sou". É essa combinação — a intersecção de nossas diferenças — que muitas vezes causa o problema.

Sua necessidade de descanso nos fins de semana só é problema em relação à minha necessidade de atenção e compromisso de sua parte. Sua vontade de desocupar a casa da nossa mãe logo depois do funeral só é problema em comparação ao meu desejo de dar um tempo para o luto. Não há nenhum problema no fato de você só falar sueco e eu só falar inglês. Mas, juntos, vamos ter dificuldades.

Essas diferenças quase sempre se tornam sistemas dinâmicos, criando espirais descendentes de ação e reação. Sandy e Gil têm um ponto crítico em relação a dinheiro. Sandy acha que Gil é pão-duro; Gil acha que Sandy gasta demais. Quando os dois eram recém-casados, as diferenças só causavam pequenas brigas. A situação se agravou no momento em que Gil perdeu o emprego, e eles descobriram que cada um lidava com o dinheiro e com o estresse de modos não coincidentes. Quando Sandy está preocupada, encontra alívio em certos hábitos e pequenos luxos. Não que se permita muito nessas ocasiões, mas aquele cappuccino mais caprichado tem para ela um "gostinho de férias" em relação às preocupações. O marido acalma a ansiedade ficando de olho no dinheiro até o último centavo e buscando meios ainda que simbólicos de cortar gastos. Isso ajuda a mantê-lo no controle da situação.

Não é de estranhar que eles troquem feedback. Gil repreende Sandy: "Não consigo entender como você pode gastar tanto justamente quando estamos tentando economizar". E Sandy censura Gil: "Você precisa mesmo voltar ao supermercado para trocar meu cereal de marca por um genérico? Você está maluco. Poupar trinta e cinco centavos compensa toda essa tensão?".

Um acusa o outro, mas nenhum deles vê a própria contribuição para a dinâmica. A certa altura, o feedback fica mais ou menos assim:

Com o passar do tempo, surge uma espiral descendente. À medida que o estresse aumenta, a necessidade que Gil tem de controlar os gastos também cresce, o que faz com que Sandy deseje ainda mais seus pequenos prazeres. Assim, ela começa a esconder seu cereal de marca no fundo do armário da cozinha; quando o marido encontra a caixa, exige explicações. Incrédulo com o que ela fez pelas costas, ele se sente ainda mais sem controle e tenta pressionar: "Você gasta muito" se transforma em "Você é egoísta, descontrolada e não merece confiança"; "Você é um pão-duro" vira "Você é autoritário, irracional e exagerado". E cada um deles, na ponta que recebe o feedback, faz pouco da avaliação do cônjuge — já que é mais uma prova da maluquice *do outro*.

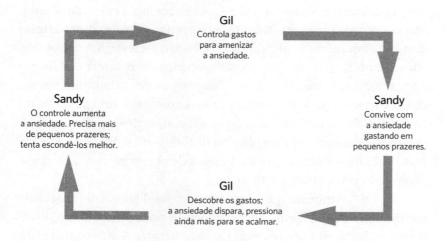

Nem Sandy nem Gil veem o sistema. De dentro dele, o que enxergamos é o comportamento da *outra* pessoa e o impacto que ele tem sobre nós. Nós nos vemos como se estivéssemos apenas reagindo ao problema que a outra pessoa está criando.

As intersecções — diferenças em preferências, tendências e características que promovem choques entre as pessoas — são responsáveis por uma proporção significativa do atrito e do feedback nos relacionamentos profissionais e pessoais. John Gottman, especialista em relações conjugais, afirma que 69% das brigas entre casais giram em torno dos mesmos temas a respeito dos quais eles vinham brigando nos cinco anos anteriores.[1] E tudo indica que vão continuar usando o mesmo repertório de brigas nos próximos cinco anos.

Nossas preferências, tendências e características às vezes podem estar fora do alcance de nossa consciência: o modo como enfrentamos as incertezas, como experimentamos as novidades; o que faz com que a gente se sinta em segurança; o que recarrega ou suga nossas energias; como enfrentamos conflitos; o fato de sermos detalhistas ou mais voltados para o cenário todo, regulares ou aleatórios, volúveis ou estáveis, otimistas ou pessimistas. Na verdade, podemos nem mesmo compreender que nossas próprias tendências *são* tendências até estarmos na companhia de alguém que é diferente. Um menino dos Estados Unidos ri quando uma menina da Inglaterra diz que ele tem "sotaque norte-americano". É óbvio que quem tem sotaque é a britânica, ora essa!

Tampouco vemos nossos próprios sistemas de padrões, embora as pessoas de fora possam detectá-los com facilidade. Você está irritada com as crianças: *Por que tenho de pedir setecentas vezes para não deixarem os sapatos no meio da cozinha?* Seu sogro está fazendo uma visita e lhe dá uma orientação (que você não pediu): "Você precisa repreendê-los. Precisa ser firme".

É o suficiente para sua paciência esgotar — afinal, você *está* repreendendo as crianças ao pedir mais de 699 vezes. Nas outras vezes, acabou desistindo e guardou os sapatos sozinha.

No entanto, seu sogro vê alguma coisa em seu sistema de relacionamento com seus filhos que você não vê. Ele observa a progressão: você pede gentilmente, dá mais um aviso, adverte com ameaças e finalmente perde o controle. Para o sogro, as crianças sabem que a mãe, na verdade, "não está falando sério" até começar a gritar. Por isso elas ignoram seus pedidos e continuam assistindo à TV, esperando que você comece a falar sério.

Dar um passo atrás significa sair de sua própria perspectiva para observar o sistema da forma como seu sogro o vê. Em vez de focar naquilo que o outro está fazendo errado, observe o que cada uma das partes está fazendo em reação à outra. Dessa forma, você verá padrões maiores. As reclamações constantes — que no seu entender representavam a solução "repreendê-los" — na verdade estão agravando o problema.[2]

Dois passos atrás: confronto de papéis e adversários acidentais

O primeiro passo atrás permite que você veja a si mesmo e ao outro, além da maneira como suas tendências interagem e se cruzam. O segundo passo atrás acrescenta outro nível: isso não é apenas sobre você e mim, refere-se também aos papéis que desempenhamos.

Os papéis se definem pela relação com outros papéis: você só é o irmão mais velho se tiver um irmão mais novo; você não é um mentor até que tenha alguém para orientar. Embora existam papéis determinados pelo temperamento — eu sou o engraçadinho, você é o responsável —, eles têm um efeito sobre o comportamento que não depende do caráter. Um papel é como uma forminha de gelo na qual você derrama sua personalidade. O que você derrama na forminha é importante, mas vai se moldar de acordo com o recipiente. Posso ser musical ou desafinado, humilde ou valentão, mas se eu sou o policial e você o motorista infrator, é provável que as coisas se desenrolem entre nós de uma maneira bem previsível.

Um importante padrão de comportamento é chamado de "adversários acidentais".[3] Se dois indivíduos entram num choque de certa intensidade e causam frustração recíproca, cada um passa a considerar o outro um "adversário". Um atribui o problema à personalidade e às intenções discutíveis do outro. Mas muitas vezes o verdadeiro culpado é a estrutura de papéis em que essas pessoas se encontram, que acidentalmente está criando um conflito crônico. Se cada um de nós está num extremo da corda que devemos puxar, o simples fato de desempenhar nossa função cria um cabo de guerra.

O policial e o motorista infrator podem ter tudo em comum — poderiam ser gêmeos idênticos —, mas na interação que se dá entre eles à beira da estrada, os papéis que desempenham podem criar conflito. O mesmo acontece entre clientes insatisfeitos e atendentes, professores estressados e pais ansiosos, o ex-marido e o novo namorado.

Os adversários acidentais são criados por duas coisas: confusão e clareza de papéis.

Com a mudança das organizações e das responsabilidades, as obrigações de cada um podem se confundir facilmente. Já não está claro onde termina minha função e onde começa a sua. Ted me pediu informação sobre novos preços, você se intrometeu e mandou-lhe os dados antes que eu tivesse tempo de responder. Ele perguntou *a mim*, porque eu sou o guru da precificação; não perguntou a você, porque você *não é* o guru da precificação. Quando é você quem conta o caso, aí sim você é o guru da precificação e eu sou o cara a quem o Ted perguntou por engano. Será que estamos assim tão confusos? Talvez.

Não há exagero em afirmar que existe uma grande confusão de papéis mesmo nas organizações mais bem administradas. Três funcionários se acham responsáveis pela tarefa A, mas nenhum deles responde pelas tarefas B, C e D. A globalização e as relações virtuais aprofundam as dificuldades, o que ocorre também com reorganizações, fusões, subdivisões em departamentos e transferências de pessoal. Ontem éramos colegas de equipe, hoje você é o chefe do meu chefe. Ontem dividíamos uma salinha, hoje você fala comigo de seu escritório em Lisboa pelo Skype.

Os limites permeáveis entre departamentos, funções e unidades de negócio também contribuem para a confusão. Se sou eu quem supervisiona a prospecção de dados para a mídia impressa, por que continuo recebendo memorandos de marketing que mencionam o Barry como encarregado da prospecção de dados para todas as plataformas de mídia, inclusive a impressa, e que informam que outros relatórios são considerados "não autorizados"?

Às vezes, o choque de papéis nasce não da confusão, mas da clareza. A tensão está incrustada na própria estrutura organizacional. Funcionários do controle de qualidade e negociantes de um banco sempre entram em conflito, não só por causa da falta de escrúpulos dos negociantes ou do excesso de zelo dos funcionários do controle, mas porque a própria natureza de seus papéis os contrapõe. Outros exemplos comuns são departamento de vendas versus jurídico, cirurgiões e anestesistas, arquitetos e engenheiros, recursos humanos contra todos os demais. Como brincava um executivo de RH: "Nós de RH não estamos felizes até vocês não estarem felizes".

É claro que todo mundo sabe que a função do RH é essencial, mas pessoas atarefadas podem achar que o departamento é invasivo. E nós rapidamente achamos que a causa disso são traços de caráter: os caras de RH são compulsivos, tensos e cheios de regras. Por outro lado, o pessoal de RH se decepciona com a negligência, em todas as funções, que está por trás dos gráficos de horas trabalhadas; com o envio de relatórios de desempenho malfeitos e com as fugas ao treinamento obrigatório. Por que tantos dos nossos se comportam como adolescentes petulantes e excêntricos?

No nível organizacional, essas tensões entre papéis servem para propósitos importantes, mas no nível interpessoal podem ser destrutivas, sobretudo quando as pessoas identificam erroneamente a fonte do conflito. É fundamental separar a pessoa de seu papel, o que se faz dando dois passos atrás e perguntando: *Até que ponto nossas funções estão contribuindo para o modo como vemos um ao outro e para o feedback que damos um ao outro?* Até onde vai o papel e onde começa a personalidade ou o desempenho? Mesmo que vocês não tenham a resposta, só o fato de se fazerem a pergunta ou discutirem a questão já pode mudar sua percepção.

Três passos atrás: a visão global (outros atores, processos, políticas e estruturas)

O terceiro passo atrás nos permite ter uma visão global, que inclui não apenas os outros atores como também o ambiente físico, o timing e o acerto das decisões, as políticas e os processos, possibilitando assim contornar estratégias de convivência. Tudo isso influencia comportamentos, decisões e o feedback que damos uns aos outros. É parte do sistema em que estamos inseridos.

Imagine que um trabalhador de uma refinaria fique gravemente ferido e você seja o responsável pela segurança. É sua incumbência garantir que acidentes assim nunca se repitam. Em busca da causa, a tendência mais comum é focar no comportamento do trabalhador acidentado: ele seguiu o protocolo? Ocupava o cargo havia quanto tempo? Estava cansado ou tinha bebido? O que foi que ele fez de errado?

Perguntas importantes, mas você sabe que as coisas vão além desse trabalhador. Então você dá três passos atrás para ver o quadro geral, todo o cenário da segurança. Se o homem estava exausto, se alguém sabia que ele tinha trabalhado em dois turnos, com que frequência os trabalhadores operavam equipamentos estando cansados? Quem fez a manutenção dessa máquina da última vez, e o que foi anotado no relatório sobre o reparo? O supervisor sabia que estavam sendo usadas peças não originais? Qual foi o impacto dos cortes no treinamento de segurança? De que modo o sistema de avaliação de desempenho incentiva (ou não) o comportamento seguro? Como a mudança das regras sobre intervalos de descanso influenciou o cansaço ou a troca de informações sobre mudança de turno?

TRÊS PASSOS ATRÁS: A VISÃO GLOBAL	
OUTROS ATORES	
Dois líderes entram em conflito, e os membros da equipe se veem às voltas com instruções contraditórias. A inovação e o risco são inibidos, instala-se uma atitude nós/ eles e perde-se um tempo enorme tentando administrar e contornar o conflito.	Os conflitos entre duas pessoas podem afetar profundamente os padrões e as relações de trabalho de terceiros. Para entender o que está acontecendo, muitas vezes é preciso examinar a equipe, o departamento e a dinâmica transfuncional.

TRÊS PASSOS ATRÁS: A VISÃO GLOBAL

AMBIENTE FÍSICO

O novo sistema de elevadores é modreníssimo, mas como cada um deles atende a poucos andares, você só vê as pessoas com quem trabalha diretamente. Com o pessoal dos pisos inferiores, você só tem contato por e-mail há meses.	O ambiente físico pode afetar o trabalho conjunto. Espaços de trabalho abertos podem estimular a colaboração ou as discussões calorosas e francas. Funções interdependentes podem acabar sendo desempenhadas em edifícios separados ou ainda em hemisférios diferentes.

OPORTUNIDADE E TOMADA DE DECISÕES

Francie precisa pedir suas férias com seis meses de antecedência; seu irmão Finn recebe o cronograma de trabalho apenas duas semanas antes. Francie não entende por que seu irmão mais novo, mesmo sendo adulto, não pode se organizar de modo compatível com a programação de férias da família.	Diferenças de estrutura e no prazo para tomar decisões podem criar problemas entre pessoas ou grupos. Alguns talvez precisem fazer diversas consultas e obter informações, enquanto outros podem tomar decisões de forma independente.

POLÍTICAS E PROCESSOS

A centralização do marketing em Londres criou uma abordagem unificada do marketing de produto, mas a filial do Camboja diz que a nova campanha não vai dar certo em seu país.	Os processos de centralização geram eficiência, mas dificultam a adaptação às necessidades locais.

ESTRATÉGIAS DE CONVIVÊNCIA

O departamento de pesquisas vem atrasando sistematicamente a entrega de seus resultados à contabilidade, que começa a lhe dar prazos falsos. Mas o pessoal de pesquisas descobriu o macete e agora leva ainda menos a sério os prazos da contabilidade.	Os atores criam estratégias de convivência para trabalhar com pessoas que consideram difíceis. As consequências vão aparecer na segunda e na terceira rodada — são as chamadas consequências tardias.

Existe um equilíbrio a ser atingido. Não queremos perder tempo numa busca aleatória, mas somos tentados a abandonar a procura uma vez que temos uma explicação convincente em mãos. Mas não deveríamos negligenciar informações significativas e causas básicas simplesmente porque não estão perto do prejuízo no tempo ou espaço.[4]

O quadro mostra alguns fatores referentes à visão global que merecem ser levados em conta.

O feedback através de uma ótica de sistemas

Vamos entrar numa sala de aula do segundo ano e observar como uma ótica de sistemas pode nos ajudar com o feedback e a comunicação.

O professor diz, prudentemente: "Sua filha Kenzie tem uma personalidade forte. Ela diz coisas que aborrecem as outras crianças". O professor vê Kenzie como uma boa menina, mas um tanto briguenta. Ele espera que a mãe dela seja capaz de levar a sério o feedback.

Por azar, Kenzie está ouvindo por trás da porta e entra aos berros, protestando: "Mãe! Essas crianças são muito chatas! São elas que começam. E eu não posso fazer nada se são uns bebês chorões!". Do ponto de vista de Kenzie, ela não é o problema, mas sim a vítima.

A conversa de feedback chega a um impasse: a menina se sente injustamente acusada, o professor se irrita com o fato de Kenzie se recusar a assumir a responsabilidade e a mãe dela não sabe em quem acreditar. Para entender melhor o feedback do professor sobre Kenzie, vamos examinar o que está acontecendo de cada um de nossos pontos de observação.

O primeiro passo atrás mostra as intersecções individuais, e o que vemos é que uma das diferenças entre Kenzie e alguns de seus colegas é simplesmente inata. Kenzie vive fazendo drama. Tudo para ela é "incrivelmente fantástico", ou "terrivelmente catastrófico". Tem uma personalidade forte e, entre as crianças de oito anos, seu talento para a dramaticidade chama a atenção.

O segundo passo atrás nos mostra os papéis. Kenzie era nova na escola no ano passado, o que aumentou sua necessidade de encontrar um nicho e acrescentou um toque de mistério à sua persona. O lance dela era entreter os outros, e as crianças gravitam ao seu redor, ansiosas para ouvir sua versão da bola fora do professor durante a aula de matemática ou sua encenação da "humilhação" a bordo do ônibus escolar. Isso estimulou Kenzie a contar casos cada vez maiores e mais exagerados, e em pouco tempo ficou claro para todos que ela tinha assumido o papel de "palhaça" da turma. Agora estamos começando a ver o sistema em movimento: o comportamento da menina influencia o de seus colegas de classe, que por sua vez influencia o dela.

Ao contrário de Kenzie, algumas crianças não gostam de ser o centro das atenções. Quando acidentalmente um colega espirra tinta no desenho de Kenzie na aula de artes, ela grita: "Você é a pessoa mais horrível que já conheci!". Para ela, é difícil entender o quanto sua reação exagerada pode magoar uma criança sensível, porque ela não se magoaria com isso. As outras crianças ficam mais solidárias com a que espirrou tinta e conversam entre si sobre como Kenzie é "má". E então começam a se afastar dela.

Até aqui, vimos intersecções e papéis. Vamos dar um terceiro passo atrás para um olhar mais amplo sobre o que acontece a seguir. Os amigos que ficaram com Kenzie logo se encarregam de contar-lhe o boato de que fulano disse que nunca mais vai brincar com ela. Não é que eles queiram irritá-la, mas a reação da menina é tão rápida e dramática que ser amigo dela fica sendo muito mais emocionante. *Nós estamos com tudo, estamos com os populares, os outros são perdedores e bebês chorões.* Enquanto isso, os que se solidarizam com as crianças mais comportadas pensam: *Temos nosso próprio grupo, no qual estão os meninos bonzinhos; os outros são meninos maus e agressivos.* Do foco inicial em Kenzie, podemos recuar e ver que há facções em formação, e esses grupos interagem com o sistema e contribuem para ele.

Outro fator nesse sistema mais amplo é o layout do pátio, que sem querer reforça a dinâmica nós/ eles. Como parte da escola está em reforma, o pátio ficou com apenas duas quadras, onde as meninas muitas vezes se confrontam em campos opostos. As políticas escolares também contribuem: sempre que há um problema, o aluno agressor é mandado para a sala da diretora, mas não há um processo de reconciliação através do diálogo entre os alunos para ajudá-los a entender e fazer as pazes. A disciplina se baseia na identificação e na remoção de um único ator, e o sistema como um todo permanece sem solução.

Da perspectiva do professor diante da classe, a comoção está centrada em Kenzie. Por isso os pais dela são chamados para um feedback sobre como a menina precisa mudar. Se eles atenderem literalmente ao pedido e se sentarem com a filha para orientá-la a ser "mais boazinha e menos rude", Kenzie vai protestar com fúria na mesma hora. Não por estar tentando fugir da situação, mas porque o problema real não se resume a ela. Do ponto de vista da menina, os colegas são bebês chorões e também, aparentemente, fofoqueiros (vai rolar solto amanhã de manhã o comentário sobre a injustiça cometida no encontro da mãe de Kenzie com o professor).

Sem dúvida, ela tem de entender o impacto do seu comportamento sobre outras crianças, e há coisas que a menina precisa *mesmo* mudar. Mas Kenzie não está errada quando diz que há outras pessoas e fatores contribuindo para o problema. Se o professor e a mãe dela (e até mesmo a própria Kenzie) forem capazes de discutir o sistema mais amplo, ela vai se sentir tratada com mais justiça e será mais receptiva à orientação. E, tão importante quanto isso, eles podem descobrir novas estratégias para tratar essa dinâmica. Por exemplo, seria muito bom se alguns alunos de panelinhas diferentes conversassem sobre a situação. A dinâmica nós/ eles poderia ser rompida juntando crianças de grupos opostos para trabalhar em projetos comuns. Ou os papéis poderiam ser trocados — Kenzie poderia ter a tarefa de garantir que as crianças mais quietas fossem incluídas em certas atividades. E os pais da menina também deveriam notar que algumas das coisas que ela diz foram ouvidas em casa — ao que eles, de brincadeirinha, responderam: "Você é fogo!" ou "Você é o máximo!". Hum...

> **VER O FEEDBACK NO SISTEMA**
>
> *Um passo atrás*: De que maneira o feedback reflete diferenças de preferências, suposições, estilos ou regras implícitas entre nós?
>
> *Dois passos atrás*: Nossos papéis tornam mais ou menos provável que entremos em conflito?
>
> *Três passos atrás*: Quais outros atores influenciam nosso comportamento e nossas escolhas? A organização física, os processos ou as estruturas estarão também contribuindo para o problema?
>
> *Fechar o círculo em mim*: O que estou fazendo ou deixando de fazer está colaborando com a dinâmica que se estabeleceu entre nós?

As vantagens de uma ótica de sistemas

Há muitas vantagens em abordar o feedback através de uma ótica de sistemas.

É mais exata

A primeira vantagem é simples: é a realidade. Pensar por meio de sistemas corrige as distorções de uma visão única. Se estou propenso a ver no que você está contribuindo para o problema, e você tende a ver no que eu estou contribuindo para ele, podemos juntar nossas perspectivas para ter uma noção melhor do todo. Quando começamos a ver de que forma cada um afeta o outro, as linhas opostas da causalidade se transformam em círculos entrelaçados.

Afasta juízos desnecessários

Uma segunda vantagem de pensar por sistemas é reduzir a tentação de tratar a contribuição das outras pessoas para a solução do problema como "ruim" ou "errada" ou "condenável". Do nosso ponto de vista, nós somos neuróticos, detalhistas ou cautelosos na medida certa. Os outros são extremamente neuróticos, descuidados ou conservadores. Se não tivermos cuidado, "isso que os caras da administração fazem" se transforma em "esses #$% egoístas da administração". A primeira afirmação é a descrição de um ato; a segunda é um julgamento generalizado sobre as pessoas. Temos menos probabilidade de dar o salto da descrição à condenação se virmos o conflito como uma intersecção simples, talvez composta de papéis em confronto, dentro de um sistema maior. Temos mais tolerância ao risco do que eles, e por isso as decisões conjuntas sobre investimentos são tão difíceis. É mais difícil satanizar o outro quando estamos esclarecidos sobre nossa parte no problema e sobre o modo como nossas ações e preferências interligadas formam um ciclo. É como você e sua mulher, a questão do ronco e da sensibilidade. Nem um nem outro é intrinsecamente "ruim"; juntos, são um problema para vocês dois.

Reforça a responsabilidade

Está bem, dirá você, *mas e todas as vezes que o comportamento da outra pessoa realmente merece censura?* Seu tio não devia ter penhorado a prataria da vovó, o filho do vizinho não devia ter destruído sua caixa de correio e a mulher da sala ao lado não devia ter falsificado o cartão de ponto. A tal abordagem de sistemas não seria um meio de diluir ou evitar a responsabilidade, desviando o foco da pessoa para o sistema?

Acreditamos que seja o contrário. Você não consegue assumir uma parte significativa da responsabilidade na criação de um problema sem entender a combinação de fatores que realmente o causou. Uma abordagem de sistemas ajuda a esclarecer suas escolhas e seus atos e a entender como eles criaram os resultados que você obteve. Assim, quando você diz que é o responsável, isso de fato faz sentido.

É claro que a abordagem de sistemas não aumenta automaticamente a responsabilidade. Quando um gerente diz "Uma funcionária nova falsificou o quadro de horas trabalhadas, então devemos dar mais treinamento e supervisão", essa é uma declaração de "sistemas". Mas é só um começo. Não está claro ainda se o gerente está assumindo alguma responsabilidade pelo que aconteceu ou pelo que considera que ele — ou qualquer outra pessoa — seja responsável.

A responsabilidade autêntica exige que o gerente dê uma olhada mais detalhada nas razões que levaram a funcionária a fazer o que fez, no papel que ele próprio pode ter desempenhado nisso e no comportamento de outras pessoas, rastreando sistemas e treinando aqueles que mais possam ter contribuído para a infração do registro de horas trabalhadas. Por exemplo, alguém explicou a ela como agir em relação ao tempo dedicado a vários projetos, como registrar os intervalos ou o tempo efetivo de trabalho? E será que o gerente — talvez informalmente ou mesmo sem querer —, estimulando uma cultura de "trabalhar como um burro de carga", levou a novata a criar o hábito de inflacionar as horas de trabalho?

Compreender que o problema tem várias causas não limita nossas opções para avançar em busca de sua resolução. Disciplina — ou punição — pode ser indicada, como nos casos em que os atos são ilegais, antiéticos, inadequados ou, de qualquer outra forma, violam as leis. Talvez o gerente diga: "Como punir um assaltante a banco quando o próprio banco contribuiu para o problema por ter um sistema de segurança ineficiente?". O.k., não é bom ter defeitos no esquema de segurança, e, se esse for o seu caso, é bom que saiba disso. Mas o fato de seu sistema de segurança ser falho nada tem a ver com o fato de o assaltante ir ou não para a cadeia.

É claro que compreender o sistema muda a forma como você vê o problema e, em consequência disso, seu pensamento sobre a melhor maneira de solucioná-lo. Se alguém não estava ciente de uma norma porque você não a mencionou, talvez você precise corrigir a falta de esclarecimento emitindo uma advertência. É diferente do caso do funcionário que desrespeita conscientemente a política da empresa. A abordagem de sistemas ajuda você a ter uma noção das medidas *apropriadas* para avançar.

Ajuda a corrigir a tendência de desviar ou assimilar

No que se refere a assumir a responsabilidade ao receber feedback, há dois tipos de pessoas com os quais é especialmente difícil de lidar: os absorvedores e os desviadores. Uma perspectiva de sistemas nos ajuda a lutar contra essas tendências em nós mesmos e compreendê-las nos outros quando se fala sobre feedback.

Absorvedores de culpa: é tudo por minha causa

O primeiro perfil é o do absorvedor de culpa. Quando as coisas vão mal, você aponta o dedo para si mesmo, agora e sempre. Você me traiu? Eu não devo ser muito atraente. Nosso produto não vendeu de acordo com as expectativas? Eu estraguei tudo no lançamento. Está chovendo? Deve ter sido por alguma coisa que eu disse.

Além do pântano emocional criado pelo fato de acreditar que tudo é por sua culpa, o absorvedor sofre um retrocesso no aprendizado também. Assumir todo o peso de corrigir relacionamentos e projetos por conta própria pode fazer com que você se sinta altruísta, mas obstrui o aprendizado tanto quanto rejeitar toda e qualquer responsabilidade. Os absorvedores tendem a ver a própria contribuição para o problema e parar por aí. Aceitam rapidamente o feedback e abreviam a conversa, deixando de explorar intersecções, papéis, escolhas e reações que de fato criaram o problema em discussão.

Acha que estragou o lançamento? Você está se supervalorizando ao pensar que tamanho esforço pode ter ido por água abaixo por causa de uma pessoa só. Há grandes chances de que as razões para o desempenho decepcionante tenham sido múltiplas, desde a concepção de cronogramas até a produção, o marketing e a distribuição. Se você pretende que o próximo lançamento funcione, não pode querer consertar tudo sozinho. Se assumir toda a responsabilidade, vai dispensar os outros de suas obrigações. A responsabilidade de aprender com os erros e corrigi-los se circunscreve, e as melhores soluções terão menos chances de aparecer.

Outra dificuldade apresentada pelos absorvedores é que, com o tempo, o ressentimento pode se impor. No fundo, sabemos que a responsabilidade *não é* toda nossa, embora os demais não assumam sua parte. Os absorvedores começam também a topar com os limites daquilo que podem mudar por conta própria — enquanto os demais não se dispuserem a arcar com sua parte do problema, é muito pouco o que uma pessoa sozinha pode fazer para afetar o sistema.

Cabe lembrar também que os absorvedores podem ter tendência a permanecer em situações de abuso. Num relacionamento emocional ou fisicamente abusivo, a pessoa que grita, denigre e ataca consegue distrair a atenção de seu próprio comportamento indevido ao apontar o que a vítima fez para desencadeá-lo. A pessoa que dá o feedback ("Você não devia me provocar") pode estar desempenhando corretamente o papel da vítima no sistema. Mas o que ela deixa de fora, com certeza, é seu próprio comportamento, que é prejudicial, ofensivo e injusto. Essa é uma das razões pelas quais as pessoas se sentem tão sozinhas nesse tipo de relação, e por que é tão difícil sair de um sistema de relacionamento abusivo. O emissor de feedback afirma que as coisas que você vê e sente nem sequer existem.

Desviadores de culpa: não tenho nada a ver com isso

O outro perfil de feedback corresponde a pessoas que são cronicamente imunes a reconhecer seu papel nos problemas. Quando recebem feedback ou amargam um fracasso, não tardam em apontar todos aqueles que atrapalharam seus esforços ou tinham opinião contrária às deles: foi o pessoal de finanças, o novo sistema de TI, os vizinhos, aquele rato que acabou de passar por ali.

Você deve pensar que essa postura é confortável; afinal, o feedback bate em você e volta, nada é sua culpa, nunca. Mas essa experiência acaba sendo extenuante. Os desviadores se acreditam permanentemente agredidos pela incompetência e pela traição de outras pessoas. São vítimas, sem poder para se defender. A vida deles acontece. Na verdade, a vida acontece *para* eles.

Se meu palpite de investidor se revela sem fundamento, é porque o capital de risco enlouqueceu, os mercados estão impossíveis ou eu sou um gênio à frente de meu tempo. Como não posso controlar nenhum desses fatores, sinto-me vitimado, zangado, desamparado ou deprimido. Com essa mentalidade, não há nada que eu pudesse ter feito para mudar o resultado, já que todas as causas eram externas, não minhas. Ou assim parece.

A postura de vítima torna o feedback impenetrável; não posso aprender nada que me ajude em meu próximo passo. Minha análise do mercado estava incompleta? Será que eu estava despreparado para perguntas sobre os produtos da concorrência? Será que ignorei um feedback anterior dos grupos de discussão que talvez eu devesse ter ouvido? Ver minha própria contribuição para minhas circunstâncias me torna mais forte, não mais fraco. Se contribuo para meus próprios problemas, tenho poder para mudar algumas coisas.

Isso nos ajuda a evitar um "Corrija aquele erro"

Quando não entendemos o sistema que dá origem ao feedback, muitas vezes cometemos o erro de tentar ajustar somente um componente do sistema e esperar que aquilo resolva o problema todo. Mas é provável que demitir o CEO seja um ato por si só insuficiente para mudar toda a cultura organizacional, portanto a falha vai persistir. Ainda pior é a correção que na verdade cria problemas novos e inesperados.

Alice está decepcionada. Seu subordinado direto, Benny, estoura sistematicamente prazos e orçamentos de todos os projetos, o que está causando atrito com o chefe deles, Vince. Sendo assim, Alice dá um feedback a Benny: "Você precisa dar um jeito de entregar esses projetos a tempo e sem estourar o orçamento". Alice é clara: Benny precisa mudar. Benny capta a mensagem.

O que não foi analisado é *por que* Benny se atrasa e quais são as contribuições de Alice, Vince e do conselho de diretores para essa demora. Em vez disso, o feedback supõe que exista um problema com Benny; implicitamente, também presume que ele deve ser capaz de corrigi-lo sozinho. Mas Benny não pode remediar a situação sem ajuda, porque parte da dificuldade se deve ao fato de o conselho ficar mudando de ideia a respeito do que quer, além de Vince não transmitir prontamente essa mensagem e Alice não passar com frequência um quadro claro e completo dos novos parâmetros. Fora isso, quando Benny avisa a chefe de que as mudanças vão provocar atrasos e aumento de custos, Alice nem sempre transmite essa informação a Vince e ao conselho.

Como ninguém formula a pergunta sobre sistemas, Benny faz o que pode nessas circunstâncias: ele começar a dar ao conselho orçamentos e prazos duas vezes mais longos. Agora ele trabalha com um (novo) orçamento e um (novo) prazo.

Isso é uma correção? Na verdade, se os novos orçamentos e prazos de Benny forem mais realistas, e se a preocupação é maior com a previsibilidade do que com o custo e o prazo, a correção será bem-sucedida, ao menos a curto prazo.

Mas o caso não se encerra aqui, porque os prazos ampliados e os orçamentos maiores começam a ter um efeito retardado sobre os atores do sistema: o conselho agora tem o dobro do tempo para mudar de ideia, solicita novas funcionalidades e fica mais tempo em cima de Benny cobrando resultados. E os custos maiores aumentam as expectativas sobre o que o funcionário pode oferecer. Em pouco tempo ele está trabalhando o dobro, fazendo malabarismos para cumprir pedidos mais complexos e sofrendo ainda mais pressão de Alice e Vince.

Quando o feedback é dirigido a apenas uma parte de um sistema mais amplo, sem considerar os outros fatores contribuintes, temos o "Bola Fora de Benny". E como é que caímos nessa cilada? Quando o feedback se centra em um único ator do sistema, encobrindo o verdadeiro problema com uma solução que não é saudável. Soluções como a de Benny podem parecer boas ideias na ocasião. Muitas vezes nos sentimos tentados a resolver um problema em curto prazo sem levar em conta seu custo a longo prazo.[5]

Falando de sistemas

Explorar sistemas com habilidade começa com a consciência de que o que você está enfrentando pode ser de fato um problema de sistemas.

Fique de olho

Preste atenção a sua própria reação de desvio do feedback dado por outros: "O problema não sou eu" ou "Eu poderia lhe dar informações mais exatas se você não as pedisse no último minuto" ou "Você está sempre atrasado e eu é que sou mal-humorado". Esses "a culpa não é minha" automáticos indicam que pode ser útil dar um passo atrás para compreender a interação que está por trás do feedback.

Assuma a sua parte da responsabilidade

O próximo passo é ser responsável: calcule qual foi sua contribuição para o problema e se responsabilize por ela. Se não fizer isso, sua sugestão de examinar "nosso sistema de relacionamento" será ouvida como uma desculpa, e o emissor vai supor que você está tentando inverter o feedback e apontar o dedo para ele, além de não se interessar por suas ideias excêntricas sobre "sistemas". Na verdade, evite expressões como "sistema de relacionamento".

Nessas conversas, você precisa tentar passar duas grandes mensagens: primeira, "Assumo minha parte da responsabilidade"; segunda, "Nós dois estamos contribuindo com a situação". Às vezes, é difícil passar essas mensagens numa mesma fala. Elas são coerentes e lógicas, mas para a pessoa que está lhe dando feedback podem parecer contraditórias. Então, reflita sobre se o emissor tem condições de entender as duas mensagens numa mesma conversa e, se achar que não, comece assumindo a responsabilidade. Depois disso, fale sobre suas observações a respeito do sistema e verbalize suas reivindicações.

"Isto é o que poderia me ajudar a mudar"

Um emissor de feedback pode não estar preparado ou pode não ser capaz de reconhecer a própria contribuição para o problema. Ele pode continuar pensando que a questão do feedback é só com você.

Se for esse o caso, ainda há uma coisa que você pode fazer. Em vez de tentar forçá-lo a admitir a parte dele no problema e assumir a responsabilidade por ela, diga o que ele poderia fazer para obter uma reação sua mais positiva. Você está pedindo ao emissor que mude, mas está fazendo isso (legitimamente) para ajudar na *sua* própria mudança.

Gil pode dizer a Sandy: "Reagi intempestivamente por causa da surpresa, porque me deu pânico só de pensar em que mais você poderia estar gastando dinheiro sem me dizer. Sei que minha reação às vezes é exagerada e estou tentando lidar com isso. Você me ajudaria muito se se dispusesse a ser franca comigo sobre o cereal de marca famosa e sobre o cappuccino com 'gostinho de férias', e, assim, poderíamos juntos incluí-los no orçamento".

Procure temas: seria esta uma intersecção eu + todos?

Algumas vezes, o feedback que você recebe é o produto direto da sua intersecção particular com aquela pessoa em particular. A comunicação de vocês falha como se você sussurrasse e acusasse o outro de ter problema de audição.

Mas, outras vezes, uma constante perturbadora se revela: não importa com quem seja o relacionamento, a outra pessoa tem sempre *o mesmo* feedback para você. É difícil suportar o seu temperamento. Você raramente retorna uma ligação. É desorganizado, esquece de tudo ou é "espaçoso". A primeira namorada de Richard dizia que ele era emocionalmente distante. Richard atribuía isso à carência da namorada. Mas depois que as duas namoradas seguintes disseram a mesma coisa, Richard começou a prestar atenção nisso.

Quando você finalmente entender que a intersecção eu + alguém é na verdade uma intersecção eu + todos, pode ser que se sinta um tanto quanto desanimado. Mas isso tem um lado bom também. Na verdade, os sistemas eu + todos podem ser muito fáceis de mudar, porque quando uma parte muda (por exemplo, você), o sistema todo melhora. E, nesse caso, diversos sistemas vão melhorar. É uma rara circunstância da vida em que muitas coisas estão dentro do seu controle.

Use o sistema para apoiar a mudança (não para coibi-la)

Às vezes, o feedback é simples: engraxe os sapatos antes da inspeção; não interrompa; ligue para sua mãe com maior frequência. Todos esses são comportamentos que você pode mudar com relativa facilidade e com bons resultados. Em outras situações, a mudança é mais complicada. Nós dois achamos que as coisas seriam mais fáceis se você fosse menos temperamental, mas outro sermão não vai ajudar em nada.

O interessante é que, uma vez identificados os contornos de um sistema, pode ser possível efetuar mudanças úteis que não obriguem ninguém a mudar sua personalidade. Podemos alterar seu comportamento, mudar os processos que usamos ou até mesmo mudar o ambiente. Será que incumbir Sandy do orçamento doméstico mudaria sua experiência emocional de gastar até o último centavo? Incluir-me na reunião com o cliente para discutir minha análise garantiria que eu terminaria isso a tempo? Será que trocar as tarefas domésticas de modo que as suas sejam feitas de manhã serviria para que você ficasse mais relaxado e bem-humorado na hora do jantar? É possível. É isso que acontece quando olhamos para os sistemas: criam-se possibilidades.

RESUMO: ALGUMAS IDEIAS BÁSICAS

Para entender o feedback que você recebe, dê três passos atrás:
- *Um passo atrás*: intersecções eu + você. As diferenças entre nós estão gerando atrito?
- *Dois passos atrás*: choque de papéis. Isso seria, em parte, resultado dos papéis que desempenhamos na organização ou na família?
- *Três passos atrás*: a visão global. Os processos, as políticas, o ambiente físico ou outros atores estão intensificando o problema?

Procurar sistemas:
- Reduz os julgamentos
- Aumenta a responsabilidade
- Revela causas ocultas

Procure padrões no feedback que recebe. Trata-se de uma intersecção você + todos?

Assuma sua parte da responsabilidade.

QUARTA PARTE

Gatilhos de identidade: o desafio do *eu*

PANORAMA DOS GATILHOS DE IDENTIDADE

Até certo ponto, estamos sempre à espreita do perigo. Nos três capítulos seguintes, vamos encontrá-lo.

O feedback pode ser ameaçador porque levanta questões sobre o relacionamento mais problemático que existe: sua relação consigo mesmo. Você é uma boa pessoa? Você merece seu próprio respeito? Você é capaz de conviver consigo mesmo? De se perdoar?

Curiosamente, nem todo mundo reage ao feedback e às ameaças a sua identidade da mesma forma, ou na mesma proporção, nem leva o mesmo tempo para se recuperar. No capítulo 7, vamos dar uma olhada no interior do cérebro para descobrir por que isso é assim. O seu circuito pessoal — o quanto você é sensível ou insensível, com que rapidez você revida — afeta o modo como você vivencia o feedback positivo e negativo. Compreender o seu circuito vai ajudá-lo a entender suas reações emocionais ao receber feedback.

Isso é fundamental, porque nossos sentimentos influenciam nossa mente, e a história que contamos a nós mesmos sobre o significado do feedback pode ser distorcida. O capítulo 8 examina cinco modos de desarmar essas distorções para que você veja o feedback com maior clareza e em sua devida proporção.

Depois de vê-lo claramente, a tarefa seguinte é descobrir como combinar o feedback com a sua identidade — sua versão sobre quem você é no mundo. Enquanto o capítulo 8 trata de como interpretamos e distorcemos o feedback, o capítulo 9 examina como interpretamos e distorcemos nossa autoimagem. Nossa identidade pode ser mais ou menos resistente, mais ou menos propensa ao aprendizado. No capítulo 9, vamos apresentar três práticas que ajudam a mudar uma identidade fixa vulnerável para uma identidade robusta de crescimento, facilitando o aprendizado que vem do feedback e da experiência.

CAPÍTULO 7

Saiba como seu circuito e seu temperamento afetam sua história

O que não falta a Krista é autoconfiança. Ela ri ao contar esta história:

> Meu marido e eu passamos os seis primeiros meses de nosso casamento viajando de carro pelos Estados Unidos, com a frase "Buzine se você apoia nosso casamento" rabiscada com graxa de sapatos no vidro traseiro. As pessoas buzinavam e acenavam feito loucas, e era maravilhoso receber o apoio de tantos desconhecidos simpáticos. Quando voltamos à vida normal, meu marido limpou o vidro, mas eu não reparei. Um dia, fiz um retorno proibido no trânsito. Alguém começou a buzinar furiosamente, e eu acenei para ele com o maior sorriso, dizendo: "Obrigada, muito obrigada. Obrigada! Amo você também!".

"Essas coisas acontecem muito comigo", acrescenta Krista. "Talvez eu seja imune ao feedback negativo. Quando fico sabendo que alguém não gostou de alguma coisa que eu tenha feito, penso na mesma hora: *É mesmo? Mas você sabe o quão incrível eu sou?* Francamente, tenho tanta autoconfiança que chego a ser inconveniente."

É claro que Krista já teve na vida sua cota de tempestades, e não ficou sempre sorrindo. Mas, mesmo nos piores momentos, sua disposição otimista ajudou-a a superar situações: "Meu primeiro marido e eu nos divorciamos, e uma separação é uma torrente gigantesca de disparos de feedback negativo. Questionei tudo a meu respeito — se alguém seria capaz de me amar, se eu mesma conseguiria sentir amor verdadeiro. Tive momentos ruins, como qualquer pessoa".

"Mas", acrescenta, "não fiquei nessa por muito tempo. Passo de 'ninguém nunca mais vai me amar' para 'isso é ridículo, um monte de gente me ama' num piscar de olhos. Em um ano eu estava num relacionamento fantástico com meu atual marido, rodando o país e ouvindo buzinadas de apoio."

Alita se encontra no extremo oposto do espectro. Obstetra conhecida, ela recebeu feedback de um estudo sobre suas pacientes do ano passado. Os resultados foram gratificantes, com muitas pacientes destacando sua atenção às perguntas que elas faziam sobre a gravidez. Mas muitas pacientes relataram que as consultas atrasavam com frequência e elas não gostavam de esperar. Os comentários chegaram a ela como uma marretada. "Fiquei tão desanimada", diz Alita. "Dediquei a cada uma delas tempo e carinho, mas elas acabaram reclamando. Até o momento em que li o feedback, adorava meu trabalho. Desde então, não sinto mais a mesma coisa." O envelope com os resultados de uma pesquisa mais recente com as pacientes de Alita está há dois meses em cima da mesa dela — fechado.

Para Krista, o feedback entra por um ouvido e sai pelo outro. Para Alita, penetra fundo na alma. Cada um assimila o feedback à sua maneira.

A libertação de um circuito complicado

Uma das razões pelas quais Krista e Alita reagem de modos tão diversos ao feedback é o circuito de cada uma delas — suas estruturas e conexões neurais próprias. O circuito afeta nosso modo de ser, determinando se somos ansiosos ou otimistas, tímidos ou extrovertidos, sensíveis ou resilientes, contribuindo para a intensidade (positiva ou negativa) com que o feedback nos afeta. Influencia nos nossos altos e baixos de humor e na velocidade com que nos recuperamos do medo ou do desespero.

Este capítulo examina nossas reações emocionais ao feedback e o papel que nosso circuito desempenha nisso. Também vamos ver o modo como essas emoções influenciam nosso raciocínio, e como nosso raciocínio influencia nossas emoções. Compreender seu próprio circuito e suas tendências vai ajudar você a melhorar sua capacidade de enfrentar a tempestade do feedback negativo — e ver o sol renascer na manhã seguinte.

Saber que sua postura diante do mundo depende até certo ponto de seu circuito pode parecer desanimador — aí está mais uma coisa errada com você, e do tipo que parece impossível de remediar. Mas também pode ser libertador. Como acontece com seu cabelo naturalmente encaracolado, suas maçãs do rosto salientes ou seus pés chatos, seu circuito merece a mesma atenção que você dedicaria a um dedo do pé que é mais comprido ou mais curto que o primeiro. Se você passou a vida ouvindo que é "hipersensível" ou "totalmente desligado", este é o momento de dar um passo atrás e dizer: "Muito bem, é assim que eu sou. Foi assim que vim ao mundo". Suas reações não se devem à falta de coragem ou ao excesso de autopiedade.

Nada disso elimina sua responsabilidade sobre como você é e como age. É apenas uma observação real, útil e um tanto complicada: o circuito é importante.[1]

Uma olhada para os bastidores do (seu) feedback

Nossa compreensão a respeito do cérebro está em construção. Por "nossa", queremos dizer o estado geral do entendimento humano (para não mencionar o entendimento do autor). As descobertas da neurociência se revelam, os debates se multiplicam, as interpretações mudam. Escrever sobre neurociência é como saltar de um trem em movimento: por mais cuidado que você tenha para escolher o momento do salto, provavelmente vai se acidentar. Mesmo assim, achamos que é útil. Mergulhar nas pesquisas recentes nas áreas de ciências sociais e neurociência pode nos ajudar a entender por que cada um de nós reage ao feedback de forma diferente.

Uma das principais funções cerebrais ligadas à sobrevivência é o gerenciamento da aproximação e do afastamento: tendemos a nos aproximar de coisas agradáveis e a nos afastar das coisas dolorosas. O prazer é uma forma de nos aproximar do que é saudável e seguro; o sofrimento é um meio de nos distanciar do doentio e perigoso.

Mas nossa função de aproximação-afastamento é calibrada de modo muito primitivo para que possa ser eficaz no âmbito do trabalho e do amor no mundo moderno. O cérebro fica desnorteado quando se depara com um sofrimento de curto prazo necessário para um ganho de longo prazo — como a atividade física que você sempre deixa para depois, por exemplo. E o oposto também é verdadeiro: prazeres de curto prazo que produzem sofrimento de longo prazo — como o uso de drogas por diversão ou um caso extraconjugal — também geram sinais confusos de avanço e retrocesso ("vinho, mulheres e música", como era antigamente, ou "sexo, drogas e rock'n'roll" para a geração dos *baby boomers*). Esses desencontros entre o cérebro e a vida são fonte de grande fascínio e tormentos sem fim.

O que isso tem a ver com feedback? Assim como sexo, drogas, comida e exercícios físicos, o feedback é uma dessas áreas que confundem o cérebro e bagunçam o sistema de aproximação e afastamento. Fazer agora o que nos parece bom (buscar um meio de deter o feedback negativo) pode custar caro a longo prazo (você toma um pé na bunda, é demitido ou simplesmente fica estagnado). E o que é saudável a longo prazo (compreender o feedback útil e agir em conformidade com ele) pode parecer doloroso agora.

Muita coisa acontece no seu cérebro e no seu corpo quando você é submetido a um feedback que mexe com seu estado de espírito, mais do que qualquer pessoa possa entender — e com certeza mais do que podemos descrever num curto capítulo. Mas, em favor da simplicidade, diremos que nossa reação ao feedback pode ser pensada em função de três variáveis básicas: linha de base, oscilação e sustentação/ recuperação.

A *linha de base* se refere ao estado-padrão de bem-estar ou contentamento em direção ao qual você se desloca de acordo com os acontecimentos bons ou ruins de sua vida. A *oscilação* se refere ao seu distanciamento maior ou menor em relação à linha de base quando recebe feedback. Algumas pessoas têm reações extremas ao feedback e oscilam muito; outras permanecem perto do ponto de equilíbrio mesmo diante de situações inquietantes. *Sustentação/ recuperação* se refere a quanto tempo dura sua oscilação. Idealmente, queremos sustentar por mais tempo o estímulo de um feedback positivo e nos recuperar logo de uma depressão emocional negativa.

1. Linha de base: o começo e o fim do arco

O fato de nos sentirmos alegres ou tristes não depende apenas de cada momento sucessivo da nossa experiência de vida — uma coisa boa acontece e fico feliz, uma coisa ruim acontece e fico triste. Não funciona dessa forma. Embora nossas experiências afetem nosso estado de ânimo, não somos lançados para uma direção completamente nova a cada rajada de vento. Sentimos as emoções do momento, é claro, mas elas ocorrem num cenário mais amplo.

Como seres humanos, somos capazes de nos adaptar — a novas informações e a novos acontecimentos, sejam bons ou maus — e voltamos a gravitar em torno de nosso padrão de bem-estar.[2] Haverá altos e baixos, mas, ao longo do tempo, somos empurrados na direção de nossa linha de base: para cima, depois de maus momentos, e para baixo, depois dos bons. A euforia do primeiro amor desaparece, da mesma forma que o desespero do divórcio. Essa tendência se vê melhor nas crianças pequenas quando ganham um brinquedo desejado: ao conseguir o que queriam, acreditam que serão felizes para o resto da vida. E durante os primeiros minutos do resto de sua vida, são mesmo. Mas depois as crianças, assim como os adultos, se adaptam.

Existem enormes variações entre as pessoas no que se refere à linha de base. É por isso que o tio Murray parece eternamente insatisfeito com a vida, enquanto a tia Eileen se mostra deliciada com tudo sem nenhuma razão aparente. Acredita-se que a felicidade seja um dos traços de personalidade mais ligados à hereditariedade. Pesquisas realizadas com gêmeos levam a crer que cerca de 50% da variação do nível médio de felicidade entre as pessoas se explica por diferenças genéticas mais que por suas experiências de vida.[3] É sabido que pesquisas com ganhadores de loteria mostraram que, um ano depois de receber seu prêmio, os ganhadores estão tão felizes ou infelizes quanto eram antes de se tornarem milionários.[4]

Qual a importância de sua linha de base para o recebimento de feedback?

Pessoas que têm linhas de base de maior felicidade são mais propensas a responder positivamente a feedback positivo. E pessoas com um nível baixo de satisfação em geral reagem com mais força à informação negativa.[5] Krista tem uma linha de base bem alta, portanto não é de surpreender que ela ache fantásticas as buzinadas em apoio a seu casamento e não se importe com as críticas. Alita provavelmente tem uma linha de base mais baixa, por isso acaba aproveitando menos a avaliação positiva das pacientes e sendo mais atingida pela crítica.

Isso pode parecer injusto para Alita. Afinal, ela é quem precisa ouvir feedback positivo e absorver o estímulo emocional que ele proporciona. Mas não há motivo de preocupação — Alita pode fazer algumas coisas para elevar o volume dos pontos positivos e reduzir o dos negativos quando receber uma avaliação difícil. Por enquanto, é útil simplesmente ter ciência de que, para ela, o feedback positivo pode ser abafado, e o negativo, amplificado.

2. Oscilação: até onde você vai para cima e para baixo

Seja qual for a nossa linha de base natural, algumas pessoas oscilam mais numa ou noutra direção, mesmo quando o estímulo é menos significativo, enquanto outras vivem num faixa emocional mais estreita. Essas tendências parecem estar definidas desde o nascimento. Alguns bebês são mais sensíveis que outros e podem experimentar uma forte perturbação fisiológica causada por estímulos relativamente pequenos — ruídos fortes, situações novas ou desenhos assustadores, por exemplo.

É claro que os recém-nascidos não estão sujeitos a avaliação de desempenho, e o feedback para adultos raramente é acompanhado de desenhos assustadores. Mas acontece que os bebês enquadrados na categoria que o pesquisador em psicologia Jerome Kagan chama de "altamente reativos" têm maior probabilidade de se tornarem adultos altamente reativos. A alta reatividade em bebês pode se traduzir numa grande oscilação na idade adulta. E podemos supor com fundamento que esses adultos provavelmente serão mais sensíveis ao feedback negativo.[6] Estudos de neuroimagem indicam que as diferenças na sensibilidade podem ter correlação com diferenças anatômicas: os adultos que apresentaram temperamentos pouco reativos quando eram bebês tinham o córtex orbitofrontal esquerdo mais espesso, enquanto os adultos que foram altamente reativos na infância apresentavam espessura maior no córtex pré-frontal ventromedial direito.[7]

Seja o que for que aconteça no interior do córtex, as diferenças de oscilação são fáceis de observar em nossas salas de conferência. Quando um cliente envia os mesmos comentários críticos a Eliza e Jeron, Eliza é tomada por uma ansiedade frenética, enquanto a reação de Jeron não passa de: "Bem, isso significa um pouquinho mais de trabalho". Como os dois são colegas de equipe, suas reações desencontradas criam tensão. Jeron acha que Eliza é melodramática e gosta de chamar a atenção; ela acha que o colega se nega a enxergar a profundidade do problema. Agora eles têm feedback a dar um ao outro sobre a forma como estão (des)tratando o feedback.

Mau é mais forte que bom

Independentemente de nos deixarmos afundar facilmente ou de sermos quase impermeáveis, existe uma dificuldade de circuito que todos nós enfrentamos: mau é mais forte que bom. O psicólogo Jonathan Haidt explica: "As reações à ameaça e ao desagrado são mais rápidas, mais fortes e mais difíceis de inibir do que as reações a oportunidades e prazeres".[8] Essa observação esclarece um eterno enigma a respeito do feedback: Por que nos concentramos numa única crítica em meio a cem elogios?

Encravada em nosso circuito existe uma espécie de equipe de segurança que procura ameaças. Quando detecta um perigo — real ou imaginário —, a equipe reage instantaneamente, agindo mais rápido do que nossos sistemas de reflexão. A amígdala cerebelar é a peça fundamental — o pequeno feixe de neurônios em forma de amêndoa fica no centro do sistema límbico, uma parte do sistema nervoso central que processa a emoção. Como explica Haidt,

> A amígdala tem conexão direta com o tronco cerebral que ativa a reação de luta ou fuga, e se a amígdala encontra um padrão que participou de um episódio anterior de medo [...], ordena que o corpo entre em alerta vermelho.
>
> [...] O cérebro não tem o equivalente a um "alerta verde" [...]. As ameaças encontram um atalho para o seu botão de pânico, mas não há um sistema equivalente de alarme para informação positiva. Do ponto de vista emocional, más notícias falam mais alto do que as boas, e, por isso, terão impacto maior.

Então por que é que você ainda está obcecado com o comentário ambíguo de sua sogra durante uma visita de domingo que foi agradável em outros aspectos? Porque inadvertidamente ela acionou seu sistema de alerta vermelho — que desenvolvemos há mais de 100 milhões de anos[9] e que já foi usado para detectar cobras, tigres-dentes-de-sabre e outras criaturas ameaçadoras que nos espreitavam. Muito depois da conversa com a sua sogra, seu cérebro emocional continua pronto para revidar.

3. Sustentação e recuperação: quanto tempo dura a oscilação?

Quer você oscile com força ou mal se mova emocionalmente, a última variável é a duração — o tempo que você leva para retornar à linha de base. Você se recupera rapidamente mesmo do feedback mais penoso ou fica cabisbaixo durante semanas ou até meses? E durante quanto tempo você sustenta o impacto positivo das boas notícias? Quando um cliente agradecido envia e-mails para elogiar sua competência, você sente um formigamento na ponta dos dedos pelo resto do dia? Ou só até ler o próximo e-mail? O pesquisador Richard Davidson descobriu que o tempo empregado para sustentar emoções positivas ou para nos recuperarmos de emoções negativas pode variar em 3000% entre as pessoas.[10]

Curiosamente, o feedback positivo e o negativo são mediados por partes diferentes do cérebro; na verdade, tudo indica que são mediados por diferentes hemisférios cerebrais. E esses hemisférios podem desempenhar sua função com maior ou menor competência. Esse assunto é bastante complexo, mas vamos abordar algumas noções simples que surgem da pesquisa nessa área.

Recuperação negativa: de direita ou de esquerda?

É essencial ter um sistema de alerta vermelho para nos proteger das ameaças, mas, devido ao grande número de alarmes falsos encontrados na vida diária, também é importante ter um meio de desligar esse alarme.

A amígdala é uma peça-chave no sistema de alerta, mas não é a única. O córtex frontal comanda o show, trabalhando para integrar a resposta emocional com o conteúdo real do feedback e podendo impedir ou intensificar o alarme disparado pela amígdala.

Situado bem atrás da testa, o córtex pré-frontal é o lugar do raciocínio, dos juízos e da tomada de decisões de ordem superior. Como outras partes do cérebro, divide-se em dois, com lados direito e esquerdo. Quando você experimenta sentimentos negativos como medo, ansiedade e repulsa, o cérebro mostra atividade aumentada no lado direito. Quando experimenta sentimentos positivos, como divertimento, esperança e amor, o cérebro mostra aumento de atividade do lado esquerdo. Os pesquisadores chamam isso de "hipótese da valência emocional" e supõem que as pessoas que têm mais atividade no lado direito são propensas a ser mais deprimidas e mais ansiosas; já as que trabalham mais o lado esquerdo tendem a ser mais felizes.[11] (Não devemos superestimar consensos científicos atualmente aceitos; essa teoria emocional de "localização" é polêmica.)[12]

Com a ajuda de tecnologias de imagem, como a ressonância magnética funcional, que mostra como o cérebro reage a cada estímulo em particular, os neurocientistas estão começando a entender como funciona a recuperação depois de emoções negativas. Curiosamente, o lado esquerdo — o lado *positivo* — é o que parece ser o responsável por essa função. Enquanto a amígdala estimula o medo e a ansiedade, a atividade do lado esquerdo do cérebro exerce uma influência tranquilizadora. Uma forte atividade do lado esquerdo se associa a uma rápida recuperação depois de algum transtorno.

As pessoas que se recuperam mais rapidamente não só têm mais atividade do lado esquerdo: elas também tendem a ter mais conexões (caminhos de "massa branca" que conectam as regiões cerebrais entre si) entre o lado esquerdo do córtex pré-frontal e a amígdala.[13] Tudo indica que isso cria uma largura de banda maior, ao longo da qual as mensagens positivas viajam para a amígdala. As pessoas que apresentam conexões numerosas efetivamente contam com uma *via expressa* de entrega de sinais tranquilizadores, enquanto as que se recuperam mais lentamente têm apenas *estradas vicinais* mais estreitas.

A conclusão é que as pessoas cujo circuito e cuja organização cerebral pendem para o lado direito são mais lentas para se recuperar do feedback negativo. A recuperação demora mais, seja o feedback pequeno ("Você esqueceu de tirar o lixo...") ou grande ("... É por esse motivo que estou terminando com você").[14]

Se observássemos o cérebro de Alita através de um equipamento de ressonância magnética funcional enquanto ela lê as críticas das pacientes por fazê-las esperar, provavelmente veríamos aumento de atividade em sua amígdala e em seu córtex pré-frontal. "Perigo!", grita a amígdala. "É uma catástrofe!", confirma o córtex pré-frontal direito. Em comparação, o córtex pré-frontal esquerdo de Alita — o lado positivo — mostraria menos atividade. "Vamos nos acalmar.

Muitas pacientes agradecem pelo tempo que você dedica a elas",
diz o esquerdo, mas tão baixinho que não consegue se sobrepor aos
berros de desastre e fatalidade.

É provável que Alita tenha mais atividade do lado direito do córtex. Comparada a uma colega menos sensível, ela vai se sentir fi-
siologicamente mais desperta, mais ansiosa, mais deprimida. Será
mais difícil para ela encontrar esperança ou bom humor (que são
mediados mais pelo lado esquerdo) e se acalmar.

Se estivesse no lugar de Alita, a ressonância magnética funcional
de Krista mostraria um padrão oposto. Inicialmente, ela poderia se
sentir ansiosa, zangada ou magoada (a amígdala de Krista também
ficaria acesa), mas seu potente córtex pré-frontal esquerdo em seguida entraria em cena, acalmando a rápida reação emocional: "Relaxe,
não exagere. A maior parte de suas pacientes *gosta muito* de você e,
como a maternidade exige aprender a ter paciência, você está dando
uma prévia a elas. Vamos lá jantar uma comida mexicana...".

Embora a recuperação rápida apresente vantagens reais — as
pessoas resilientes têm mais probabilidade de reagir a contratem-
pos com energia e determinação e são menos propensas à depressão —, ficar no extremo dessa escala também causa problemas para
receber uma avaliação ou orientação. Como o feedback negativo encontra menos ressonância emocional em Krista, pode não captar a
atenção dela e até mesmo não se fixar em sua memória. Ela pode
desconsiderar sugestões ou ter um déficit de motivação, circunstâncias que atrapalham seu aperfeiçoamento. Os que estão ao redor
talvez a vejam como insensível às preocupações dos demais, e não
porque Krista não se importe, mas porque ela nem sempre percebe
o quanto essas preocupações podem ser sérias. E seja como for, ela
segue em frente.

Como sustentar sentimentos positivos

A recuperação indica a velocidade com que você emerge do abismo do feedback perturbador. A sustentação mostra quanto tempo
o feedback positivo faz você ficar nas nuvens.

O que acontece no cérebro que nos ajuda a sustentar sentimentos positivos? Precisamos dar um zoom num aglomerado de neurônios dentro do corpo estriado ventral chamado *núcleo accumbens*. Essa região se situa diante da têmpora e faz parte da via mesolímbica — também chamada de "via de recompensa" ou "centro de prazer" —, responsável pela liberação de dopamina, que por sua vez induz sentimentos de prazer, desejo e motivação. Conectado a esse lado esquerdo otimista do córtex pré-frontal, o núcleo accumbens cria um círculo virtuoso em que as experiências positivas provocam uma descarga de dopamina, que desencadeia mais sentimentos positivos, que geram mais descarga de dopamina.[15]

Krista e Alita sentem um aumento da alegria quando recebem um estímulo positivo, seja uma buzinada de apoio ao casamento ou o choro de um bebê recém-nascido. Mas o núcleo accumbens de Krista *permanece* ativo, dando continuidade à descarga de dopamina e mantendo o pique emocional bem depois que a buzinada acabou. Para Alita, os sentimentos positivos se evaporam em minutos.

Da mesma forma que podemos desencadear sentimentos ruins recordando um feedback negativo, podemos ampliar a sustentação positiva recordando um bom feedback — relembrando o comentário agradecido de um cliente ou dizendo a nós mesmos que, aconteça o que acontecer no trabalho, temos em casa nove filhos que nos amam. Ou talvez nos dizendo que, aconteça o que acontecer em casa, nossos filhos não podem ir conosco para o trabalho.

Nossas tendências de sustentação e recuperação podem criar círculos viciosos e virtuosos. Se você acha mais fácil sustentar emoções positivas, pode aproveitar os estímulos que recebe de momentos felizes, sejam grandes ("Conseguimos a conta do cliente!") ou pequenos ("O café estava ótimo!"). Você pode reler um feedback positivo do professor de seu filho ou de um cliente agradecido quando precisar de um lembrete de que está fazendo alguma coisa direito. O feedback positivo dura, ajudando você a seguir em frente e recuperar o equilíbrio. Esse senso de controle sobre seu estado emocional significa que você se sente mais confiante sobre sua capacidade de conviver com o que quer que seja que a vida puser em seu caminho.

Você tenderá a ser otimista quanto a um futuro brilhante e estará confiante de que, seja como for, vai lidar bem com as coisas. Essa é uma boa definição de paz de espírito.

Mas quando a sustentação positiva é fraca, fica mais difícil lembrar as coisas que você está fazendo direito, e o pessimismo se apresenta como o cenário mais realista. Se você esteve deprimido e teve uma recuperação problemática, pode duvidar de sua capacidade de se pôr de pé da próxima vez que tropeçar num momento especialmente difícil. Isso pode causar uma complicada combinação de pessimismo e insegurança. É nesse ponto que a linha de base, a oscilação e a sustentação fecham o círculo e, juntas, formam aquilo que às vezes chamamos de temperamento.[16]

Quatro combinações de sustentação/ recuperação

Krista tem recuperação veloz e grande sustentação. Sua natureza a torna capaz de reagir rapidamente às adversidades e aproveitar bem as alegrias da vida. Alita é o oposto nas duas áreas: demora mais tempo para se recuperar das experiências negativas e tem mais dificuldade para sustentar as positivas.

Mas essas não são as únicas combinações possíveis de sustentação/ recuperação, porque a sustentação de sentimentos negativos funciona independentemente da sustentação de sentimentos positivos. De um ponto de vista puramente fisiológico, existem quatro combinações possíveis de tendências a sustentação/ recuperação. A tabela a seguir não trata a questão de receber bem ou mal o feedback, de aproveitá-lo ou não. Simplesmente indica variações de como você pode vivenciar a avaliação que recebeu, de acordo com seu circuito. É uma grande simplificação, mas as categorias são esclarecedoras.

	SUSTENTAÇÃO PROLONGADA DO POSITIVO	SUSTENTAÇÃO BREVE DO POSITIVO
RÁPIDA RECUPERAÇÃO DO NEGATIVO	Baixo risco, grande recompensa "Adoro receber feedback."	Baixo risco, pouca recompensa "Não é grande coisa."
LENTA RECUPERAÇÃO DO NEGATIVO	Alto risco, grande recompensa "Estou esperançoso, mas com certo receio."	Alto risco, pouca recompensa "Detesto receber feedback."

O circuito é só uma parte da história

O perigo de falar sobre circuito cerebral e temperamento é tomar nosso circuito como imutável e admitir que é o nosso destino. Não é.

Existem bases genéticas para nosso temperamento; entendê-las ajuda a nos entender e, igualmente importante, nos dá pistas sobre por que os outros são tão diferentes de nós. Mas embora certos aspectos de nosso temperamento sejam herdados, existem muitos indícios de que não são imutáveis. Práticas como meditação, trabalho voluntário e exercícios físicos podem, com o tempo, aumentar sua linha de base, ao passo que acontecimentos da vida que envolvem trauma e depressão também podem ter um impacto profundo. Esse entendimento crescente da neuroplasticidade é um lembrete reconfortante de que até mesmo o circuito muda com o tempo em reação ao nosso ambiente e às nossas experiências.

Quarenta, o número mágico

Talvez ainda mais importante seja o fato de que nosso circuito — imutável ou não — só responde por uma parte da história. A pesquisa científica sugere uma fórmula da felicidade: 50-40-10. Cerca de 50% da nossa felicidade está em nosso circuito; outros 40% podem ser atribuídos ao modo como interpretamos o que acontece conosco e como reagimos a isso; e 10% são determinados por nossas circunstâncias — onde e com quem vivemos, onde e com quem trabalhamos, nossa saúde e assim por diante.[17] Se são exatamente essas as proporções corretas, é obviamente uma questão em aberto, mas é certo que dispomos de um grande espaço para se mover nesse meio mágico equivalente a mais ou menos 40%. Essa é a parte sobre a qual exercemos controle — o modo como interpretamos o que acontece, o sentido que lhe damos e as histórias que contamos a nós mesmos.

Com efeito, o pesquisador Martin Seligman, da Universidade da Pensilvânia, acredita que para algumas pessoas essas interpretações e reações podem ajudar a transformar o estresse pós-traumático em crescimento pós-traumático.[18] Nossas interpretações e reações ao que nos acontece — e ao feedback que recebemos — podem ajudar a transformar um feedback desconcertante e até mesmo o fracasso em aprendizado.

Mas aqui há uma armadilha.

Nossas emoções têm uma influência tão grande a respeito da forma como interpretamos os acontecimentos e as histórias que contamos que, na sequência de um feedback desconcertante, nossa própria perturbação distorce aquilo que achamos que o feedback significa. Nosso chefe nos dá alguns conselhos amáveis tão inofensivos quanto um gatinho. Mas na torrente de ansiedade, o conselho se mostra ameaçador como um tigre, capaz de nos estraçalhar.

As emoções distorcem nossa percepção do feedback

Se queremos melhorar em relação a lidar com o feedback difícil, temos de entender como as emoções interagem com as histórias que contamos sobre o significado do feedback e como elas distorcem essas histórias. Trata-se na verdade de um gatinho ou de um tigre? Ou será outra coisa completamente diferente?

Nossas histórias têm uma trilha sonora emocional

Como dissemos no capítulo 3, não vivemos a vida em dados, mas em histórias, sejam elas grandes — quem somos, com que nos preocupamos, por que estamos aqui — ou menores — por que ficamos envergonhados no piquenique da empresa no fim de semana passado.

Essas histórias não são feitas apenas de pensamentos, mas também de sentimentos. Não os experimentamos separadamente. Não pensamos: *isto é um pensamento e isto é um sentimento*. Em algum momento, temos uma consciência completa da nossa vida. É parecido com o que acontece com a trilha sonora dos filmes. Quando estamos absortos vendo um bom filme no cinema, não notamos que o som aumenta e diminui. A música contribui para o suspense, a excitação e a potência da trama, de modo que não prestamos atenção nela, assim como nem percebemos que há um projetor.

Na maior parte do tempo, isso é bom. Um filme é melhor quando mergulhamos nele, e na vida acontece a mesma coisa. Quando estamos interessados ao máximo, supercriativos e muito energizados, atingimos aquele delicioso estado de descontração chamado "fluxo".[19] Mas quando as coisas vão mal, vale a pena dar um tempo para observar os efeitos que nossas emoções estão exercendo sobre a história que contamos.

Pensamentos + sentimentos = história

Quando o motorista que está atrás de você buzina assim que o sinal abre, você não pensa: *A pessoa que está atrás de mim buzinou*. Na mesma hora, você insere esse pensamento numa história: *Cara, gente insuportável como você é que está estragando esta cidade.*

O modo como você *se sente* naquele momento tem grande influência sobre a história que conta a si mesmo. Se já está deprimido, vai contar uma história mais triste. Se está frustrado, vai contar uma história de frustração. Se está diante do sinal se sentindo um zero à esquerda, o fato de o cara de trás buzinar é mais uma prova de que você é um zero à esquerda. Não sabe nem dirigir direito.

Aquele cara está vendo o interior de sua alma triste e incompetente. *Obrigado, camarada, mas eu já sei disso.* Se você está apaixonado, se sentirá paciente e generoso: *Hum, desculpe, eu estava perdido em meus pensamentos enquanto aguardava o sinal abrir. A vida não é uma maravilha?*

Nesses exemplos, o sentimento chega antes. O sentimento colore a história e influencia nossa maneira de perceber os personagens que nela atuam. Mas existe um segundo padrão entre pensamentos e sentimentos, que — para confundir mais as coisas — é exatamente o oposto: às vezes o pensamento vem antes e o sentimento, depois.

Por exemplo, posso ter começado meu dia sentindo-me bem, mas olho para o relógio e vejo que provavelmente vou perder meu voo. Em minha cabeça, desenrola-se uma história sobre como vai ser o resto do dia: vou chegar atrasado ao portão de embarque por questão de segundos, não irei à reunião marcada para esta tarde, meu cliente vai se aborrecer, meu chefe vai ter um ataque. E agora, *por causa* desses pensamentos, fiquei tenso. Nesse caso, os sentimentos vieram depois dos pensamentos.

Jonathan Haidt nos dá um lampejo do mecanismo biológico que está por trás desse emaranhado de pensamentos e sentimentos:

[A amígdala] não só alcança o tronco cerebral para desencadear uma resposta ao perigo como alcança também o córtex frontal para mudar seu pensamento. Ela faz com que todo o cérebro assuma uma orientação de fuga. Há um caminho de mão dupla entre as emoções e os pensamentos conscientes: os pensamentos podem causar emoções (como ocorre quando você reflete sobre uma bobagem que disse), mas as emoções também causam pensamentos [...].[20]

Há uma ideia básica, relevante para o feedback, que deriva dessa observação: se nossas histórias são o resultado de nossos sentimentos e nossos pensamentos, então podemos mudar nossas histórias fazendo força para mudar nossos sentimentos *ou* nossos pensamentos. Temos, portanto, dois caminhos.

Como os sentimentos exageram o feedback

Vamos começar examinando os modos previsíveis pelos quais os sentimentos distorcem nossas histórias. Conhecer esse padrão é essencial para sermos capazes de contar uma história menos distorcida.

Em geral, sentimentos fortes nos conduzem a interpretações extremas: *uma coisinha* só torna-se *tudo*, *agora* torna-se *sempre*, *em parte* torna-se *totalmente*, *levemente* torna-se *extremamente*. Os sentimentos deformam nossa percepção de passado, presente e futuro. Distorcem nossas histórias sobre quem somos, como os outros nos veem e que consequências o feedback terá. A seguir, veremos três padrões comuns de distorção.

Nosso passado: a tendência Google

O feedback perturbador de hoje pode influenciar a história que contamos sobre ontem: de repente, o que nos vem à cabeça são todas as evidências de erros passados, escolhas erradas e maus comportamentos.

É um pouco como usar o Google. Se você pesquisar "ditadores" em inglês, vai ter 8,4 milhões de respostas com sites que mencionam ditadores. Parece que os ditadores estão por toda parte; você não pode dar um passo sem topar com um. Mas isso não quer dizer que a maior parte das pessoas seja de ditadores ou que a maior parte dos países seja governada por ditadores. Encher a cabeça com histórias a respeito de ditadores não significa que existam mais ditadores, bem como ignorar as histórias sobre ditadores não significa que eles sejam menos numerosos do que são.

Quando está de mal consigo mesmo, você na verdade está procurando no Google "coisas que estão erradas comigo". Vai ter como resposta 8,4 milhões de sites e, de repente, você virou uma pessoa de dar dó. Verá "links patrocinados" de ex-mulheres, pais, chefes. Não vai conseguir se lembrar de uma só coisa que tenha feito certo.

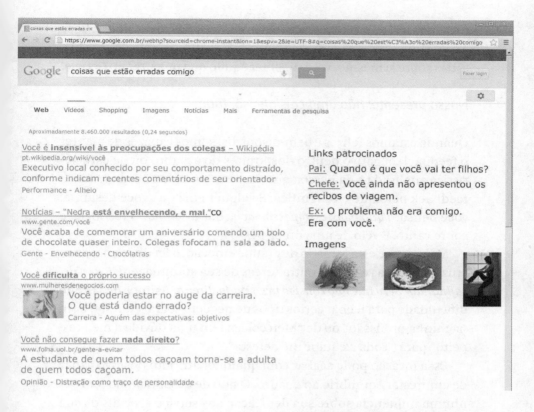

Todos nós temos nosso próprio modo de experimentar essas distorções. Marc relata como a "tendência Google" se manifesta para ele:

> O feedback pode ser insignificante, mas se eu estiver me sentindo vulnerável, é como se um buraco se abrisse no chão e eu mergulhasse no porão onde se encontram todas as coisas de que já me arrependi. É como se todas elas estivessem acontecendo ao mesmo tempo, agora mesmo. Eu me sinto culpado por causa das pessoas que magoei e envergonhado dos atos de egoísmo que cometi. Quando não estou no porão, nem penso nisso; mas, quando estou, ele é a única realidade, fico cercado por meus erros e não consigo acreditar que um dia fui feliz.

É claro que, quando você se sente bem, a tendência Google se volta para outra direção, mostrando seus êxitos e as escolhas certas e generosas que levaram você inexoravelmente à sua vida maravilhosa. Você é o máximo e sempre será. Seja como for, quanto se trata de suas histórias sobre si mesmo, você vai obter aquilo que procurar no Google.

Nosso presente: não uma coisinha só, tudo

Quando estamos felizes e bem-dispostos, somos capazes de manter o feedback negativo dentro dos limites do assunto ou da característica analisada e da pessoa que faz essa "análise". Entendemos o feedback pelo que ele significa. Se alguém diz que você desafina, você pensa: *Tudo bem, essa pessoa acha que desafino*. O feedback é sobre canto. E veio de uma única pessoa.

Mas se você está tomado de grande emoção, o feedback negativo cruza fronteiras e invade outras áreas de sua autoimagem: *Estou desafinando? Será que não consigo fazer nada direito?* Saímos de "Tenho dificuldade para fechar certos tipos de negócio" para "Não sou bom na minha profissão" ou de "Meu colega tem uma dúvida a meu respeito" para "Toda a equipe me detesta".

Essa invasão pode acabar com qualquer atributo positivo capaz de emprestar equilíbrio ao quadro. O fato de desafinar não tem nenhuma influência sobre sua dedicação aos serviços sociais da sua comunidade, ou sobre seus cuidados com a sua filha, ou sobre a surpreendente qualidade das costelas assadas em fogo lento que você prepara. Mas, quando somos invadidos, tudo isso desaparece.

Nosso futuro: a tendência de eternizar e formar uma bola de neve

Os sentimentos afetam não apenas o modo como relembramos o passado, mas como imaginamos o futuro. Quando nos sentimos mal, achamos que sempre vamos nos sentir assim. Você se sente humilhado pela apresentação de má qualidade que fez no anúncio da fusão da empresa e acha que vai se sentir exatamente do mesmo jeito até o fim de sua vida.

E talvez pior: mergulhamos num pensamento catastrófico, e nossas histórias podem se transformar numa bola de neve fora de controle.[21] Um único feedback caminha a passos largos para se transformar num tenebroso desastre futuro. "Meu rosto estava sujo de maionese quando saí com ela" se transforma em "Vou morrer solteiro".

O que mais surpreende nessas distorções é como elas nos parecem reais no momento. O senso comum indica que quanto maior a distância entre nossos pensamentos e a realidade, mais probabilidade teremos de perceber que os dois estão desalinhados. Mas, a não ser que procuremos conscientemente descobrir esse desajuste, não o veremos enquanto estivermos imersos na situação, de modo que seu tamanho é irrelevante.

As fortes emoções desencadeadas pelo feedback podem distorcer nossos pensamentos sobre passado, presente e futuro. Aprender a recuperar o equilíbrio para poder avaliar com exatidão o feedback é, antes de mais nada, uma questão de rebobinar nossos pensamentos e endireitá-los. Uma vez que abordemos o feedback numa perspectiva realista, temos uma chance real de aprender com ele.

No próximo capítulo, "Desfaça as distorções", vamos analisar estratégias voltadas para endireitar o pensamento distorcido, para que possamos avaliar com mais exatidão o feedback que recebemos.

RESUMO: ALGUMAS IDEIAS BÁSICAS

O circuito é importante.

- *Linha de base, oscilação* e *sustentação/ recuperação* variam até 3000% de pessoa para pessoa.
- Se temos uma linha de base baixa, o volume será reduzido nos positivos e ampliado nos negativos.

As emoções distorcem nossas histórias sobre o próprio feedback.

- A tendência Google faz ruir o passado e o presente.
- *Uma coisinha só* se torna *tudo e todos*.
- A tendência a eternizar faz o futuro parecer sombrio.

CAPÍTULO 8

Desfaça as distorções

VEJA O FEEDBACK EM "TAMANHO REAL"

Um dos maiores obstáculos à receptividade do feedback é nossa tendência a exagerá-lo. Alimentada pela emoção, nossa história sobre o que o feedback diz a nosso respeito torna-se tão grande e tão perniciosa que acabamos dominados por ela. Aprender é a última de nossas preocupações; estamos apenas tentando sobreviver.

Para entender e avaliar a informação que recebemos, primeiro temos de desfazer as distorções. Isso não significa fingir que o feedback negativo é positivo ou adotar uma atitude excessivamente otimista. Significa encontrar os meios de baixar o volume daquela trilha sonora sinistra que está tocando em nossa cabeça para conseguir ouvir o diálogo com mais clareza.

Seth tira férias relaxantes

Seth é um orientador que trabalha com crianças que sofreram trauma ou perda. Ele precisa tratar de questões referentes a desempenho com um subordinado e pede a seu chefe que participe da conversa. Durante a reunião, Seth fica olhando para o relógio; ele precisa pegar um voo para Atlanta à noite, porque no dia seguinte vai comemorar o aniversário do pai, que enviuvou recentemente. Seth passou horas planejando a festa, e tanto ele quanto o pai esperaram ansiosos por aquele fim de semana durante o mês todo.

No fim da reunião, o chefe dele de repente levanta a voz. Dirige um sorriso tranquilizador ao subordinado de Seth e diz: "Bem *todos nós* temos dificuldade de organização, não é? Quero dizer, é só olhar para o *Seth*!".

Foi um gancho de direita. Seth sempre lutou para ser organizado, mas aí escuta isso, trombeteado por seu chefe diante do outro funcionário, sem mais nem menos. Ele fica zonzo na mesma hora e não consegue pensar direito. Olha em silêncio para o subordinado, o rosto vermelho. A reunião termina, mas Seth não consegue se lembrar de nada. Vergonha e desespero turvam seus pensamentos: *Eu sou um desastre. Nunca vou ser bem-sucedido neste trabalho. Minha vida pessoal é uma bagunça também, e não é por acaso.*

Desesperado para remediar a situação, Seth decide cancelar a viagem e dedicar o fim de semana à tentativa de organizar sua vida. Como foi que ele pôde programar essa viagem? Que espécie de decisão idiota fez com que ele resolvesse cruzar o país de avião para ir a uma festa?

No fim das contas, Seth acabou indo. Por quê? Porque o bilhete de avião não era reembolsável, e perder dinheiro (mais um indício de idiotice) parecia ainda pior do que perder tempo. Ele passou o voo todo consumido pela ansiedade.

Por puro cansaço, Seth consegue ter uma boa noite de sono e, no dia seguinte, fica totalmente envolvido com os preparativos da festa. Acaba tendo um fim de semana maravilhoso. Seth e o pai falam com saudade da mãe falecida; a conversa deles se estende pela noite adentro, e o tempo que passa com o pai se torna uma de suas melhores lembranças. Ele não trocaria isso por nenhum dinheiro no mundo.

Em retrospecto, Seth vê que sua reação àquele comentário na reunião foi incompreensível. Agora lhe parece óbvio que seu chefe estava simplesmente querendo usar o humor — caçoando ou ironizando — para estabelecer um vínculo com o subordinado. Seth não consegue entender por que o comentário do chefe detonou uma bomba daquele tamanho em sua cabeça.

Mas nós conseguimos. Como Alita, Seth está no extremo sensível do espectro dos circuitos. Ele se exalta com facilidade, e, quando isso ocorre, seus sentimentos se encarregam de formar e distorcer a história que ele conta sobre o significado do feedback. Por causa disso, acaba perdendo o equilíbrio. Quando finalmente se recupera, Seth tem dificuldade para determinar o que aprendeu com o incidente, se é que aprendeu alguma coisa. Ele hesita em procurar o chefe para discutir o assunto, porque tem medo de ficar exaltado de novo.

Cinco maneiras de desfazer distorções

Para aprender com um feedback perturbador, precisamos de estratégias para combater as distorções que imprimimos a ele, seja durante a própria conversa, antes dela (preparação) ou depois dela (reflexão). A seguir, cinco estratégias que podem ajudar.

1. Esteja preparado, esteja atento

Como a história de Seth nos mostra, nem sempre temos oportunidade de nos preparar para o feedback. Às vezes ele liga antes de aparecer, outras vezes surge à nossa porta sem aviso. O feedback tem suas próprias regras de etiqueta.

Mas, quando possível, é conveniente pensar com antecedência na conversa — para avaliar como vamos nos sentir e reagir no caso de ouvirmos coisas que nos desagradem ou nos preocupem. Isso pode nos dar uma prévia de nossas reações e permitir que pensemos em questões de identidade e bem-estar num momento em que ainda nos sentimos equilibrados.

Conheça as marcas deixadas pelo seu feedback

Cada um de nós tem seu próprio conjunto de comportamentos em reação à crítica, nossas próprias marcas deixadas pelo feedback: Bryan põe a culpa nos outros; Claire muda de assunto; Anu chora; Alfie pede desculpas; Mick fala; Hester fica em silêncio; Fergie concorda com tudo, decidida a não mudar nunca; Reynolds invoca o direito de se manter calado, emocionalmente falando, e Jody torna-se estranhamente amigável. Já Seth, pelo menos às vezes, entra em pânico.

Cada pessoa tem seus próprios estágios de aceitação e rejeição. Alguns esperneiam e mostram as garras no momento, mas com o tempo acabam aceitando a possibilidade de mudar. Outros vão na direção oposta: inicialmente reconhecem que o que estão ouvindo é válido e verdadeiro, mas ao refletir a respeito descartam grande parte daquilo. Algumas pessoas adiam a tarefa e decidem pensar no assunto mais tarde — e depois fazem questão de nunca mais pensar sobre isso. Outros ficam obcecados com o feedback e só param quando uma nova obsessão toma o lugar da primeira.

Sejam nossas reações produtivas ou enfraquecedoras, ajuda muito ter consciência de nossos padrões específicos. É particularmente importante prever como você tende a reagir num primeiro momento — eu saio correndo, brigo, nego, exagero — para que você mesmo possa reconhecer sua reação habitual e dar um nome a ela na hora. Se lhe der um nome, terá algum poder sobre ela.

Prever seus próprios padrões é simples, basta fazer a si mesmo a pergunta: "Como reajo normalmente?". Se você for como a maior parte das pessoas, vai descartar, um por um, todos os exemplos que lhe vierem à cabeça por parecerem estranhos àquilo que você realmente é. Mas esses exemplos não são estranhos: são o que você realmente é. Se tem dificuldade para descobrir qual é a sua marca, pergunte aos que estão ao redor. Quando eles falarem, por exemplo, que seu comportamento é defensivo, você ficará na defensiva no mesmo minuto. É assim que você descobre.

Vacine-se contra o pior

Sua marca vai parecer mais nítida quando o feedback for mais difícil. Se você está à espera de notícias — talvez uma resposta de uma bolsa de faculdade, ou de patrocinadores, ou do comitê do prêmio Nobel —, uma boa maneira de administrar suas tendências é imaginar que as notícias serão ruins. Pense antecipadamente no pior que pode acontecer, experimente as emoções que isso pode lhe causar e raciocine sobre as consequências possíveis. Isso pode soar como uma recomendação para ser pessimista, mas é, na verdade, o oposto. É um lembrete de que, seja qual for o resultado, você será capaz de lidar com ele.

Esse exercício tem algumas vantagens. Primeiro, atua como uma vacina. Quando você é vacinado, recebe uma pequena dose do vírus, facilmente combatido pelo seu sistema imunológico. Assim que você se expuser ao perigo verdadeiro, seu corpo vai reconhecer a ameaça e saberá lidar com ela. Da mesma forma, quando chegarem as más notícias reais, você vai pensar: *Sim, era isso que eu temia que acontecesse. Já vi isso antes. Vou ficar bem.* Os sentimentos que tomarão conta de você e as imagens que se formarão na sua mente já serão familiares e um pouco menos chocantes.

Segundo, é possível pensar com equilíbrio e sem pressa sobre o que essas notícias significariam para você e como reagiria se as recebesse. Se sua empresa não conseguir o patrocínio, você será capaz de se reorganizar e recomeçar o processo, ou preferir um plano B de menor escala. Pode conversar com pessoas que enfrentaram dificuldades semelhantes. O cara da esquina trabalhou durante anos no que era o sonho da vida dele, mas teve sua proposta recusada por todos os possíveis investidores que encontrou pela frente. Procure esse cara e faça algumas perguntas: como ele sobreviveu? O que lhe serviu de ajuda? O que ele aprendeu? Houve alguma vantagem inesperada na rejeição? O que ele pensa disso tudo agora?

Observe o que está acontecendo

Durante a conversa de feedback propriamente dita, dê uma checada em si mesmo de vez em quando e reduza o ritmo. A auto-observação desperta o córtex pré-frontal esquerdo — onde se localizam os prazeres associados à aprendizagem.

Seth tem trabalhado para melhorar sua consciência do que está acontecendo no momento. "Assim que posso, digo para mim mesmo: 'Tudo bem, é desse jeito que eu reajo, isso desencadeia os pensamentos nos quais me afundo e o sentimento ruim que tenho'. E pensar nisso realmente funciona. Não preciso lutar ou opor resistência a meus pensamentos e reações, eu apenas os observo. Depois que penso: 'Sim, esse é o ponto em que reajo de forma exagerada', aí começo a me acalmar de verdade."

2. Desate os nós: sentimento/ história/ feedback

À medida que você for se aperfeiçoando em desacelerar as coisas e observar o que está acontecendo em sua mente e em seu corpo, vai poder começar a examinar melhor suas reações. Será mais fácil fazer a distinção entre as emoções e a história que você conta sobre o feedback, além de separar os dois daquilo que o emissor do feedback realmente disse.

Quer você faça essa classificação durante a conversa, quer em reflexão posterior, "desatar os nós" é essencial para consertar as distorções que se infiltram em sua interpretação do feedback. É como separar a trilha sonora da cena quando estamos assistindo a um filme. Ao desatar os nós, você vê cada fio isoladamente, enxergando cada elemento com clareza e observando, assim, o modo como um afeta o outro.

Você pode fazer isso formulando a si mesmo três perguntas:

- O que eu sinto?
- Qual é a história que estou contando? (E, dentro dessa história, qual é a ameaça?)
- Qual é o feedback real?

O que eu sinto? Observando o que você sente (ou lembrando o que sentiu), tente dar um *nome* a essa sensação: ansiedade, medo, raiva, tristeza, surpresa. Faça de tudo para perceber como a sensação se manifesta — fisicamente —, da mesma forma como você descreveria para um médico os sintomas de uma intoxicação alimentar ou de uma gripe. Seth elabora: "Sinto uma descarga de adrenalina que já é bastante familiar para mim. É como eu imagino que deva ser um choque elétrico. Depois sinto o estômago embrulhado e fico meio fraco. É muito desagradável".

Qual é a história que estou contando? (E, dentro dessa história, qual é a ameaça?) Enquanto você observa sua história sobre o significado do feedback, não se preocupe se ela é verdadeira ou falsa, certa ou errada, sensata ou maluca; por enquanto, basta ouvi-la. Dê atenção especial à ameaça. Pode ser sobre uma coisa ruim que talvez aconteça em decorrência do feedback, ou sobre como isso vai influenciar o modo como os outros veem você ou como você se vê. Seth analisa a reação que teve ao comentário do chefe: "Sempre me preocupei com uma provável desaprovação do meu chefe. Então, quando ele fez o comentário sobre desorganização, pensei 'Eu sabia!', e meus pensamentos se transformaram numa bola de neve: 'Esse emprego é a melhor oportunidade que já tive e estraguei tudo. Sempre meto os pés pelas mãos e não aguento mais isso'. Como podemos ver, há algumas ameaças aqui: a desaprovação do meu chefe, a possibilidade de perder o emprego, a incapacidade de conviver bem comigo mesmo. Enfim, é uma ameaça o fato de que eu simplesmente vou ser infeliz para sempre".

Qual é o feedback real? Nossa cabeça pega o que foi dito e imediatamente conta uma história. É importante desvendar essa história e perguntar a si mesmo *qual foi* exatamente o feedback. O que foi dito? Com Seth, foi o simples comentário sobre "todos nós" sermos desorganizados, inclusive ele. Todas as demais coisas que passaram por sua mente foi a história que ele mesmo contou — suas suposições sobre o que o chefe *quis dizer*, seu medo de perder o emprego, sua preocupação sobre como conviver bem consigo mesmo.

A questão é que nem tudo o que adicionamos à história está errado. Mas temos de saber com clareza o que foi acrescentado e identificar, ao longo do tempo, um padrão do tipo de coisas que somos propensos a acrescentar. Uma vez percebendo claramente essas tendências, podemos dar início ao trabalho de avaliar se nossa história se ajusta mais ou menos ao feedback real e em que medida foi distorcida.[1]

Nossas histórias brigam com o passado

Às vezes, a ameaça implícita na história fica evidente; outras vezes, é mais difícil de enxergá-la. O feedback parece pequeno, ou insignificante, ou talvez não pareça haver ameaça nenhuma. Mesmo assim, ao receber o feedback, ficamos desesperados ou com raiva.

Isso acontece quando uma pequena história do presente está ligada a histórias maiores do nosso passado.

Quase sempre existe uma dinâmica de "gota d'água" nisso tudo. Ao longo dos anos, você vem recebendo feedback em porções que foram se acumulando. Cada episódio isolado de feedback parece besteira — só mais um comentário sem importância — e você deu a todos a devida proporção. Até agora. Mas, de repente, o último feedback, inexplicavelmente, foi além do que você poderia suportar.

Seu vizinho reclama que você não mantém o gramado tão bem conservado quanto deveria. Você rebate: "Tudo bem. É só não olhar para ele". Você explodiu e vai passar o resto do dia bufando de raiva.

Por que o comentário do vizinho tirou você do sério? Porque você ouviu a vida toda que é descuidado com as normas sociais — que os bons modos têm sua importância, que você fica melhor com a camisa por dentro da calça e que deveria embrulhar seus presentes com mais capricho. Normalmente você dá de ombros diante de tais comentários; no fundo, sabe que tem suas prioridades sobre o que é importante na vida. Mas esse comentário foi a gota d'água.

Isso acontece quando temos feridas abertas. Seu colega sugere que você fale com mais autoridade nas reuniões, e você pira. Você sofreu bullying na infância; no time de futebol, ficava no banco porque não era agressivo o bastante para estar em campo; sua namorada terminou o relacionamento porque você não demonstrava ter uma opinião formada. Esses fatos não têm relação uns com os outros, mas cada um deles aprofunda a mesma ferida que nunca cicatrizou. Em face disso, o comentário do colega foi pequeno e discreto, feito com respeito e cuidado. Mas, embora o feedback seja brando, a ferida é profunda.

Isso quer dizer que você está tendo uma reação exagerada ao feedback? Sim e não. Sim, sua reação emocional foi desmedida, e quando estiver mais calmo vai ser capaz de perceber isso. Mas é uma reação emocional razoável para os padrões que seu cérebro reconhece; é o último capítulo de uma longa história. E embora o atrito atual seja com a pessoa errada — na verdade, deveria ser com o seu agressor, ou com seu técnico, ou com sua ex-namorada —, na sua cabeça isso faz parte da mesma confusão frustrante.

Desatar os nós da emoção, da história e do feedback faz com que você veja se os fios que entrelaçou estão ou não relacionados à questão. Tendo isso o mais claro possível, você será mais capaz de manter o feedback em perspectiva.

3. Contenha a história

Para tentar entender o mundo, há certo número de regras sobre como as coisas funcionam que nós normalmente seguimos, ainda que inconscientemente. São como as leis da física para as histórias. Por exemplo, nós sabemos que:

- *Tempo*: o presente não modifica o passado. O presente influencia, mas não determina o futuro.
- *Especificidade*: ser ruim numa coisa não significa que sejamos ruins em coisas que não se relacionam. Ser ruim numa coisa agora não quer dizer que sempre vamos ser ruins nisso.
- *Pessoas*: se uma pessoa não gosta de nós, isso não quer dizer que ninguém mais gosta. Mesmo uma pessoa que não gosta de nós

normalmente gosta de algumas coisas em nós. E o ponto de vista das pessoas sobre nós pode mudar com o tempo.

Em razão dos sentimentos fortes, essas regras são esquecidas, e o feedback se expande em todas as direções. Como vimos no capítulo 7, *uma coisinha só* se torna *tudo*, nada é contido e perdemos o equilíbrio.

Mas somos capazes de reconstruir e reforçar as distinções importantes. Uma forma de fazer isso é examinar quais desses itens nossa história está infringindo e revisar essa história para submetê-la às regras. Se o feedback é sobre o momento presente, será que não estou transformando o hoje em sempre — sempre foi, sempre será? Se o feedback é sobre uma competência ou uma ação específica, será que não o estou estendendo a todas as minhas competências e ações? Se vem de uma pessoa, será que não estou imaginando que vem de todo mundo?

Ao perceber que o feedback derrubou as barreiras que deveriam mantê-lo em seu lugar, você precisa cercá-lo e devolvê-lo à área a que ele pertence. A seguir, apresentamos três ferramentas que podem ajudar nessa tarefa: o Quadro de Contenção do Feedback, a Imagem de Equilíbrio e o Dimensionamento Correto.

Use um Quadro de Contenção do Feedback

Preencher um Quadro de Contenção ajuda a enxergar o feedback (para que você não o negue) e ao mesmo tempo ajuda a contê-lo (para que você não o exagere). A pergunta "A que o feedback não diz respeito?" vai lhe dar um meio estruturado de manter o equilíbrio.

QUADRO DE CONTENÇÃO DO FEEDBACK

A QUE ISSO DIZ RESPEITO	A QUE ISSO *NÃO* DIZ RESPEITO
Se *esta* pessoa ainda me ama.	Se posso ser amado, se vou encontrar amor.
Se sou tão produtivo quanto seria se estivesse publicando artigos científicos.	Se sou um bom médico, um colega inteligente, um membro importante na equipe.
Se meu primeiro vídeo do YouTube foi tão bom quanto eu esperava.	Se algum dia vou fazer um vídeo que obtenha uma resposta positiva.
Se à noite tenho paciência com as crianças.	Se meus filhos sabem que os amo, e se tenho paciência durante a maior parte do tempo.

Por exemplo: você se candidata ao emprego de seus sonhos, mas não o consegue. Seu primeiro pensamento é: *Nunca vou conseguir um emprego de que eu goste.* Agora decomponha esse pensamento usando as duas colunas do quadro. A que ele *não* diz respeito? Ele não adivinha seu futuro. Ele não pode dizer se você vai ou não conseguir o próximo emprego. Ele não diz que você nunca vai trabalhar na área que escolheu.

À medida que você afasta as coisas que não dizem respeito ao assunto, fica mais fácil ver e entender do que se trata realmente. Talvez o empregador esteja em busca de qualificações que você ainda não tem. Ou talvez as tenha, mas não está se apresentando da maneira correta. Dá trabalho determinar sobre o que realmente é o feedback e, em seguida, fazer alguma coisa sobre isso; mas fica mais fácil quando você entende que precisa trabalhar uma ou duas coisas, não tudo.

Trace uma Imagem de Equilíbrio

Você sabe que está tendo uma reação desproporcional ao comentário negativo de um aluno mesmo depois de uma série de avaliações altas, mas no âmbito emocional você acha difícil manter esse fato em perspectiva. Torná-lo visual vai ajudar: é possível ilustrar o equilíbrio com um desenho, um gráfico, um post-it colado no espelho do banheiro, uma escultura feita com macarrão etc.

A seguir, veremos como Alita e Krista preferiram ilustrar o equilíbrio. Quando Alita desenha uma representação do leque de opções do feedback da paciente, ela se surpreende com a forma como se apresenta o equilíbrio de positivos e negativos, uma vez processado dessa maneira. O trabalho de Krista, em comparação, é lembrar a si mesma de que afinal recebeu um feedback.

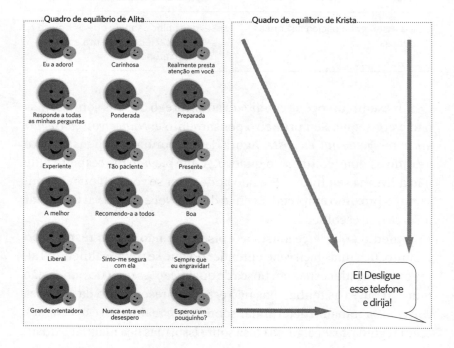

Quando você visualiza o feedback dessa maneira, literalmente *vê* as proporções em vez de apenas intuí-las. Seu desenho não é a "verdade" definitiva sobre o feedback. Mas tê-lo diante de seus olhos, tão diferente do que parecia, ajuda a amenizar sua história e afasta conclusões exageradas ou medos infundados.

Dimensione corretamente as futuras consequências

O feedback não se refere apenas a como você se vê; muitas vezes, envolve consequências práticas. Se você não passar no exame de habilitação para pilotar aviões, não leva apenas um golpe em sua autoconfiança: fica impedido de voar. Quando o rapaz de quem você gosta aparece numa festa com a nova namorada, você não apenas se sente mal consigo mesma — sabe que de fato não vai estar abraçada a ele tão cedo. E receber uma avaliação fraca no trabalho não tem a ver apenas com desempenho, mas com seu salário. Se não consegue um aumento, não se trata apenas de uma "distorção" em seu pensamento. Há uma quantia em dinheiro depositada em sua conta. Ao que parece, quanto às consequências do feedback, não há muita flexibilidade.

Mas há. Enquanto as consequências são "objetivas", ainda temos nossa história sobre *o que significam* as consequências, e é por aqui que se infiltram as distorções e suposições. Se você acha que não receber um aumento de salário significa que você é "um fracasso", convenhamos que a conclusão extraída de uma circunstância é desproporcionalmente grande.

Além disso, quando estamos presas do feedback perturbador, normalmente erramos em distinguir as consequências que *vão* acontecer das que *podem* acontecer. Seu chefe disse claramente que você não vai ter aumento. Mas ser abandonado por sua mulher porque seu salário não subiu é algo que *pode* acontecer (e supostamente as chances de ocorrer são mínimas). Mesmo assim, no momento de receber as más notícias, as chances não *parecem* pequenas; por isso, você se preocupa com elas como se fossem *efetivamente* acontecer. Todos nós fazemos isso nessas ocasiões — como se já não tivéssemos o bastante para nos preocupar.

Como disse Daniel Gilbert, psicólogo de Harvard, em seu livro *O que nos faz felizes*, "quando se pede às pessoas que imaginem como se sentiriam se perdessem o emprego ou um parceiro amoroso [...], elas normalmente *super*estimam o quão horrível vão se sentir e por quanto tempo vão se sentir assim".[2] E isso se complementa com a tendência a *sub*estimar nossa resiliência quando estivermos diante da perda real.

Vejamos um exemplo. Você acaba de se aposentar e descobriu que sofre de artrite grave num dos ombros. Não pode mais nadar, e isso não é pouco. Até saber que tem artrite, a natação diária era sua maior diversão e fonte de prazer. Por isso, o diagnóstico foi tão desapontador e, ao que parece, não há o que fazer em relação a isso. As consequências estão aí: você não pode mais nadar.

Quando imagina o que tudo isso vai representar para você, o quadro de sua vida futura parece o mesmo da vida atual, só que no lugar onde estava a natação vai ficar um buraco. O que você vai fazer para se divertir, se exercitar e conviver com pessoas? Você supõe que a resposta seja *não vou fazer nada*. Mas isso é pouco provável. Alguma coisa vai substituir a natação e, seja o que for, vai atender aos mesmos propósitos que a natação.

Na verdade, há dez anos você teve uma lesão na coluna jogando tênis. Na época, o tênis era sua grande paixão, e você não tinha esperança de encontrar alguma coisa tão saudável e significativa. E então começou a nadar.

Assim, quando pensamos nas consequências do feedback, o objetivo não é descartá-las ou fingir que não têm importância, mas sim dimensioná-las corretamente, para desenvolver um senso realista e saudável do que pode acontecer e reagir de acordo com as possibilidades. Afinal de contas, nossas previsões sobre a vida não passam de previsões e, muitas vezes, elas estão redondamente equivocadas.

4. Mude seu ponto de observação

Qualquer coisa que ajude a ver uma situação ruim de um ponto de vista diferente é benéfica. Seguem-se algumas maneiras de sair da perspectiva habitual.

Ponha-se no lugar de um observador

O feedback chega como um soco emocional porque é sobre *você*. Se o mesmo feedback fosse dirigido a sua irmã, por exemplo, você seria capaz de explicar a ela que isso não é assim tão grave e aconselhá-la a como conviver com a situação. Isso acontece não só porque você quer ajudar, mas porque de seu ponto de vista a reação dela é exagerada. "Mamãe disse isso? Não significa nada. Ela tem agido assim ultimamente... Por que você dá tanta importância a isso? Você é uma pessoa adulta!"

Exatamente. Mas se sua mãe tivesse dito a mesma coisa a você, as coisas seriam diferentes. Você começaria a imaginar: *Por que mamãe disse aquilo? Será que ela está aborrecida comigo? Talvez esteja decepcionada com o rumo que dei a minha vida. Será que ela ainda me ama? Será que algum dia ela me amou?* Quando você revela seus receios a sua irmã, ela não consegue acreditar: "O quê? Aquele comentário bobo ainda está mexendo com você? Por que você está tão preocupado com isso? Não significa nada. Ela tem agido assim ultimamente, e seja como for, você é uma pessoa adulta!".

Podemos usar essa diferença entre ser o sujeito e o observador em nosso proveito. Quando recebemos feedback — quando somos o sujeito —, podemos imaginar como reagiríamos se fôssemos o amigo, o irmão, o observador. Tente fazer isso como exercício de imaginação. Você vai se surpreender com a diferença que a mudança de perspectiva faz, mesmo sabendo que se trata só de uma experiência. Uma vez que tenha mudado de perspectiva, vai conseguir aconselhar a si mesmo. "Por que *ainda* estou pensando no comentário que mamãe fez? Ela é desse jeito..."

É claro que ainda assim você pode pedir um conselho verdadeiro a alguém em que confia. Sabe aquele e-mail desagradável que recebeu de um colega? Encaminhe para um amigo e pergunte se parece tão crítico quanto parece a você. Será que não está dando importância demais a isso? Ou pouca importância? Alguns amigos são melhores que outros para esse tipo de apoio, mas qualquer pessoa que não seja você mesmo será um bom começo.

Ponha-se no futuro e olhe para trás

Tente olhar para o passado de um ponto de observação situado daqui a dez, vinte ou quarenta anos. Pergunte a si mesmo se os acontecimentos que hoje são significativos permanecerão assim no grande esquema das coisas. Você pode continuar achando que o feedback presente é problemático ou que as notícias são lamentáveis, mas em seus últimos dias de vida provavelmente vai se arrepender do tempo que passou se afligindo. O hoje parece grande neste momento, mas do ponto de vista de muito tempo mais tarde, ficará bem pequeno.

Procure a comédia

Já se disse que comédia é tragédia mais ritmo. Quanto antes você adotar aquele ponto de vista, melhor. O humor — puro e simples, ou especialmente o humor negro — proporciona alívio da tensão emocional de um momento infeliz, convidando você a se ver e ver a vida como uma peça engraçada, com o grupo habitual de personagens azarados e reviravoltas interessantes. Se conseguir ver humor numa situação, quer dizer que teve sucesso ao olhá-la em perspectiva.

A capacidade de rir de si mesmo é também um indicador de que você está pronto e capaz de receber feedback. Rir de si mesmo exige que se afrouxem os laços com a própria identidade. Você terá de se ajustar ao mundo e parar de tentar ajustar o mundo a você. Seu amigo diz que o e-mail que você mandou com correções gramaticais tinha erros de grafia. Seu primeiro impulso é se defender: "Eu estava correndo quando mandei o e-mail. É claro que sei como se escrevem aquelas palavras". Mas observe o que acontece se você encarar a coisa desta maneira: *Ufa! Você me pegou.* Exige muito menos energia.

O humor obriga o cérebro a mudar de estado emocional. Mexe com o lado esquerdo positivo do córtex pré-frontal, onde mora a diversão. Quando você pensa que alguma coisa é engraçada, está ajudando a frear o pânico e a ansiedade que procuram se instalar e aquietando os sinais preocupantes.

Juliet, emocionalmente esgotada, pousa a taça de vinho sobre a mesa e sorri. "Então... rapaz conhece moça. Rapaz engana, trai e abandona moça. Moça nunca mais vai sair com outro rapaz mau, porque aprendeu a lição. Ei, quem é aquele baterista gostoso que está ali?"

Pelo menos, isso dá nome ao problema.

5. Admita que não pode controlar o modo como é visto pelos outros

Os modos como os outros nos veem e como nós nos vemos estão inevitavelmente interligados. Precisamos dos outros — o ponto de vista deles sobre nós — para nos vermos com clareza. A visão deles pode ser apenas uma peça do quebra-cabeça, mas é uma peça importante. É como raiz-forte no molho do canapé: você não vai querer comer a raiz-forte pura, mas sem ela o molho não vai ficar tão saboroso.

Então, compreensivelmente, nós damos importância ao modo como os outros nos veem. Mas no final das contas, temos de aceitar o fato de que não podemos controlar a maneira como nos veem. A visão que os outros têm de você pode ser incompleta, desatualizada, injusta e sem fundamento. Ou, o que é mais desagradável, eles podem estar afirmando sobre você algo que na verdade vale só para eles. *Sou pedante e egoísta? É mesmo? Você é que é pedante e egoísta.* De um só golpe, você é acusado em falso e eles, com a mesma falsidade, se eximem de culpa.

Podemos nos tornar obcecados pelo desejo de fazer os outros admitirem que estão errados e mudar a ideia que fazem de nós. Como vamos conseguir isso? Não vamos. Por mais que a visão deles seja errada e injusta, você não pode controlar o pensamento dos outros. Você gosta de assistir futebol americano por causa da complexidade própria da estratégia, como a de um jogo de xadrez, mas sua colega de trabalho insiste em afirmar que é uma tentativa adolescente de mascarar sua insegurança quanto a sua masculinidade. Você acha que se alguém sabe por que você gosta de futebol, ou se está seguro de sua masculinidade, esse alguém é você mesmo. Mas sua colega está convencida de que ela é a autoridade no assunto.

Você pode discutir, dar exemplos, apresentar provas e declarações com firma reconhecida de seu terapeuta, de seu pai ou do papa. Mas *não pode* obrigá-la a pensar diferente a seu respeito. Talvez ela mude, talvez não.

A parte boa é que, na verdade, os outros não perdem tanto tempo pensando a seu respeito quanto você imagina. A maior parte das pessoas está simplesmente obcecada demais consigo mesma para ficar obcecada com você. Então, quando estiver sentado em sua casa tentando imaginar como sua ex-mulher foi capaz de se enganar tanto sobre o tipo de pessoa que você é, sua ex-mulher estará sentada em casa vendo o Luke do programa *America's Got Talent*. Claro, uma vez ela chamou você de arremedo patético de ser humano, e ainda deve pensar assim. Mas ela não ficou remoendo isso.[3] Você também não devia ficar.

Tenha dó dele

Quando uma pessoa lança um ataque injusto contra você, ou passou a vida sonegando aprovação, a compaixão não é o primeiro sentimento que vem à cabeça. Mesmo assim, a empatia pode exercer um efeito profundo sobre como vemos outra pessoa e ouvimos seu feedback. Quando uma vez mais seu pai deixa de manifestar satisfação por alguma realização que significa muito para você, pense em como deve ter sido o pai *dele*. Melhor ainda, pense em seu pai como o menino que talvez tenha sofrido, e dê um abraço nesse menino.

Por falar em meninos, quando seu filho desce chorando do ônibus porque outra criança disse que ele era idiota, não lhe diga que ele não é idiota. Isso seria deixá-lo em situação de escolher entre a sua história e a história do menino malvado. Ajude-o a encontrar a própria história na qual se apoiar. Ajude-o a pensar com os indícios reais, o que pode estar acontecendo com o outro menino e o que de fato é verdade. Se ele conseguir ver por si mesmo que não é idiota, vai entender que o fato de alguém dizer isso não vai fazer com que seja verdade.

Portanto, não descarte a visão que os outros têm de você, mas tampouco as compre por atacado. Essas visões são *informações*, não *conclusões*.

Quando a vida fica difícil

Tudo bem, livro, tentei algumas das coisas que você está falando aqui e não adiantou nada. Não estou só chateado e preocupado. Estou deprimido e com medo — mais do que você imagina.

Bem lembrado. Nós também, às vezes.

Afogar-se

Se fôssemos projetar o sistema de aprendizado humano partindo do zero, estaríamos inclinados a suprimir os sentimentos mais dolorosos. Que o bebê leve tombos e o adolescente cometa erros, mas que não se machuquem quando isso acontecer. Seu marido vai embora? Tenha com ele uma rápida entrevista de despedida para descobrir como você pode melhorar, compre um par de sapatos incrível e saia naquela mesma noite à procura de um novo parceiro fantástico.

É claro que não somos feitos dessa forma, nem perto disso. E muitas vezes nos perguntamos: essas fortes emoções negativas servirão para alguma coisa em nossa vida?

Às vezes, elas servem. O sofrimento emocional pode nos manter debaixo dos lençóis durante semanas, mas também pode nos levar — nos *obrigar* — a reavaliar a nossa vida, o que de outra forma não aconteceria. Fortes emoções negativas podem nos manter num marasmo, mas também podem nos ajudar a sair dele. Na verdade, quase sempre aprendemos mais com o feedback no momento em que ele causa mais sofrimento.

Mas, para algumas pessoas, a longo prazo esse sofrimento se

transforma em ansiedade e desespero, e elas ficam deprimidas, paralisadas ou se suicidam. Todas essas distorções que lançam nossos problemas no Google e fazem parecer que as coisas nunca vão melhorar se instalam para uma longa permanência. Para os outros parecemos bem, e assim recebemos conselhos bem-intencionados de amigos sobre manter uma atitude positiva, olhar o lado bom e permanecer ativos. Mas quando estamos lutando de verdade, esse tipo de conselho é tão inútil quanto gritar "é só flutuar!" para uma pessoa que está se afogando.

É fato que as pesquisas mostram que a maioria das pessoas submetidas a trauma (por exemplo) saem dele incólumes, e uma parte delas apresenta até mesmo um crescimento pós-traumático. Isso dá aos que sofrem trauma uma razão empírica clara para serem otimistas e diz a todos nós que não precisamos ter tanto medo das coisas ruins que podem nos acontecer.

Mas se não estamos bem, então não estamos bem. Alguma combinação de predisposição e experiência nos derrotou, e de nada adianta todo nosso esforço para manter o feedback contido e equilibrado.

Quando você está no fundo do poço, o consolo pode chegar na forma de amigos, família, comunidade ou Deus. Você pode encontrar alívio em remédios, terapia ou internação. Exercício e meditação muitas vezes ajudam, assim como dedicar seu tempo e sua energia a alguma coisa maior do que você mesmo.

Somos a favor de todos esses recursos.

Peça ajuda

Muitas vezes, o primeiro passo consiste em estender a mão e pedir ajuda. Isso exige humildade e coragem. Você pode pensar que os que estão a sua volta devem saber que você está com problemas, mas é possível que não saibam. É possível que você tenha de dizer com todas as letras: *Preciso de ajuda. Preciso que você me ajude agora, neste instante.*

Peça aos que estão a sua volta para que sejam espelhos complacentes. Eles são capazes de ver que você ainda é uma pessoa querida e que você não se resume ao que está passando agora. Eles podem ver além do sofrimento atual, um ponto em que as coisas vão melhorar. O retrato que pintam de você é lúcido e equilibrado, sem as distorções causadas pela ansiedade, ou pela vergonha, ou pela depressão que turva a sua própria visão.

Tenha fé neles. Quando aquela ex-mulher aparecer na porta com um retrato seu nada lisonjeiro que ela pintou, os espelhos complacentes impedirão você de pendurá-lo na parede da sala. Quando seu chefe recomenda que mande tatuar na sua testa as palavras "sou incompetente", eles afastarão você calmamente do salão do tatuador.

Se você não consegue encontrar autoaceitação neste instante, procure se aceitar por procuração. Permita que seus espelhos escolham por você. E permita que eles o ajudem a encontrar os meios de tirar uma lição do sofrimento que você está experimentando, fazendo dele alguma coisa útil para o próximo capítulo de sua vida. Esse é o tema do próximo capítulo deste livro.

RESUMO: ALGUMAS IDEIAS BÁSICAS

Antes de decidir o que achamos do feedback recebido, temos de remover as distorções:

- *Esteja preparado, esteja atento* — reconheça sua marca de feedback.
- *Separe as tendências* — de sentimento/ história/ feedback.
- *Contenha a história* — de que se trata e de que não se trata?
- *Mude seu ponto de observação* — para o de outra pessoa, para o futuro, para o da comédia.
- *Admita que não pode controlar o modo como os outros veem você.*

Não compre a história dos outros sobre você por atacado.

As opiniões alheias sobre você são informações, não conclusões.

Estenda a mão para os espelhos complacentes que podem ajudá-lo a se ver com compaixão e equilíbrio.

CAPÍTULO 9

Cultive uma identidade de crescimento

CLASSIFIQUE COMO ORIENTAÇÃO

No capítulo 7, vimos como nosso circuito afeta o modo como reagimos ao feedback positivo e negativo, e como nossas reações emocionais afetam nossa capacidade de ver claramente o feedback. Se estamos eufóricos ou desesperados, nossas emoções podem distorcer nossa percepção do feedback, como ocorre com aqueles espelhos deformantes dos parques de diversão. No capítulo 8, falamos sobre como endireitar o feedback para compreendê-lo em perspectiva.

Mas mesmo em "tamanho real", o feedback pode desestabilizar nossa ideia de quem somos. Ele pode contradizer ou subverter a história que contamos sobre quem somos, ou pode confirmar nossos piores receios sobre nós mesmos. Para aprender com o feedback, não basta interpretá-lo corretamente; precisamos saber lidar com a nossa identidade. Neste capítulo, veremos como construir uma identidade robusta, resistente, mais aberta do que avessa ao feedback.

O feedback pode abalar nossa ideia de quem somos

Visitar sua mãe no asilo é sempre de cortar o coração. Dizer adeus no final de cada visita e ir embora, enquanto ela fica olhando, triste e confusa, é quase insuportável.

Depois do diagnóstico de demência, seu pai cuidou dela e você ajudou na medida do possível. Mas ela começou a ter incontinência e quedas frequentes, você passava as noites acordado, louco de preocupação. O preço que seu pai estava pagando por isso começou a ficar intolerável, e o risco de algum acontecimento trágico só aumentava. Finalmente, você conseguiu falar com seu pai sobre a possibilidade de mandar sua mãe para uma instituição, pela segurança dela e pela sanidade dele. Era o que tinha de ser feito. Ou não era?

Não era, segundo a melhor amiga de sua mãe, Rita, que disse a seu pai que nunca mais falaria com vocês dois. Quando ouve isso, você fica envergonhado.

Identidade: a história do nosso eu

Identidade é a história que contamos a nós mesmos sobre nós mesmos — como somos, o que defendemos, em que somos bons, de que somos capazes. *Sou um líder forte; sou uma avó presente; sou racional; sou apaixonado; sou sempre justo.*[1] Quando o feedback contradiz ou desafia nossa identidade, nossa história sobre quem somos pode se desmanchar.

> Você se vê como inteligente, trabalhador e politicamente experiente. Mas depois de dez anos de esforço concentrado, acabam de lhe recusar estabilidade. E agora, quem é você? E agora?

> Para você, nada é mais importante do que ser um bom filho. A crítica de Rita é cortante como uma faca afiada, despedaçando profundamente a ideia que você faz de si mesmo.

> Seu marido lhe dá um ultimato — o cachorro ou eu. Você fica confusa ao descobrir que prefere o cachorro. Isso faz de você uma pessoa má?

Não é só o feedback grande e importante que pode nos dividir. Coisas do dia a dia também podem abalar a identidade, por exemplo: seu melhor amigo dá ingressos da final do campeonato de futebol para outra pessoa; o cliente que você ajudou ontem durante uma hora ligou hoje e pediu para ser atendido por outro representante. Mesmo o feedback positivo pode desorientar: você se sente bem com a autoimagem de "artista morto de fome". Com o sucesso repentino de seu último trabalho, você começa a pensar se não teria se rendido ao mercado.

Podemos ficar exaltados até mesmo com informação que não nos diz respeito. A garota que trabalhava no caixa da lanchonete foi nomeada chefe na Nasa, e o menino que infernizava sua vida no jardim da infância acaba de abrir o capital de sua empresa. Você fica feliz por eles, mas um pouco menos feliz consigo mesmo. Isso porque as histórias de identidade são influenciadas por como estamos nos saindo em comparação com os que nos cercam; nossos pares se tornam os parâmetros que usamos para nos avaliar.[2]

Sua identidade é frágil ou robusta?

Imagine duas pessoas com dotes naturais, experiência de vida e circuitos semelhantes. Você poderia supor que a identidade delas e sua capacidade de absorver feedback sem perder o equilíbrio seria mais ou menos a mesma.

Pode ser. Mas não necessariamente. *Nossa capacidade de assimilar feedback problemático é governada pelo modo como contamos nossa história de identidade.* Algumas pessoas contam essa história de um modo que enfraquece a identidade, enquanto outras a contam permitindo que ela seja robusta. Os do segundo grupo são propensos a tratar o feedback não como uma ameaça às pessoas que eles são, mas como um aspecto central daquilo que eles são.

O que há de bom nisso: embora algumas pessoas preservem espontaneamente sua identidade, todos nós podemos *aprender* a fazer isso e a nos tornar mais resilientes. Não podemos controlar o feedback que a vida nos reserva, mas podemos fazer algumas mudanças em nossos pressupostos e assim melhorar nossa capacidade de recebê-lo, mantendo o equilíbrio e aprendendo com ele. Duas mudanças são essenciais. Precisamos:

1 abandonar rótulos simples de identidade e cultivar a complexidade;
2 mudar a mentalidade fixa para uma mentalidade de crescimento.

Vamos examinar ambas as mudanças, uma por vez, e mostrar três procedimentos que podem ajudar você a efetuá-las dentro das atividades e da correria da vida diária.

Abandone rótulos simples e cultive a complexidade

Enquanto nossa identidade se constrói a partir da imensa complexidade de nossas experiências de vida, somos propensos a considerá-la como rótulos simples, ou seja: sou competente, sou bom, sou digno de ser amado. Esses rótulos desempenham uma função importante: a vida pode ser confusa e embaralhada, e rótulos simples de identidade nos recordam nossos valores e prioridades, além de aonde estamos tentando chegar. Se sou um homem de palavra, bem, isso está resolvido. Posso ser tentado a descumprir um compromisso, posso até me justificar por isso... Mas não é assim que eu sou.

No entanto, os rótulos simples têm um problema. São simples justamente porque são "tudo ou nada". Funcionam bem quando somos *tudo*. Mas quando recebemos um feedback que mostra que *não* somos tudo, interpretamos isso como se fôssemos *nada*. Não existe "parcialmente tudo", ou "às vezes tudo", ou "tudo exceto...". Se não somos bons, somos ruins; se não somos inteligentes, somos burros; se não somos santos, somos pecadores.

Não é de admirar que o feedback pareça tão ameaçador e nos derrube tão facilmente. Nós nos estabelecemos como identidade por meio de histórias que funcionam como um interruptor de luz que pode ser acionado pelo feedback, por menor que seja. Se não estamos reluzindo em glória, estamos perdidos no escuro.

Deixá-lo de fora ou fazê-lo entrar?

Quando as identidades "tudo ou nada" topam com um feedback negativo, muitas vezes viram pelo avesso. O feedback torna-se manchete na última edição do *Diário do Eu*: "Acadêmico esforçado" vira "Bobo que perdeu anos esperando estabilidade". "O bom filho" vira "Filho sem coração abandona mãe". O feedback é o título de primeira página da nossa história de identidade, e tudo o mais que sabemos sobre nós mesmos é empurrado para a última página. Dessa forma, o feedback fica exagerado.

Na luta pela aceitação, detectamos a outra possibilidade: deixar o feedback *de fora*. Se pudermos determinar por que o feedback é falho ou fora de propósito, *se pudermos detectar erros com perícia*, então vamos poder "negar" o feedback e manter nosso senso do eu. Estamos salvos. Ainda somos "tudo". Nossa história de identidade permanece intacta.

As identidades "tudo ou nada" nos dão esta escolha: podemos exagerar o feedback, mas também negá-lo. Muitas vezes, acabamos nos alternando entre os dois. Ficamos indo e voltando, entre aceitar e rejeitar, sem encontrar um ponto para nos firmar. ("Se eu aceitar esse feedback, quer dizer que sou uma má pessoa. Talvez seja mesmo. Mas isso não pode ser verdade. Vou rejeitar esse feedback. Mas por que eles diriam isso se não fosse verdade? Talvez seja. Mas eu me conheço melhor do que eles, e se fosse verdade ia ser tão angustiante, então não pode ser verdade. Por outro lado...") E por aí vamos, saracoteando feito um peixe no convés de um barco.

Nenhuma opção parece ser a certa, porque nenhuma delas *está* certa. A resposta não está em encontrar o caminho correto para improvisar um equilíbrio entre o exagero e a negação. A resposta depende, em primeiro lugar, de como mantemos nossa identidade.

Adote nuances de identidade

Assim, embora os rótulos simples nos orientem no mundo, não dão conta da complexidade do mundo. Você é um homem de palavra, mas e se tiver de escolher entre manter a palavra que deu a seu supervisor e manter a palavra que deu a seu enteado? Ou talvez você se veja como "justo", e justo é justo, certo? Mas o que parecia justo na semana passada de repente não parece tão justo agora que você conversou com outros que serão afetados por sua escolha.

Portanto, os rótulos simples são preto e branco demais para serem capazes de contar a história toda sobre quem é você. Você é alguém que valoriza muito o fato de ser confiável, ou justo, ou responsável, e há milhares de exemplos para cada uma dessas qualidades. E alguns exemplos de casos em que você não chegou lá. A realidade é assim.

Sua mãe morreu cerca de seis meses depois de ter ido para o asilo, e você ainda se pergunta com aflição se tomou a decisão certa. Havia bons motivos para sugerir essa medida a seu pai. Às vezes você não consegue imaginar uma solução diferente, enquanto em outras acha que cometeu um lapso moral grave, foi a pior coisa em que já esteve envolvido. Na sua mente, há uma justaposição de imagens de sua mãe cuidando de você a vida toda com imagens da expressão dela perplexa ao ver você indo embora do asilo. Talvez você pudesse ter voltado para a casa de seus pais para ajudar ou ter trazido sua mãe para sua casa e contratado uma enfermeira em tempo integral. Tem gente que faz isso. Por que você não fez?

A conclusão é a seguinte: enquanto contar a sua história nesses termos preto e branco, você não vai encontrar paz. Você não pode escolher entre ser uma boa pessoa e uma má pessoa. Qualquer que seja a decisão, sempre haverá indícios que favoreçam a conclusão oposta.

Não era um filme da Disney. Não ia aparecer nenhuma fada madrinha ou um bando de pássaros azuis num rasto de poeira de estrelas com soluções de varinha mágica. Foi complicado, e seus sentimentos a respeito também. Você estava tentando solucionar a situação de sua mãe e também dar apoio a seu pai. Queria ter sua mãe rodeada de amor, mas também que ela estivesse segura e bem cuidada. Estava tentando acertar com seu pai e sua mãe, diante de uma centena de incógnitas.

Você se orgulha de algumas soluções que deu a essa situação — via sua mãe quase todos os dias e fez um álbum de fotos da vida dela, cheio de fotos antigas, da época que ela ainda conseguia se lembrar. E há outras coisas de que se orgulha menos — oportunidades perdidas, momentos de impaciência. Seu pai provavelmente não teve muito de seu tempo e sua atenção. E, certamente, sua própria família pagou um preço por tudo isso nos últimos meses.

À medida que a história sobre a situação e sobre você mesmo mostra mais nuances, você passa a se perguntar se há alguma coisa a aprender na visão de Rita. Você junta coragem e liga para ela, que aceita conversar. Ela diz como se sente, e você entende. Você diz a ela como se sente, mas ela não entende. Rita tem regras preestabelecidas sobre essas coisas — regras que provavelmente você também tinha até passar pela experiência com sua mãe.

Rita insiste em dizer que seu comportamento foi egoísta e que talvez isso tenha sido tudo o que você aprendeu. Você não sabe se "egoísta" é a palavra certa, mas certamente seus interesses estavam em jogo. Pondo sua mãe num asilo, você já não teria de se preocupar com as quedas dela, não precisaria limpar tudo depois de episódios de incontinência, nem se preocupar se ela estaria se alimentando bem. Também não teria de se preocupar com seu pai tendo um ataque decorrente do estresse de cuidar dela. A ideia de que seus interesses estavam envolvidos se choca com uma parte central de sua identidade, com certeza. Você sempre se viu como uma pessoa capaz de fazer *qualquer coisa* por aqueles que ama. Mas agora está vendo que não é tão simples.

Essa aceitação traz tristeza, mas também uma espécie de equilíbrio.

Três coisas a aceitar em você

A tristeza e o equilíbrio. Isso não é raro. Há coisas a nosso respeito que são difíceis de aceitar, mas quando as aceitamos, ficamos mais firmes. O feedback negativo tem menos probabilidade de nos derrubar, e podemos entendê-lo como sendo pelo menos parte da história.

Ninguém é perfeito e, mantidas as mesmas condições, é melhor não acreditar que você seja — e não só porque acreditar-se perfeito faça de você uma pessoa menos agradável nas festinhas, mas também porque fica mais difícil aprender com o feedback. Em *Conversas difíceis*, mostramos três coisas para aceitar sobre si mesmo, e vamos mencioná-las aqui: você vai cometer erros, você tem intenções complexas e você contribuiu para o problema. Aceitar essas três coisas como um projeto de longo prazo, mas trabalhando nelas, faz com que o feedback difícil fique mais tolerável.

Você vai cometer erros

Se tem alguma dúvida sobre isso, basta perguntar a seu cônjuge. Na verdade, seu cônjuge pode ser toda a prova de que você precisa.

Não é a primeira vez que você ouve dizer que as pessoas cometem erros — mesmo pessoas brilhantes, generosas e fantásticas em tudo o mais. Mas é uma verdade fácil de esquecer quando alguém está apontando um erro específico que nós cometemos. Se acha que essa seria exatamente a hora mais fácil de lembrar disso, você se engana. Quando nos mostram um erro, nosso primeiro impulso é nos defender ou explicar. *Erro? Não meu, de jeito nenhum. Me passaram a data errada para a reunião e, de qualquer forma, eu já tinha decidido que não precisava comparecer.*

Aceitar o fato de que você vai cometer erros elimina um pouco da pressão. Qualquer erro pode ter ainda o poder de chocá-lo e desanimá-lo, e é lamentável ver em que medida ele destaca a sua estupidez. Mas você pode ter certeza de que as pessoas cometem erros como esse, e que entre essas pessoas está você.

Você tem intenções complexas

Essa observação tem menos popularidade do que aquela sobre os erros, embora talvez seja ainda mais difícil de aceitar. Mescladas com nossas intenções positivas, há outras menos nobres — podemos querer nos promover, ser vingativos, frívolos, fúteis, gananciosos. Ficamos cansados e queremos cortar caminho. Tentamos não mentir, mas nos perdoamos se de vez em quando simplesmente faltamos com toda a verdade.

Quando recebemos feedback negativo sobre nossas intenções, sem exceção abrimos uma exceção. Tínhamos boas intenções. Sabemos que tínhamos boas intenções, porque é assim que as pessoas boas agem. Assumi aquela tarefa para mim mesmo, porque era a pessoa mais indicada para isso. O fato de sempre ter desejado ir ao Havaí não teve nada a ver com isso.

Ir atrás de nossos interesses, dentro de certos limites, é uma condição de estarmos vivos; às vezes nossos interesses entrarão em conflito com os interesses de outra pessoa, e ocasionalmente isso será usado contra você. Pode ser difícil de ver ou admitir. Você não deve deixar de querer melhorar, mas aceitar *o que é* pode trazer um alívio enorme.

Você contribuiu para o problema

É fácil fazer as contas do relacionamento de modo que sejamos a parte prejudicada da equação. E quando somos a parte prejudicada, não temos de nos preocupar com feedback. Você enviou por e-mail os documentos errados, e agora, não sei como, está querendo me dar feedback? Discordo. Quando você anexou os documentos errados, ganhou carteirinha de sócio permanente em meu clube chamado Não-tenho-de-receber-feedback-seu-sobre-este-problema.

É claro que essas contas às vezes não fazem sentido. Como vimos no capítulo 6, na maior parte das vezes ambos contribuímos para o problema. Cada um de nós fez ou deixou de fazer coisas que levaram a essa confusão. Se quisermos aprender com a experiência e enfrentar o problema, temos de olhar o quadro completo. O que significa que teremos de fechar o clube nada-de-feedback. O fato de termos feedback para outra pessoa ("Mande os documentos certos") não quer dizer que ela não tenha feedback para nós ("Não me diga 'os anexos parecem bons' se você sequer deu uma olhada neles").

Aceitar que não somos perfeitos também significa desistir da ideia de que ser perfeito é um jeito possível de escapar do feedback negativo.[3] É um pensamento sedutor, mas não funciona; você não pode escapar sempre de receber feedback. Não consegue superar isso, e vai morrer tentando. Aceitar as imperfeições não é apenas uma boa ideia, é o único caminho.

Você sempre foi complicado

O primeiro passo, portanto, para manter ou recuperar o equilíbrio e aumentar suas chances de aprender com o feedback é reconhecer que seu rótulo de identidade é uma simplificação. Você poderá assimilar um feedback negativo com mais facilidade quando se livrar do impulso do tudo-ou-nada. Você não vai passar de bom a mau, ou de bom para complicado: você sempre foi complicado.

Mude a mentalidade fixa para uma mentalidade de crescimento

Agora que está livre da história do rótulo simples, vamos dar uma olhada em outro aspecto de como lidar com sua identidade: você considera suas características definitivas e completas? Ou elas estão sempre evoluindo e são capazes de crescimento?

A professora Carol Dweck, da Universidade de Stanford, diz que essas diferenças na forma de pensar sobre nós mesmos têm importantes implicações para nossa capacidade e nosso desejo de aprender com o feedback. Como ela ficou sabendo disso? Com as crianças.

Crianças como quebra-cabeças

Carol Dweck começou sua pesquisa com uma pergunta simples: como as crianças convivem com o erro? Para descobrir isso, levou algumas para o seu laboratório e fez com que elas montassem quebra-cabeças cada vez mais difíceis. À medida que os quebra-cabeças iam ficando mais complicados, as crianças ficavam frustradas, desmotivadas e finalmente desistiam.

Menos algumas. Na verdade, para surpresa da pesquisadora, umas poucas crianças ficavam mais entusiasmadas à medida que a dificuldade aumentava. Um dos meninos lambia os lábios de excitação quando tentava um encaixe, depois outro, dizendo: "Eu esperava que isto fosse educativo". A própria Dweck estava desconcertada e um tanto surpresa. Ela se perguntava: *O que há de errado com essas crianças? Por que não desistem? Por que não aceitam o feedback da luta com o quebra-cabeça e não se chateiam por estar falhando?*[4]

Em conversas com as crianças para descobrir como elas estavam encarando aquilo, Dweck concluiu que as que desistiram logo pensavam nesta linha: *Os primeiros quebra-cabeças mostraram que sou inteligente. Estes outros estão me fazendo parecer* (*e me sentir*) *burro.* Em comparação, as crianças que persistiram pensavam assim: *Estes novos quebra-cabeças mais difíceis estão me fazendo ficar melhor em montar quebra-cabeças. É divertido!*

A razão pela qual algumas crianças continuavam tentando nada tinha a ver com seu interesse por quebra-cabeças ou sua habilidade para montá-los, mas sim com a mentalidade delas. As que desistiram supunham que sua habilidade para montar quebra-cabeças era uma característica fixa — tinham certa quantidade dessa habilidade, da mesma forma que uma molécula de água tem um número determinado de átomos de hidrogênio. As crianças que insistiram viam sua capacidade de montar quebra-cabeças como uma característica flexível, que podia mudar e crescer.

Pressupostos fixos versus pressupostos de crescimento

Se você tem uma mentalidade fixa, cada situação que encontrar vai funcionar como um referendo sobre a inteligência ou a habilidade que você pensa que tem ou gostaria de ter. Crianças "fixas" vão bem quando o quebra-cabeça é fácil. Mas quando começam a ter dificuldade, elas ouvem o quebra-cabeça sussurrando: *Você não tem inteligência suficiente para montar quebra-cabeças. Não está à altura desta tarefa*. Ficam desanimadas, impacientes, constrangidas. Melhor abandonar tudo do que continuar enfrentando a própria carência.

As crianças com mentalidade de crescimento, pelo contrário, não acham que a inteligência para quebra-cabeça seja algo que se tem ou não se tem. Elas pressupõem que é uma habilidade que pode ser desenvolvida e, mais que isso, veem a dificuldade para montar um quebra-cabeça complicado como o desafio de que precisam para melhorar. Como explica Carol Dweck, "além de não se deixarem desanimar pelo fracasso, elas sequer achavam que estavam fracassando. Pensavam que estavam aprendendo".[5] Para elas, o quebra-cabeça não é um avaliador, e sim um orientador.

É como se os meninos de mentalidade de crescimento estivessem montando seus quebra-cabeças numa sala chamada "Sala de Aprendizado" e os meninos de mentalidade fixa fizessem o mesmo numa "Sala de Prova". Em qual dessas salas você preferiria passar a vida?

Carol Dweck observa que muita gente acredita que suas próprias características, suas qualidades e seu caráter — sua identidade — estão "gravados na pedra".[6] O modo como falavam conosco quando éramos crianças (e o modo como nós muitas vezes falamos com nossos próprios filhos) reforça essa tendência: "ele é um líder inato", "ela é brilhante", "você sempre foi uma ótima pessoa", "você nasceu para ser atleta". Nossa história de identidade se calcifica em torno do que somos e do que não somos. E nós aceitamos a implicação óbvia: é improvável que o esforço movimente o ponteiro. O que dizem de nós é o que somos, e a classificação é permanente: não vai sair quando nos lavarmos durante o banho.

Mas algumas características não são mesmo fixas?

É compreensível que se pergunte: a mentalidade fixa não seria simplesmente um reconhecimento da realidade?

É verdade que algumas características são menos influenciadas pelo esforço do que outras. Os peixes respiram debaixo d'água melhor do que você, e não é porque tenham posto na cabeça que são capazes. E cada um de nós acha que algumas coisas são mais fáceis que outras: a matemática e a corrida parecem naturais para você, mas desenhar e ter paciência ainda não.

Os pesquisadores divergem sobre a medida exata em que diversas características são rígidas ou elásticas, e já deram provas emocionantes de crescimento e contaram casos desanimadores de limitação. Mas a conclusão é a seguinte: as pessoas se saem melhor quando se dedicam, e se dedicam quando acreditam que podem fazer melhor. Isso é verdade tanto no caso de sermos terrivelmente ruins numa coisa ou excepcionalmente bons.

E o esforço tem mais peso nas qualidades que mais importam: inteligência, liderança, desempenho, confiança, compaixão, criatividade, autoconhecimento e colaboração. Todas elas crescem com a atenção e melhoram com orientação.

Implicações de como reagimos ao feedback e aos desafios

Os pressupostos fixos e de crescimento que levamos conosco têm profundas implicações quanto a como nos vemos, como recebemos o feedback e como reagimos a ele.

A exatidão da autopercepção

Até certo ponto, seu aprendizado e seu crescimento consistem em ter um controle razoável sobre suas qualidades atuais. Isso vai lhe dizer quais forças você deve capitalizar e alimentar, assim como quais fraquezas precisa combater ou contornar. Carol Dweck diz que as pessoas de mentalidade de crescimento são "excepcionalmente precisas" na avaliação de suas capacidades atuais, enquanto as pessoas de mentalidade fixa são péssimas na estimativa das próprias capacidades.[7]

Por que isso é assim? Se as características de uma pessoa são fixas, deveria ser mais fácil para ela ter uma visão precisa de suas capacidades. Afinal, ela não é um alvo em movimento. Mas a coisa é mais complicada: embora a mentalidade seja fixa, os dados que recebemos diariamente sobre nós mesmos são extremamente flutuantes. *Ontem eu era brilhante; hoje, sou um idiota. Semana passada eu era competente; esta semana sou incapaz.* É difícil harmonizar esse amplo leque de dados a partir de uma ideia simples e rígida de si mesmo. Não é de estranhar que cause confusão.

Se você tem uma identidade de crescimento, terá mais facilidade para entender a mistura de dados. É informação, não condenação. Em vez de ouvir "Semana passada eu era competente; esta semana sou incapaz", você ouve "Semana passada eu estava com a corda toda, esta semana estou deixando a peteca cair". Não se trata de quem você é, mas de alguma coisa que você fez. Pessoas com identidade de crescimento não se deixam abater pelas contradições e se motivam para procurar informação precisa em busca de se adaptar e aprender.

Como ouvimos o feedback

Nossa mentalidade — e nossas histórias de identidade dela decorrentes — tem muita influência sobre as coisas em que prestamos atenção. As pesquisadoras Jennifer Mangels e Catherine Good reuniram universitários com as duas mentalidades, fixa e de crescimento, num laboratório da Universidade Columbia, onde foram conectados a monitores de eletroencefalograma e responderam a um teste de conhecimentos gerais sobre literatura, história, música e arte. A seguir, os estudantes receberam duas informações: primeiro, quais questões tinham acertado e quais tinham errado; depois, as respostas certas para as questões que erraram. Os estudantes de mentalidade fixa prestaram muita atenção aos próprios acertos e erros, mas perderam o interesse pelas respostas certas. Os de mentalidade de crescimento, em contraste, prestaram muita atenção às respostas certas. Eles não ignoraram a avaliação, mas também estavam ávidos por orientação — como fazer melhor da próxima vez. Com efeito, num novo teste, os estudantes de mentalidade de crescimento se saíram melhor que seus congêneres de mentalidade fixa.[8]

O modo como reagimos ao esforço pode criar profecias fadadas a se confirmar

Isso pode ajudar a explicar por que aqueles que têm mentalidade de crescimento tendem a se recuperar mais rápido depois do erro. Eles entendem uma carência como oportunidade de crescimento e, por isso, redobram seu esforço. Depois de um mau resultado na escola, meninos de identidade de crescimento disseram que pretendiam estudar mais ou estudar de outro modo, enquanto meninos de mentalidade fixa eram mais propensos a dizer "me senti como um bobo, da próxima vez vou estudar menos e considerar seriamente a possibilidade de colar". Talvez levadas pela humilhação, as pessoas de mentalidade fixa são mais propensas a mentir sobre seu desempenho e a recuar depois do fracasso. Elas desistem mais cedo, deixando que os reveses se tornem pontos de referência.[9]

O contexto tem sua importância

Embora Carol Dweck diga que cerca de metade das pessoas são propensas a ter pressupostos de mentalidade fixa, o modo como contamos a história tem sua importância.

Na verdade, uma simples frase pode nos empurrar para a direção certa (ou errada). Em outra pesquisa, Dweck e sua equipe fizeram alunos do quinto ano montar um quebra-cabeça fácil. Uma vez terminada a tarefa, eles disseram para metade das crianças: "Puxa, você é mesmo inteligente!". E para a outra metade: "Puxa, você fez um grande esforço para montar o quebra-cabeça". Depois perguntaram aos dois grupos o que preferiam fazer a seguir: montar um quebra-cabeça mais difícil ou mais fácil.

Consegue adivinhar qual grupo optou pela dificuldade? Você adivinhou. (Você deve ser inteligente...)

Desse estudo se conclui que elogiar as crianças por sua inteligência é contraproducente no que se refere ao aprendizado. Seria melhor exaltar o esforço delas, se estivermos querendo incentivá-las a assumir novos desafios.

Mas espere um instante, por que isso funciona? Segundo os resultados, cerca de metade das crianças que foram elogiadas por seu esforço tinha mentalidade fixa. E mesmo assim optaram por assumir o novo desafio com a mesma presteza que seus colegas de grupo de mentalidade de crescimento. Talvez seja porque elogiar o esforço em detrimento da habilidade não desencadeie a ansiedade da identidade fixa. Ou talvez o esforço seja uma característica que eles têm certeza de que poderão repetir; aconteça o que acontecer com o próximo quebra-cabeça, seu esforço vai se destacar. Mas a conclusão é que, ao focar num traço que enfatiza o *processo de aprendizagem*, essas crianças se dispuseram a correr riscos e aceitar um desafio.

Mude para uma identidade de crescimento

Então, *como* se faz para transformar pressupostos fixos em crescimento? O primeiro passo é ter consciência das próprias tendências. Você se sente mais propenso a viver na Sala de Prova ou na Sala de Aprendizado? Vivencia as dificuldades como ameaças a sua identidade ou como oportunidades de crescimento? O fracasso é para você o fim do jogo ou apenas mais uma partida num jogo em andamento?

Examine o quadro a seguir e descubra quais pressupostos encontram eco em você.[10]

258

PERGUNTAS SOBRE IDENTIDADE	FIXA	DE CRESCIMENTO
Quem sou eu?	Sou fixo. Sou quem sou.	Eu mudo, aprendo, cresço.
Posso mudar?	Minhas características são fixas — o esforço, na verdade, não muda a essência de uma pessoa.	Minhas capacidades estão sempre evoluindo. O esforço e a persistência valem a pena.
Qual é o objetivo?	Sucesso. O que importa é o resultado.	O processo de aprendizado é o que recompensa. O sucesso é um produto secundário.
Quando me sinto inteligente/ competente/ bem-sucedido?	Quando faço alguma coisa com perfeição e quando a faço melhor do que os outros.	Quando tenho dificuldade com alguma coisa e começo a resolvê-la (as qualidades dos outros são menos relevantes para meu próprio potencial).
Reação ao desafio	Ameaça! Posso me expor a não estar à altura do desafio.	Oportunidade! Posso aprender alguma coisa e progredir.
Ambiente mais confortável?	Em segurança, dentro das minhas habilidades e minha zona de conforto.	Além das minhas habilidades, para aumentar minha capacidade.

Se você está inseguro quanto a sua capacidade de crescimento em uma de suas características ou habilidades, tudo bem. Essas não são perguntas fáceis. Mas só porque a resposta não é um claro "sim", não quer dizer que seja um claro "não". Tente esta experiência: proponha-se a mudar um hábito ou aperfeiçoar uma de suas competências. Encontre um orientador e ponha mãos à obra. Obrigue-se a experimentar coisas em que você não é bom e, quando se der mal, faça uma lista com três maneiras possíveis de melhorar da próxima vez. Tente de novo e veja o que acontece.

Por exemplo, depois da experiência com sua mãe e da conversa com Rita, o que você descobriu que poderia mudar numa situação semelhante em relação a seu pai? Como sua experiência vai influenciar o que você ensina a seus filhos e o que espera deles? Se vê coisas que pode modificar, coisas que aprendeu e pode mudar da próxima vez, então você está a caminho de considerar a ideia de si mesmo como capaz de crescimento e mudança. A experiência ensina mais do que rotula.

E apesar de tudo isso, lembre que o feedback negativo não é uma repreensão ao pressuposto da mentalidade de crescimento. Essa mentalidade não está imune a reveses e decepções. Você gostaria de estar bem à frente do que aparentemente está na curva do aprendizado. Sua recompensa pelo esforço é menor do que você esperava. Uma identidade de crescimento não tem a ver com o fato de você receber feedback excelente ou problemático. Tem a ver com o modo como você administra o que recebeu.

Vejamos três procedimentos específicos que podem ajudar a cultivar uma mentalidade de crescimento.

Procedimento nº 1: classifique como orientação

Certos feedbacks são principalmente de avaliação (sua graduação, a classificação de seu blog). Outros pretendem ser de orientação. A única intenção do emissor é ajudá-lo a aprender ou progredir em alguma coisa. Mas, como vimos com as rebatedoras gêmeas Annie e Elsie no capítulo 2, até mesmo o feedback dado como pura orientação pode ser interpretado como avaliação. "Tente fazer de outra forma" (orientação) contém implícita a mensagem "Até agora, você não está fazendo tão bem quanto deveria" (avaliação).

Como receptores, estamos sempre classificando o feedback nas categorias de avaliação e orientação. A escolha entre essas duas categorias faz muita diferença no aproveitamento do feedback. Pelo seguinte motivo: enquanto a identidade fica facilmente agastada pela avaliação, sente-se muito menos ameaçada pela orientação. É quase como ter um passe livre. Você pode aprender sem ter de enfrentar a árdua tarefa de se reavaliar.

Elsbeth está no intervalo depois de terminar a primeira parte de uma apresentação de três horas. O cliente chega para ela e diz que está indo bem, mas sugere que ela fale com mais energia.

Isso é orientação ou avaliação?

Se Elsbeth interpretar o comentário como orientação, pode dizer a si mesma: "Preciso tomar mais uma xícara de café e pensar como tornar o próximo segmento mais interativo". Se interpretar como avaliação, sua identidade vai se sentir provocada: "Estou aborrecendo você e todos os demais? Normalmente as pessoas adoram minhas apresentações! Mas talvez eu não esteja à altura de uma plateia desse nível...". Elsbeth fica brigando com sua autoimagem, incapaz de aproveitar a orientação que poderia realmente melhorar a segunda parte de sua apresentação. Identidade provocada, aprendizado bloqueado.

Ouça a orientação como orientação

Classificar como orientação nem sempre é fácil. Mas há uma espécie de feedback que não deveria apresentar problema nenhum para isso: o que é oferecido *especificamente* como orientação. Nesse caso, tudo conspira a favor de que seja ouvido como tal. É o que o emissor pretende, é o que vai ser útil.

Mesmo assim, muitas vezes entendemos mal e lançamos a orientação no cesto da avaliação.

> Seu amigo lhe mostra um caminho melhor para o aeroporto, mas você interpreta a informação como um julgamento sobre sua habilidade de andar pela cidade.

> O chefe de sua unidade lhe fala sobre um novo aplicativo de gerencia-

mento de tempo, mas você entende isso como uma crítica a seus adiamentos.

Sua parceira fala sobre as coisas que parecem românticas na visão dela, mas você a ouve dizendo que você é desajeitado e autocentrado.

Estando a ponto de aprender, preferimos nos defender.

À medida que as conversas de feedback ficam mais emocionadas ou aumentam o que está em jogo, torna-se mais fácil ouvir avaliação e mais difícil ouvir orientação.

Tente este exercício: pense no feedback que recebeu nos últimos meses, seja pequeno ou grande. Digamos, por exemplo, que seu amigo perguntou por que você deixa as crianças ficarem acordadas até tão tarde.

Suponha primeiro que o feedback tinha intenção de avaliação. O que ele diria a seu respeito? Que você é permissivo demais? Um mau pai? Agora imagine que o feedback tivesse a intenção de orientar — que seja alguma coisa com a qual pode aprender. Nesse caso, você provavelmente terá uma conversa com seu amigo sobre o que ele percebeu e por que ficou preocupado. Pode ser alguma coisa em que você já tenha pensado, ou não. É um novo conjunto de experiências de vida para levar em conta quando fizer suas escolhas como pai.

Se você praticar esse exercício algumas vezes, vai descobrir três coisas. Primeiro, vai ver que com algum esforço você *consegue* ouvir a maior parte do feedback que recebe dessa forma. Segundo, se tiver êxito em ouvi-lo como orientação, vai perceber que sua reação de identidade diminui ou desaparece. E terceiro, você começa a observar padrões — suas próprias tendências. Não é raro que as pessoas descubram o seguinte: *Puxa, classifiquei como avaliação mais do que tinha percebido.* Não importa que você faça isso uma vez em dez, ou oito vezes em dez, cada uma dessas classificações é uma potencial explosão que não precisava acontecer e feedback com o qual você poderia ter aprendido. Existem muitas dificuldades reais na vida, então não é preciso criar problemas imaginários.

Quando orientação e avaliação se misturam

É claro que, às vezes, quem dá o feedback pretende oferecer uma mistura de avaliação *e* orientação, ou — o que é mais comum — não pensou com clareza sobre o assunto. Em relações pessoais intensas, isso pode se tornar particularmente confuso, e é preciso fazer força para pôr cada coisa em seu lugar.

Lisa diz a sua mãe, Margaret: "Quando eu tinha oito anos e o papai foi embora para se casar com outra, eu me senti como se você também tivesse me abandonado. Você estava totalmente envolvida pelo novo trabalho e pela nova vida social, além da ideia de 'me arranjar um novo pai'. Acho que você não percebeu o quanto foi difícil para mim".

Margaret ouve que Lisa está dizendo "Você foi uma má mãe" e fica arrasada. Acha o feedback injusto e se defende: "Lisa, trabalhei *duro* para que tudo desse certo para você. Foi um tempo dificílimo para nós duas, e eu tinha enormes dificuldades emocionais e financeiras".

Essa conversa é um bom exemplo de como a identidade e o feedback se chocam e quais são as consequências disso. Margaret se vê como boa mãe — é um ponto central de sua história de identidade. Então ouve a filha dizendo que ela falhou como mãe, e aí se vê diante do dilema de aceitar o que ela diz (e se considerar um fracasso) ou discutir o ponto de vista de Lisa numa tentativa de suprimir o feedback.

É importante perguntar: o que a filha pretende com isso? Qual foi sua intenção ao levantar o assunto? Será que ela quer que Margaret reconheça que não foi boa mãe? Não. Lisa espera três coisas: que a mãe entenda como ela se sentia enquanto ia crescendo; que a mãe reconheça que algumas de suas escolhas contribuíram para o sofrimento dela; que se estabeleça um relacionamento melhor entre as duas.

É claro que neste caso há julgamento e avaliação, e qualquer pessoa no lugar de Margaret perceberia isso. Mas, no fundo, o que Lisa está tentando comunicar é orientação. Seu objetivo não é fazer com que a mãe se sinta julgada, mas que a mãe *aprenda* com os sentimentos e opiniões da filha. E, com o tempo, ela também quer uma relação melhor com sua mãe.

Podemos pôr à prova a afirmação de que Lisa pretende dar orientação examinando as diferentes reações que Margaret poderia ter e imaginando qual delas seria mais satisfatória para a filha. Se a mãe disser: "Estou me sentindo julgada. Tem razão, talvez eu não tenha sido uma boa mãe", é pouco provável que isso faça muito bem a Lisa. Se, pelo contrário, Margaret disser: "Puxa, nunca percebi que você se sentia assim naquele tempo. É difícil para mim saber que fiz coisas que magoaram você. Sinto muito". É claro que essa será uma conversa muito mais longa, mas provavelmente se tornará mais satisfatória para Lisa. E, em algum momento, elas podem começar a discutir como gostariam que seu relacionamento fosse agora.

Situar a conversa num contexto de orientação pode ajudar a reduzir o sofrimento emocional de Margaret, mas não é importante só por esse motivo. A mãe deveria ouvir o feedback como orientação, porque isso é o que no fundo a filha pretende. Aceitar como orientação ajuda Margaret a se afastar da reação de sua identidade interna e também a tentar ouvir o que a filha está realmente dizendo.

Procedimento nº 2: tire o julgamento do cesto da avaliação

É claro que certo tipo de feedback é avaliação direta, e é isso que desafia nossa identidade mais diretamente. *Estou terminando nossa relação; você não vai conseguir o emprego; os vizinhos não querem que o filho deles vá brincar na sua casa, porque desaprovam seu "ambiente doméstico".*

Para decidir de que modo ouvir a avaliação, será útil desmembrá-la em suas três partes: exame, consequências e julgamento.

O *exame* classifica a pessoa. Diz em que posição ela está. No atletismo, o exame é claro: você corre 1500 metros em cinco minutos e dezenove segundos, o que situa você em quarto lugar no grupo de 40 a 45 anos.

As *consequências* são os resultados no mundo real decorrentes do exame: com base no exame, vai acontecer alguma coisa? O quê? De acordo com o seu tempo de corrida, você se qualifica para as provas regionais, mas não para as nacionais. As consequências podem ser certas ou especulativas, imediatas ou futuras.

Julgamento é a história que emissores e receptores contam sobre o exame e suas consequências. Você fica feliz com seu desempenho — foi melhor do que esperava. Mas seu treinador fica decepcionado e acha que você poderia ter se saído melhor.

Examinando os componentes da avaliação dessa forma, você pode calcular o quanto esse tipo de feedback mexe com sua identidade. No exemplo da corrida, não se trata de exame ou de suas consequências: é o julgamento de seu treinador. Você se vê como uma pessoa que não decepciona os demais. Saber que seu treinador ficou desapontado desafia esse aspecto de como você se vê. Não de maneira avassaladora, mas é algo que você percebe.

A decomposição da avaliação também ajuda a focar naquilo que se quer discutir com o emissor do feedback: você está de acordo com o exame, mas não com o julgamento?[11] As consequências são claras e justas? Por que seu treinador fez um julgamento diferente do seu em relação ao seu desempenho, e o que você pode deduzir disso?

Os exames exatos têm grande utilidade, e as consequências são importantes para a compreensão. Julgamentos dos outros? Você pode achar alguns esclarecedores e simplesmente descartar o restante. É a interpretação de uma pessoa e, se você tem sua própria interpretação, muito obrigado!

Procedimento nº 3: conceda-se uma "segunda contagem"

Vamos supor que você tenta tido uma avaliação negativa. O exame parece justo, mas as consequências são implacáveis. Você foi rejeitado — pelo empregador, por aquela garota, pelo programa de graduação, pelo time, pelo cliente.

E agora?

Seja o que for que você faça para aguentar o tranco, não deixe de imaginar também que vai haver uma segunda avaliação invisível. Depois de cada contagem baixa que você recebe, para cada fracasso e cada passo em falso, atribua a si mesmo uma "segunda contagem" baseada em como você considera a primeira contagem. Em todas as situações da vida, existe a situação em si e o modo como você a trata. Mesmo que você leve um zero pela situação, ainda pode ganhar um dez pela maneira como lida com ela.

Aqui temos duas boas-novas. A primeira: enquanto a avaliação inicial pode não estar plenamente dentro de seu controle, sua reação a ela normalmente está. A segunda: a longo prazo, a segunda contagem costuma ser mais importante que a primeira.

Mel e Melinda, dois artistas iniciantes, se empenharam bastante na produção de seu primeiro vídeo para o YouTube. Esperavam que fosse uma porta de saída do mundinho medíocre de seus empregos de então. Eles roteirizaram, dirigiram, atuaram e editaram. Compuseram e interpretaram a música. O produto final ficou além de suas expectativas. Brilhante! Foi postado.

O vídeo foi arrasado. Invariavelmente, os comentários mostravam polegares para baixo, e alguns deles eram desnecessariamente pessoais e cruéis. E o vídeo ainda teve um número insignificante de visualizações.

Mel ficou destroçado, passou a acusar o mundo de ser estúpido demais para entender o que ele e Melinda estavam tentando fazer. A parceira também ficou chateada, mas enquanto se lamentava também procurou descobrir o que eles podiam aprender com a experiência.

Poucas semanas depois, Melinda assiste ao vídeo e observa pela primeira vez que, embora as ideias sejam claras, a execução tem problemas. É difícil entender as letras, os cortes são muito bruscos. Ela fala de suas conclusões com Mel, que responde que pessoas criativas seriam capazes de entender mesmo com esses problemas de execução.

Melinda tem uma reação diferente: ela está determinada a ser boa — escandalosamente boa — na *arte* desses curtas. Lê tudo o que pode encontrar nas mídias sociais e faz um curso noturno de edição de filmagem. Durante o ano seguinte, ela cria e posta diversos vídeos; então, começa a ter seguidores em seu canal. Finalmente, a artista refaz o primeiro vídeo, que é recebido por uma maioria de polegares para cima.

Tanto Mel quanto Melinda receberam uma primeira contagem de polegares para baixo, mas só Melinda teve uma segunda contagem de polegares para cima. Nesse exemplo, como quase sempre acontece, uma segunda contagem boa é o que realmente importa.

Para sermos claros, não estamos apenas dizendo que é bom ser engenhoso e resiliente, mas sim sugerindo que você torne a chance da segunda contagem parte de sua identidade: *nem sempre tenho sucesso, mas tento honestamente descobrir o que posso aprender com o fracasso. Na verdade, estou ficando muito bom nisso.* Você pode ter também uma espécie de cartão de pontuação para a segunda contagem gravado na mente. Assim, essa parte específica de sua identidade será mais fácil de acompanhar. O cartão de pontuação lembrará que a avaliação inicial não é o fim da história: é o começo da segunda história sobre o significado que você vai atribuir à experiência em sua vida.

Uma forte identidade de segunda contagem pode ajudar a lidar com os mais desafiadores acontecimentos da vida. Heather se lembra do dia em que foi abandonada pela antiga namorada, e as semanas e meses que se seguiram: "Tudo o que eu podia controlar era a minha reação, e me levantava de manhã e ia para o trabalho. Tratei as pessoas à minha volta com respeito. Na verdade, fazer força para 'administrar bem a situação' me deu algo em que focar e com que me sentir bem. E foi o que fiz".

Como mencionamos no capítulo anterior, lidar com uma situação não significa negar o sofrimento ou sair dele ileso. Heather não está dizendo: "Agora que minha namorada me deixou, estou mais feliz do que nunca!". Significa encarar aquilo pelo que você está passando. Se você se encontra incapaz de dormir e luta contra surtos de ansiedade e solidão, administrar a situação significa ter a coragem de admitir que precisa de ajuda e pedi-la. Mesmo quando a identidade de Heather como pessoa que merece ser amada sofreu um golpe duro, ela buscou crescimento: "Aprendi que poderia lidar com uma perda difícil com dignidade e resiliência".

Não é pouca coisa.

PRIMEIRA CONTAGEM	SEGUNDA CONTAGEM
ANÁLISE DE DESEMPENHO:	
Atende às expectativas	Ultrapassa as expectativas
	Fiz muito bem em formular perguntas, em vez de bater em retirada. Tive clareza quanto às expectativas. Dedicar tempo para melhorar meu conhecimento sobre o produto, que é o ponto no qual me sinto deficiente.
ANÁLISE DO MEU RESTAURANTE:	
Duas estrelas	Quatro estrelas
(e geralmente uma análise negativa)	Não pôs a culpa nos outros. Não ficou remoendo. Deu um bom exemplo para o pessoal da cozinha e do salão. Mudou alguns itens do cardápio. Substituiu e treinou alguns dos garçons. Bem confiante de ter corrigido alguns erros que tinham sido apontados com razão.

RESUMO: ALGUMAS IDEIAS BÁSICAS

Nossa capacidade de receber e assimilar o feedback é afetada pelo modo como contamos a história de nossa identidade. Mude de:
• Um simples "tudo ou nada" para a complexidade real.
• Fixo para crescimento — assim verá a dificuldade como oportunidade e o feedback como ferramenta útil para o aprendizado.

Três procedimentos que ajudam:
1. Classifique como orientação. Ouça a orientação como orientação e também procure a orientação na avaliação.
2. Quando avaliado, separe o julgamento do exame e das consequências.
3. Conceda-se uma segunda contagem para o modo como lida com a primeira contagem.

QUINTA PARTE

Feedback
na conversa

CAPÍTULO 10

Até que ponto tenho de ser bom?

PONHA LIMITES QUANDO
O BASTANTE JÁ É O BASTANTE

Martin começou a trabalhar como petroleiro assim que deixou a Marinha e construiu uma carreira na plataforma. Atualmente é considerado um dos melhores perfuradores em atividade. Depois de um longo turno de trabalho, Martin se arrasta até seu beliche e pega seu plano de desenvolvimento ainda incompleto. Está atrasado. Precisa enviá-lo ainda esta noite ou corre o risco de arranjar muita amolação.

Item 23b: Por favor, enumere seus objetivos pessoais para o próximo ano. Inclua os parâmetros pelos quais avaliará a realização desses objetivos.

Martin dá um suspiro. *Depois de 31 anos de carreira, ainda preciso estar louco por outra rodada de novos objetivos?* Sorri e escreve: "Meu objetivo é terminar mais um ano produtivo em segurança. E conseguir que me deixem em paz com meus objetivos". Os parâmetros não serão necessários.

Encontrar limites, fixar limites

A maior parte deste livro trata de como receber melhor o feedback — analisá-lo e compreendê-lo plenamente antes de decidir aceitá-lo ou não. Mas isso levanta uma questão: tudo bem não apenas rejeitar o feedback, mas também dizer "não quero *nem ouvir falar* nisso"?

Tudo bem.

Na verdade, ser capaz de fixar limites para o feedback que você recebe é essencial para seu bem-estar e para a saúde de seus relacionamentos. A habilidade de dizer "não" não é um dom *paralelo* à capacidade de receber bem o feedback; está bem *no centro* dele. Se você não consegue dizer "não", então o seu "sim" não é escolhido livremente. Sua decisão pode afetar outras pessoas e muitas vezes terá consequências para você, mas a escolha é sua. É necessário cometer seus próprios erros e encontrar sua própria curva de aprendizagem. Às vezes, isso significa ter de calar os críticos por algum tempo para descobrir quem você é e como vai crescer. A escritora Anne Lamott explica assim:

> [...] Cada um de nós ao nascer recebe um campo emocional todo nosso. Você tem um, seu detestável tio Phil tem o dele, eu tenho o meu... E desde que não machuque ninguém, você pode usar o seu campo como lhe aprouver. Pode plantar árvores frutíferas, flores, canteiros de hortaliças em ordem alfabética, ou nada. Se quer que seu campo tenha o aspecto de um gigantesco depósito de sucata ou de um cemitério de automóveis, você é quem sabe. Mas há uma cerca em volta de seu campo, com um portão, e se as pessoas ficam entrando em sua propriedade para emporcalhá-la ou tentando fazer o que lhes dá na telha, você tem o direito de pedir para irem embora. E elas têm de ir, porque é seu espaço.[1]

Este capítulo trata do campo, da cerca e do portão, e de como e por que você deve pedir a seus emissores de feedback que fiquem de fora às vezes.

Três limites

Rejeitar feedback pode ser tão fácil quanto dizer "não, obrigado", ou ir embora, ou simplesmente não dizer nada. Eles oferecem, você recusa e acabou. Mas, às vezes, é mais complicado. Você diz não, mas o feedback indesejável continua chegando. E não é apenas tedioso, mas também destrutivo. É quando convém ser explícito sobre limites. Há três tipos de limites a considerar:

1. Posso não aceitar seu conselho

O primeiro é o mais brando: quero ouvir. Vou considerar sua contribuição. Mas posso não aceitá-la no final.

Isso é um tipo de cerca? Se a decisão é sempre sua, por que seria preciso mencionar esse primeiro limite em voz alta? Porque a pessoa que dá o feedback pode não concordar com sua opinião de que ele é optativo. Você pede a sua futura sogra que sugira floristas para o casamento. Então escolhe outro florista, e ela reclama: "Por que pede minha sugestão se não se importa com o que digo?". Na dança entre emissor e receptor, quando você não segue a orientação que recebeu, pode acabar pisando nos calos do pé de alguém.

Pode ser um terreno delicado. Se você rejeita meu conselho, estará rejeitando a *mim*? Alguns interpretam dessa maneira, mesmo que para você não seja assim. Quando você pede sugestões que talvez não vá aceitar, pode evitar aborrecimentos dizendo isso logo de cara. Não diga à sua sogra: "Qual florista devo contratar?". Peça com precisão: "Estamos analisando diversos floristas. Você tem alguém para a nossa lista?".

Outra dificuldade é distinguir uma sugestão de uma ordem. Preferir descartar feedback pode ter consequências. Você pode continuar chegando tarde para seu turno no hospital... E pode sofrer uma demissão por isso. Se você não tem certeza se a orientação é opcional ou obrigatória, discuta o fato explicitamente. E se decidir não seguir a orientação, não dê como certo que o emissor sabe o porquê. Explique seus motivos cuidadosamente.

2. Não quero feedback sobre esse assunto, pelo menos não agora

Com este segundo limite, você não só estabelece seu direito de decidir se aceita ou não o feedback, mas também o direito de não tratar do assunto: "Não quero falar disso. Não agora (e talvez nunca)".

Sua irmã vem atormentando você para parar de fumar há anos. Você tentou e falhou, tentou e falhou. Agora que seu tio está morrendo de uma doença causada pelo cigarro, a família toda se uniu ao coro. Você entende os motivos deles, mas neste momento precisa que seus parentes deem um tempo. Simplesmente não há mais nada a dizer sobre o assunto, e você não está com a energia emocional necessária para continuar a conversa.

3. Pare com isso ou ponho um fim no relacionamento

Este terceiro limite é o mais extremo: se você não pode guardar para si suas opiniões e não consegue me aceitar como eu sou, vou acabar com o relacionamento ou mudar as condições dele (posso vir para casa nos feriados, mas não vou ficar com você). Simplesmente manter a relação, sofrendo com seus julgamentos, está fazendo mal à minha identidade.

Como saber se os limites são necessários?

Começa com um sentimento ou um pensamento de inquietação: *Estou arrasado; sou um fracasso; não está dando certo; isso já é demais; não consigo fazer nada direito; não sirvo para nada*. Depois uma pergunta: *Devo impor um limite aqui?* Mas como fazer a distinção entre alguém que está tentando ajudá-lo sinceramente (ou tentando compartilhar uma preocupação real sobre como você está no relacionamento) e uma relação doentia ou fora dos eixos em aspectos fundamentais?

Não há fórmula pronta para distinguir entre um legítimo pedido de mudança e outro que denuncia um problema mais grave. O emissor do feedback pode não querer magoar nem controlar você, pode até se importar muito com você. Pode não saber agir de outra forma ou ter seus próprios problemas. Mas isso não muda o impacto que o feedback tem sobre você, já que está destruindo seu amor-próprio aos pouquinhos.

A seguir, um conjunto de perguntas que vão ajudar a ordenar seus pensamentos sobre a necessidade de impor um limite em determinado contexto ou relacionamento.

Ele atacou seu caráter ou apenas seu comportamento?

Ele não diz "fiquei decepcionado" ou "tenho uma ideia que pode ajudar". Em vez disso, diz "isso é o que está errado com você" ou até mesmo "é por isso que você nunca dá conta de nada". Seja explicitamente verbalizada ou não, a mensagem é que você não é atraente, ou ambicioso, ou não está à altura, não merece ser amado, respeitado e considerado do jeito que é agora.

O feedback é inflexível?

Seu chefe está tentando ajudá-lo a se sentir mais à vontade nas relações com os membros da alta direção da empresa, mas só consegue que você fique mais e mais constrangido. Você já lhe disse que não está ajudando, mas em vez de mudar o tratamento, vem mais uma enxurrada de comentários dele.

Feedback que não ajuda não serve para nada; feedback inflexível que não ajuda é destrutivo. Você pediu à pessoa que parasse, deixasse, desistisse, calasse a boca, fosse embora. Mas continuam chovendo orientação e conselhos.

Quando você muda de atitude, há sempre mais alguma exigência?

Alguns emissores de feedback estão sempre à cata da próxima coisa a consertar, seja na casa, no carro ou em você. Pior ainda, pode ser que o ato de dizer em que ponto você precisa mudar seja um fim em si mesmo. Ele é quem manda, você está sob a responsabilidade dele e papéis claros mantêm as coisas em ordem.

A necessidade de controlar pode ser causada por medo: se seu parceiro não estivesse fazendo você lutar sem descanso para ser digno de seu amor, você poderia descobrir que não há nada de bom para você no relacionamento. Se seu supervisor não se desse ao respeito, você deduziria que ele não merece *seu* respeito. Ou talvez essas pessoas precisem sentir que são quem manda, simplesmente porque não sabem fazer outra coisa. Seja qual for a causa, o efeito deixa você com uma sensação permanente de insatisfação consigo mesmo.

O emissor do feedback toma o relacionamento como refém?

A formulação aqui é: "Claro que é você quem escolhe se aceita ou não meu feedback, mas não aceitá-lo significa que não me ama ou não me respeita". Ele liga uma coisa pequena a uma coisa grande, que é uma tática para fazer tudo a seu modo em cada detalhe. Esse recurso rouba sua autonomia, enquanto finge que você é livre para fazer o que quiser.

Sua sogra transmite uma mensagem implícita: se você não escolher o florista que recomendei, nosso relacionamento vai se deteriorar por sua culpa. Parece absurdo, e é. Mas é bom ter consciência de que a intenção que está por trás disso pode não ser a de manipular. As pessoas às vezes procuram chamar a atenção tomando o relacionamento como refém porque não têm capacidade de expressar de outra forma a sua insegurança, ansiedade ou tristeza. Você pode ser sensível às necessidades do emissor sem se tornar refém.

Ele está dando avisos ou fazendo ameaças?

Aqui está a diferença: um aviso é uma tentativa de boa-fé de alertar para possíveis consequências ("Se você se atrasar para o jantar, o espaguete vai esfriar"), enquanto o objetivo da ameaça é inventar consequências que provoquem medo ("Se você se atrasar para o jantar, vou jogar o espaguete na sua cara"). Exemplos de aviso:

Se sua capacidade de gerenciar pessoas não melhorar, não vamos poder mantê-lo no cargo.

Se você não revelar isso no documento, serei obrigado a informar à comissão.

Se você chegar bêbado de novo, vou embora.

Como se pode ver, o que muda não é a gravidade das consequências contra as quais se adverte; é o fato de serem legítimas ou não. Em alguns casos, o aviso é definitivo, um ultimato. Não é uma felicidade que as coisas tenham chegado a esse ponto. Mas a outra pessoa está dando a você informações sobre consequências reais para que você possa fazer escolhas conscientes.

As ameaças têm a mesma estrutura "se/então", mas nascem de outra motivação: suscitar medo ou dependência, reduzir a autoestima ou confiança, controlar ou manipular. E as consequências são inventadas para esse fim:

Se não fizer o que estou dizendo, você nunca mais vai trabalhar neste ramo.

Se eu for embora, ninguém mais vai te querer.

Um aviso pretende dizer a você que algo indesejável pode acontecer; uma ameaça tem a intenção de apertá-lo contra a parede.

É sempre você quem tem de mudar?

Tudo parece bem até que você observa um detalhe recorrente: sempre que há conflito entre vocês, sempre que é preciso resolver um problema que surgiu, você é o único que assume a responsabilidade por tudo. Você pede desculpas, fica até mais tarde, assume o estouro do orçamento. Se você é sempre o único que deve mudar, ceder, fazer um esforço maior, os papéis devem estar engessados. Negociar a troca da culpabilização e do feedback de mão única pela responsabilidade mútua e disposição de analisar o sistema que se estabeleceu entre vocês é fundamental para a sustentabilidade do relacionamento, seja ele baseado em trabalho, amor ou amizade.

Suas opiniões e seus sentimentos fazem parte legítima do relacionamento?

Este pode ser ao mesmo tempo o mais simples e o mais importante dos critérios. Independentemente de qualquer outra coisa, o emissor de feedback está ouvindo e se esforçando para entender como você vê as coisas e como você se sente? E uma vez que descobre, leva isso em conta? Ele está disposto a mudar a forma como transmite o feedback, faz exigências e dá conselhos em função de como isso afeta você? Respeita sua autonomia para formar suas próprias opiniões e rejeitar o conselho? Se seus sentimentos e pontos de vista não contam para o relacionamento, há um problema.

Onde os limites ajudam: alguns modelos comuns de relacionamento

A relação não precisa estar comprovadamente disfuncional para que você decida que o feedback não está funcionando. Vamos examinar três exemplos de como os desafios mencionados anteriormente formam modelos comuns de relacionamento.

A crítica constante

Críticas constantes trazem consigo comentários que formam uma torrente de avaliação: opinam sobre você e informam a nota que recebeu. Pode ser seu pai, sua irmã mais velha, seu melhor amigo, seu orientador dedicado, seu chefe exigente. Eles só querem ajudar. E fazem tudo isso com a sutileza de um hipopótamo.

As conversas entre Hunyee e a mãe dela sempre foram pesadas. Quando criança, Hunyee era incansavelmente corrigida, orientada e castigada. Já adulta, sabe que assim que a mãe chegar vai começar a avaliar as condições de seus armários, de sua comida, de seu peso e de suas roupas. A filha sabe que a mãe gosta dela e inclusive chega a reconhecer que as críticas constantes são o modo como ela expressa seu amor. Na verdade, é o modo como sua mãe expressa qualquer coisa; sem críticas, só haveria silêncio.

Mas ainda assim Hunyee se sente fragilizada e magoada. Mesmo na ausência da mãe, ela continua ouvindo a voz dela ecoando em sua cabeça, incitando e condenando. Não é essa a herança que a mãe pretende lhe deixar, mas se nada mudar, é só o que vai restar.

Pode haver críticas constantes no trabalho também. Jake, um bem-sucedido consultor de investimentos, orgulha-se de sua relação com Brodie, um jovem analista a quem ele treina. Os padrões de Jake são inflexíveis, mas ele é pródigo em orientação e conselhos, mercadoria rara na empresa em que trabalha. Infelizmente, não é assim que Brodie vê as coisas. Ele se sente como se não fosse capaz de fazer nada direito. Cada um de seus atos é criticado, todos os relatórios são rasgados, todo seu esforço é insuficiente. O jovem, que também tem personalidade forte, agora tem medo de ir trabalhar.

Relações de amor e ódio

Os psicólogos dizem que o mais viciante dos padrões de recompensa chama-se "reforço intermitente". Os video games e caça-níqueis usam esse conceito. Só ganhamos as vezes necessárias para nos manter jogando. Quando ganhamos, ficamos desesperados para ganhar outra vez; quando perdemos, ficamos ainda mais desesperados para jogar até ganhar. Amor e aprovação talvez sejam a recompensa que mais desejamos ganhar.

Jasmine está presa num relacionamento em que a aprovação é mencionada e prometida, mas sempre negada. Quando tudo parece perdido, a aprovação é concedida por um instante — e depois retirada mais uma vez, recomeçando o ciclo. Existe uma razão importante para que alguém permaneça com um parceiro, orientador, chefe ou parente que só lhe causa dano. Ela odeia o ódio, mas isso só torna sua necessidade de amor ainda mais intensa. Emissor e receptor de feedback ficam presos numa dinâmica poderosa que não é saudável para nenhum deles, além de ser particularmente prejudicial para o receptor.

Relações de renovação

Henry ficava comovido com toda a atenção que Isabella lhe dedicava. Até mesmo as pequenas "sugestões" dela tinham sobre ele um efeito inebriante; elas eram, afinal, evidências do quanto ele era importante para ela. Ele encontrara o amor, e todo o seu aperfeiçoamento era um bônus.

Até que deixou de ser. No início, as sugestões dela para que ele mudasse pareciam razoáveis. Ela tinha ideias de como ele devia fazer para "repaginar o visual", e ele imaginava que não lhe faria mal se vestir melhor. Mas então o feedback começou a se estender a outros aspectos da vida dele: fazer mais exercícios, parar de ler aqueles quadrinhos, não se comportar como um chato na presença de meus amigos, não levar as coisas para o lado pessoal, ter ambições, adotar meus hobbies.

Henry tentou. Ele estava legitimamente disposto a ser a pessoa que Isabella queria que ele fosse. Mas com o tempo foi ficando ansioso e infeliz, e disse isso a Isabella. Ela explicou que só estava tentando ajudá-lo a crescer, observando que Henry não estava facilitando as coisas com sua hipersensibilidade ao feedback.

Henry decidiu ouvir a opinião de outra pessoa e discutiu seu relacionamento com o amigo Rollo:

HENRY: Quer dizer, acho que talvez ela tenha razão. Talvez eu seja sensível demais. Se quero ter um relacionamento sério, talvez eu devesse ser mais maduro. Talvez eu precise mesmo mudar. Talvez esteja sendo egoísta ou talvez tenha me acomodado.

ROLLO: É possível. Mas o que me impressiona é como você está infeliz. Você disse a Isabella que os conselhos e as críticas dela estão lhe fazendo mal?

HENRY: Sim, eu disse. Várias vezes.

ROLLO: E como ela reage?

HENRY: Ela diz que o problema é que sou sensível demais ao feedback.

ROLLO: E você foi franco sobre o quanto estava triste?

HENRY: Fui. Essa coisa toda está acabando comigo e eu disse isso a ela.

ROLLO: Para mim, o problema é esse. Pelo que você contou, parece que ela está querendo transformá-lo em outra pessoa. Mas mesmo deixando isso de lado, é como se seus sentimentos não fizessem parte da equação, e as coisas de que você precisa não fizessem parte do relacionamento.

HENRY: Hum... Então você está dizendo que, seja ela muito crítica ou eu muito sensível, o problema é que parece que ela não se importa com o que estou sentindo.

ROLLO: É um sinal de alerta gigante.

Henry estava tão preocupado em ser capaz de agradar Isabella que acabou não notando como suas próprias necessidades importavam pouco para ela.

Tenha isto em séria conta: independentemente do crescimento de que você precisa e do acerto (ou erro) do feedback, se a pessoa que o dá não ouve o que você tem a dizer e não se importa com o impacto que o feedback tem sobre você, alguma coisa está errada. Rollo tem isso muito claro. Tudo bem tentar descobrir se o emissor é crítico demais ou se o receptor é muito sensível, mas se a outra pessoa não o ouve nem leva em conta seus sentimentos, a resposta será irrelevante. Você merece amor, aceitação e compaixão — agora, do jeito que você é, e ponto final. Pode ser difícil enxergar isso de dentro de uma relação desequilibrada. Mas é a conclusão verdadeira.

Espere aí, então isso quer dizer que...?

Tem alguma coisa errada em esperar que seu companheiro adquira melhores hábitos, perca peso ou termine a faculdade? Não. Tudo bem desejar isso a ele, orientá-lo e apoiá-lo para que chegue lá. A grande questão aqui é: será que é isso o que *ele* quer? Ou é algo que só você quer? Se ele deseja mesmo essa mudança, você não está errando. Discuta suas intenções e, antes de mais nada, tenha certeza de que está ouvindo a outra pessoa.

Dispense o feedback com dignidade e franqueza

O maior erro que cometemos ao tentar impor limites é supor que a outra pessoa compreende o que está acontecendo com a gente. Damos por certo que ela sabe que estamos sobrecarregados, ou infelizes, ou em dificuldades, e que seu feedback está piorando tudo. Mas, muitas vezes, a pessoa não sabe. Pode ser que não tenhamos dito nada, ou, se dissemos, talvez não tenhamos sido diretos e claros, ou simplesmente ela não estava escutando. É verdade que não seria preciso fazer muita força para imaginar que isso pudesse acontecer, mas não está dentro de nosso controle e, francamente, era de se prever. Nunca a outra pessoa vai estar tão interessada em descobrir nossos limites como nós estamos.

Seja transparente: diga tudo

Cada vez com maior frequência, Dave, policial na casa dos quarenta anos, pede que as pessoas repitam o que disseram e perde coisas que são ditas em reuniões. Seus colegas começaram a notar. "Meu parceiro insistiu tanto para que eu fosse ao médico que acabei indo", diz Dave. "Minha audição realmente foi se deteriorando com o tempo, e eu preciso usar um aparelho para a surdez."

Já se passaram seis meses e Dave não voltou para testar o aparelho. "Tenho lutado muito com a ideia", ele admite. "Não consigo me ver como uma pessoa que precisa de um aparelho que, mal ou bem, sempre associei ao envelhecimento. Sei que minha resistência é irracional. Vou lá. Só preciso de tempo para me acostumar com minha nova imagem."

Dave não contou a ninguém da polícia sobre o exame e o resultado. Ele acha que não precisa. O que importa é que está consciente do problema e cuidando dele.

Mas seus colegas não sabem disso. Portanto, ficam com a impressão de que ele os ignora. Quando lhe falam que estão preocupados, Dave responde em pensamento: *Estou cuidando disso. Então porque continuam me amolando?*

Tudo o que ele precisa fazer é explicar as coisas em voz alta: "Fui ao médico. Preciso usar um aparelho. Vou comprar um, mas é duro me acostumar à ideia. Vai ser mais fácil se não ficarem insistindo". Não resolve o problema de audição, mas vai ajudar muito a solucionar os problemas dele com feedback.

Seja firme (e agradecido)

A história de Dave é um exemplo de alguém que *aceita* o feedback. Quando se rejeita o feedback, é igualmente importante ser claro e explícito. Isso se consegue se formos ao mesmo tempo firmes e gratos.

PJ tem muito medo de falar em público, e o chefe de seu departamento na universidade tem o hábito de procurá-la bem quando ela vai começar uma palestra e sussurrar: "Não fique nervosa!". Isso deixa PJ em pânico. Mas ela conduz bem a conversa de feedback:

PJ: A ansiedade é um problema grave que eu tenho. Sei que você sabe disso e que quando diz "não fique nervosa" só está tentando me ajudar. Mas o efeito disso, na verdade, é me deixar ainda mais nervosa.

CHEFE DO DEPARTAMENTO: Bem, é claro que estou tentando ajudar. Qualquer coisa que dê a você um pouquinho mais de confiança. Então, quando você sobe ao palco, não precisa ficar nervosa!

PJ: Certo, mas isso acaba me deixando mais nervosa.

CHEFE DO DEPARTAMENTO: Mas não devia! Você é o máximo!

PJ: Esse é o efeito que me causa, pois me lembra que tenho muita ansiedade. O que me ajudaria seria ouvir que lido bem com esse problema quando falo em público. Mas eu gostaria de ouvir isso nos dias em que não tenha de dar palestra.

PJ teve uma atitude simpática ao reconhecer e agradecer as boas intenções do chefe do departamento, mas foi firme ao pedir para não ser aconselhada na hora das palestras. Firmeza e gratidão não se excluem, é possível ser claro sobre ambas.

Redirecione a orientação inútil

Às vezes, achamos que precisamos do tipo de limite mais radical por causa do sofrimento que sentimos. Nosso impulso é bloquear tudo: nada de julgamento, nada de orientação, nada de nada. É isso ou adeus.

Mas você deve ter observado que PJ faz uma coisa que pode facilitar a imposição de limites: ela redireciona a energia e o interesse de quem deu o feedback para algo que realmente possa ajudar.

Você pode fazer uma experiência dando ao emissor um cantinho do seu campo e dizendo a ele o que gostaria de ver ali. Hunyee disse para a mãe: "Tenho muito o que aprender com você. Quando vier me ver, me ensina a fazer aquelas almôndegas deliciosas?". A sugestão é boa para Hunyee, é claro, mas também pode ir ao encontro dos interesses da mãe, que anseia por um papel na vida da filha — e suas críticas são uma tentativa equivocada de conquistar esse papel. Ela quer se sentir útil e valorizada pela filha adulta e competente.

Informar os emissores sobre como podem ajudar talvez seja o estímulo de que eles precisam para suprimir os conselhos que você não quer ouvir. E isso constrói uma base valiosa para erguer outros limites, se forem necessários.

Use o "e"

Ao estabelecer limites, você quer rejeitar o feedback de forma clara e firme, além de, ao mesmo tempo, assegurar o relacionamento e mostrar que agradece a intenção.

Somos tentados a ligar esses dois pensamentos com a palavra "mas". Hunyee diz à mãe: "Adoro ver você, *mas* precisa parar de criticar cada coisinha quando vem a minha casa". O "mas" insinua que há uma contradição entre os dois pensamentos. A primeira parte seria verdadeira, a não ser pela segunda. *Você gosta de me ver, mas o quê?* "Mas você me critica demais!" *Então você, na verdade, não gosta de me ver.*

Uma emoção não anula necessariamente a outra. Posso gostar de estar com você e, mesmo assim, ficar ansiosa com sua visita. Posso agradecer sinceramente o seu conselho, mas decidir não segui-lo. Posso me entristecer por magoar você, mas ter orgulho de mim por estar fazendo a coisa certa. Sentimentos contraditórios se localizam lado a lado em nosso coração e em nossa cabeça, chocando-se uns contra os outros como bolinhas de gude no bolso.

Usar o "e" para falar de nossos sentimentos não é uma simples escolha de palavra. Revela uma verdade mais profunda sobre nossos pensamentos e sentimentos: eles são complexos e, às vezes, confusos. Imaginamos que podemos traçar limites claros com mais facilidade usando uma simples mensagem conclusiva — sim, não, agora não — e assim nosso impulso é manter escondida a complexidade ou confusão. Mas transmitir sentimentos complexos com a mensagem muitas vezes facilita a imposição de limites.

Os pais de Raul acreditam que um diploma de engenheiro daria a seu filho uma vida segura, sem as dificuldades que eles tiveram de enfrentar. A paixão dele pela música? Um "hobby fútil".

Raul respeita os pais e se esforça muito para compreender seus pontos de vista e suas preocupações. Ele mesmo tem muitas dessas mesmas preocupações, com sinceridade. E ainda assim, decidiu optar pela música. Mas como dizer isso aos pais? "Quando eu tentava imaginar que estava tendo essa conversa", diz ele, "meu sangue gelava nas veias. Rejeitar os conselhos dos meus pais seria como dar as costas para eles; segui-los seria dar as costas para mim mesmo. Não quero ser um filho ingrato e rebelde. E não quero ser engenheiro."

Nada indicava que a conversa seria fácil, e Raul não podia imaginar como os pais reagiriam. O que destravou o dilema foi que ele entendeu que podia transmitir as duas partes do "e" — os pensamentos e sentimentos múltiplos, contraditórios e confusos que não são menos verdadeiros por serem simultâneos. Com o coração na boca, Raul sentou-se com os pais e avançou por meio de uma série de *es*: "Tinha medo de falar com vocês sobre isto *e* para mim é importante ser franco com vocês". "Decidi estudar música *e* sei que isso faz com que se preocupem com o meu futuro." "Eu também estou com muito medo da luta que vou enfrentar *e* preciso tentar." "Sei que isso é difícil para vocês *e* espero que me apoiem."

Ele se preparou para a reação dos pais. Se fosse um filme de Hollywood, seus pais sorririam e lhe dariam um abraço carinhoso. Mas não entrou nenhuma trilha sonora. No rosto do pai, ele viu desapontamento; no da mãe, preocupação. O próprio Raul estava ansioso — mas em paz consigo mesmo. Ele tinha tomado uma decisão difícil que lhe parecia correta e explicou isso aos pais com toda a clareza e todo o respeito que pôde.

Quando você comunica a complexidade e a confusão, está adotando o que chamamos de "posição E". É um bom lugar para estar, e você pode procurá-lo todas as vezes em que ouviu a contribuição de alguém e resolveu seguir por outro caminho: "Acho que o que você disse faz muito sentido. *E* decidi que não é essa a qualificação prioritária para mim neste momento". Compartilhe seu raciocínio e disponha-se a pôr em jogo perguntas que façam da conversa uma via de mão dupla. O limite é seu, mas a conversa pertence às duas partes.

Seja específico sobre o que pretende

Hunyee acaba dizendo à mãe: "Mãe, gosto de você e sei que você quer o melhor para mim. E seus comentários sobre meu peso e os cuidados com a casa e as roupas são muito desagradáveis. Se vai ficar comigo, preciso que guarde esses pensamentos para si mesma. Você pode atender a esse meu pedido?".

Hunyee está fazendo um pedido explícito. Não está dizendo "Deixe de ser tão crítica" ou "Preciso que você pare com isso". Esses pedidos seriam o reflexo do que ela está sentindo, mas provavelmente não seriam úteis, por dois motivos. Primeiro, porque prepararam o terreno para uma briga. Ela está dando feedback à mãe, mas ao mesmo tempo está acionando gatilhos de verdade, relacionamento e identidade, tudo junto. Sua mãe provavelmente iria discutir se é "verdade" que ela seja muito crítica, ou tomaria um desvio por se sentir desvalorizada. Ela se distrairia lutando para descobrir se é uma "boa mãe" ou uma "boa pessoa". Segundo, o pedido é geral demais. "Pare com isso" e "deixe de me criticar" são muito vagos, sobretudo considerando que a mãe de Hunyee não deve estar consciente de seu comportamento. Lembre-se de que alguns desses comportamentos habituais provavelmente estão situados em pontos cegos, e por isso precisam de mais do que apenas um rótulo.

Portanto, quando fixar limites, seja claro sobre três coisas:

- *O pedido*. O que exatamente você está pedindo? Está pretendendo preservar um assunto em particular (minha nova mulher, meu novo peso) ou um comportamento (meu TDAH, meu hábito de assistir ao futebol)? Se for preciso dar exemplos daquilo sobre o que você está falando, fale deles da maneira como se lembra junto com o efeito que exercem sobre você.
- *O contexto temporal*. Por quanto tempo se supõe que o limite fique vigente? Você precisa de tempo para pôr as coisas em ordem para si mesmo, para ajustar sua autoimagem, para cuidar de outras prioridades, para se habituar a sua nova situação de padrasto ou de líder? Avise que o limite terá uma duração e, se não tiver, de que forma será possível tocar no tema com você sem violar o limite. ("Posso perguntar como vão indo as coisas em relação àquilo que supostamente não devo mencionar?")
- *O consentimento*. Não presuma que entenderam você ou que houve acordo. Em vez disso, pergunte. Quando lhe disserem "sim, vou atender a seu pedido", a coisa já não é com você. A outra pessoa assumiu um compromisso, o que envolve a identidade e a reputação dela no cumprimento da promessa.

Essas conversas são mais difíceis com superiores, mas com alguma ponderação você vai encontrar uma maneira aceitável de abordá-las. Na firma de investimentos, Brodie provavelmente não vai dizer a seu chefe, Jake: "Veja bem, cara, não quero mais ouvir suas críticas incessantes!". Mas ele pode se sentir confortável dizendo que aprecia ter um mentor que se preocupa tão apaixonadamente com seu progresso e, ao mesmo tempo, está se sentindo um tanto abatido em decorrência de suas conversas. Ou pode pedir a Jake que se concentre em uma ou duas habilidades, em vez de tudo ao mesmo tempo.

Enumere as consequências

Finalmente, é justo deixar que saibam o que está em jogo. Você está dizendo às pessoas que guardem para si seus julgamentos, senão...

Senão *o quê?*

Já falamos da diferença entre aviso e ameaça. Sua intenção aqui não é ameaçar, é dar um aviso claro. Você precisa dizer aos outros o que vai acontecer se não puderem ou não quiserem respeitar seus limites. Eles serão livres para aceitar ou não seu pedido — você não pode controlar a escolha deles e não deve tentar. Mas é livre para fazer ajustes no seu lado do relacionamento, se necessário. Eis um exemplo de como expor as consequências:

"Vocês sabem como já lutei para parar de fumar e que estou totalmente consciente das causas da doença do tio Marv. Neste momento, estou sobrecarregado com meu novo trabalho e não consigo lidar com comentários laterais e olhares de desaprovação cada vez que saio para fumar um cigarro. Sei que vocês acham que estão cuidando de mim, mas não é o que parece. Se não conseguirem deixar o assunto de lado por enquanto, vou ter de visitar o tio Marv nos momentos em que vocês não estiverem aqui."

Qualquer que seja o limite que você impuser, não se surpreenda se os outros tropeçarem aqui e ali ao tentar respeitá-lo. Não fique à espera de um mínimo deslize. Eles têm muita prática em criticar você — deveriam até receber um prêmio pelo conjunto da obra, na verdade — e não é fácil mudar esses hábitos. Saiba que terá de dar alguns lembretes firmes, tente manter o humor em relação a lapsos eventuais e agradeça o progresso que estão fazendo. É claro que, se eles não puderem ou não quiserem colaborar, cabe a você se proteger.[2]

Você tem o dever de minimizar o preço que os outros pagam

Você resolveu não mudar. Ouviu atentamente seus filhos, mas ainda não está preparado para deixar a casa onde viveu durante sessenta anos. Ouviu as preocupações de sua equipe e decidiu ir em frente com o plano de reorganização do departamento. A ex-mulher de seu marido quer que você se livre do seu gato "cheio de micróbios", preocupada com a visita das crianças, mas você decidiu manter o gato e os micróbios.

Fim de papo?

Não tão rápido. Nem sempre podemos seguir felizes em nosso caminho dizendo "azar de quem não gostar". Estar num relacionamento — no trabalho ou em casa — exige estar consciente do preço de nosso comportamento e de nossas decisões para os demais. Mesmo que você decida não mudar, tem o "dever de minimizar". Isso quer dizer que você precisa fazer o que estiver ao seu alcance, dentro do razoável, para diminuir o impacto de suas ações (ou de sua inércia) sobre os outros.

Pergunte a respeito e reconheça o impacto sobre os demais

Pergunte de que modo suas escolhas afetam os que vivem ou trabalham com você. Depois de muito pensar e conversar com diversos médicos, Larry decidiu que por enquanto não vai tomar remédio para seu TDAH. Isso trará consequências para ele, é claro, já que lhe custa muito organizar sua vida e cumprir suas tarefas. Haverá consequências também para sua família e seus colegas de trabalho no canteiro de obras. Conversar com eles sobre as implicações de sua decisão vai determinar em boa medida o sucesso de seu esforço e desses relacionamentos. De que modo sua decisão vai decepcionar sua família em sua necessidade de induzir, incitar e remediar? Quais preocupações referentes a eficiência e segurança terão seus colegas de equipe, e que processos podem ser adotados para garantir um ambiente de trabalho seguro? A decisão de tomar ou não o remédio é só de Larry, mas as consequências dessa decisão são compartilhadas.

Prepare-os para lidar com seu "eu sem mudanças"

Jackie sabe que é capaz de dominar qualquer discussão e que deve deixar mais espaço para os outros. Depois de um esforço — infrutífero — nesse sentido no ano passado, ela decide desistir por enquanto. "Sei que posso ser dominadora", diz a seus colegas. "Tentei mudar, mas foi muito esforço para pouco resultado. Portanto, dou-lhes licença para me cortar. Podem me dar cartão vermelho ou me derrubar dentro da área. Não quero dominar as discussões, mas acho que vou continuar fazendo isso sem me dar conta. Prometo que não vou pensar que vocês estão sendo grosseiros, pois preciso de ajuda e serei grata por isso."

Problema se resolve junto

A ideia não é impedir a discussão, mas abri-la e conduzi-la à solução do problema de como minimizar o custo de sua decisão de não mudar.

Seus filhos não querem se preocupar com o fato de você morar sozinho. Adaptar a casa, mudar o quarto de dormir para o andar de baixo, contratar os serviços de alguém ou instalar um sistema de alarme contra acidentes são medidas que podem ajudar a reduzir a ansiedade deles e tornar sua vida mais segura.

Sua equipe está apreensiva com o impacto no atendimento aos clientes enquanto vocês estiverem em meio a um processo de reorganização. Então se reúna com seus colegas para estudar uma forma de garantir a continuidade dos serviços.

Vejamos os problemas de Mark e seu irmão mais novo, Steve.

Durante três décadas, Mark repreendeu Steve por causa de sua irresponsabilidade. O último atrito entre os dois foi por causa de ingressos para a temporada de jogos dos Steelers: "Quando eu lhe dou meus ingressos, você sempre diz: 'Claro, cara, eu vou!'. Mas na metade das vezes chega atrasado e em algumas nem aparece".

Steve não tem como negar seu índice de presença, mas se conhece bem o bastante para saber que não vai mudar. Mark pode continuar dando murro em ponta de faca ou parar de convidar o irmão para os jogos.

Mas há uma terceira opção: Mark e Steve decidem admitir que Steve *não* vai mudar e querem resolver o problema de como minimizar a contrariedade de Mark. Nos dias em que Mark faz o convite, eles discutem detalhes específicos sobre as garantias de Steve para ser pontual ("Você marcou dois compromissos ao mesmo tempo? O que mais vai acontecer nesse dia? Precisa de uma carona?") e o preço que Mark terá de pagar se Steve furar. Às vezes, Steve agradece pelo convite e sugere que o irmão convide outra pessoa. Outras vezes, percebendo que Mark o convida só para que passem algum tempo juntos, o caçula faz uma sugestão alternativa, como jogar golfe ou tomar uma cerveja.

Assim, Steve estabeleceu seu limite — não acredito que eu consiga mudar — e fez um esforço com o irmão para diminuir as consequências que afetariam Mark. Isso permite a ambos que esqueçam a fantasia de um Steve transformado e aproveitem o que eles têm agora. Paradoxalmente, passar algum tempo juntos ficou mais fácil para os irmãos depois que o limite de Steve foi esclarecido.

RESUMO: ALGUMAS IDEIAS BÁSICAS

Limites: a capacidade de recusar ou evitar feedback é essencial para um relacionamento saudável e para um aprendizado duradouro.

Três tipos de limite:
- Não, obrigado — Fico feliz por ouvir seu conselho... e posso não segui-lo.
- Agora não, não sobre esse assunto — Preciso de tempo ou de espaço, ou esse é um assunto muito delicado para mim neste momento.
- Sem feedback — Nosso relacionamento depende de sua capacidade de guardar seus julgamentos para si mesmo.

Quando rejeitar o feedback, use "e" para ser firme e agradecido.

Seja explícito sobre:
- O pedido
- O contexto temporal
- As consequências
- O consentimento

Se você não vai mudar, faça o possível para minimizar o impacto sobre os outros.
- Pergunte sobre o impacto
- Ensine a lidar com seu "eu sem mudanças"
- Problema se resolve junto

296

CAPÍTULO 11

Navegue pela conversa

Em 1995, o filme *Toy Story* chegou às salas de projeção e mudou para sempre o cinema de animação. Embora a tecnologia estivesse em desenvolvimento desde meados da década de 1970,[1] *Toy Story* foi o primeiro longa-metragem a usar animação feita por computador para dar vida aos personagens. Em vez de desenhar cada quadro do filme em separado, os animadores digitais criaram o que chamaram de quadros-chave, que definem o início e o fim de uma transição, e o espaço entre eles foi preenchido por quadros criados pelo próprio computador com uma técnica chamada *tweening*. Os animadores então refinam o "movimento" criado pelo computador, conferindo uniformidade e naturalidade à ação.

Quadros-chave numa conversa

O conceito de quadros-chave é útil para se falar sobre conversas de feedback. Sejamos emissores ou receptores, não vamos conseguir "roteirizar" a conversa e, quando tentamos, nossos interlocutores têm o hábito irritante de não seguir as falas que escrevemos para eles. Mas podemos reconhecer alguns quadros-chave — estágios e momentos da conversa que podem servir como pontos de referência. Se você conseguir identificar os quadros-chave da conversa, poderá fazer seu próprio *tweening*.

Grande parte deste livro está focada nas reações de quem recebe feedback. Incluímos conselhos para a comunicação aqui e ali, mas neste capítulo vamos dar uma olhada em como conduzir a conversa propriamente dita. O que você deveria dizer ou fazer para maximizar as chances de aprender alguma coisa de valor?

O arco da conversa: abertura, corpo, fechamento

De modo geral, as conversas de feedback são compostas por três partes:

Começo: Uma parte determinante, frequentemente omitida quando vamos direto ao assunto sem fazermos um alinhamento: qual é o propósito da conversa? Que tipo de feedback eu gostaria de receber, e que tipo de feedback meu emissor está tentando oferecer? O feedback é negociável ou definitivo, uma sugestão amigável ou uma ordem?

Corpo: Uma troca de informações de mão dupla, que exige que você domine quatro técnicas principais — ouvir, afirmar, fazer avançar o processo da conversa e resolver o problema.

Fechamento: Aqui esclarecemos compromissos, os passos de ação, parâmetros, acordos de procedimento e acompanhamento.

Examinaremos a seguir cada uma dessas partes.

Comece pelo alinhamento

Seu relatório de desempenho estava na pauta há meses, mas o sermão que você levou esta manhã — até onde você sabia — não estava. Saber se o feedback é programado ou espontâneo, esclarecendo algumas coisas no início da conversa, é essencial.

Esclareça objetivos, verifique status

As três perguntas seguintes ajudarão no alinhamento entre você e seu emissor.

1. Isto é feedback? Em caso positivo, de que tipo?

O casaco que você ganhou de sua mãe no aniversário, menor do que o tamanho que você usa, pode ter sido um erro — ou um recado. Não ter sido incluído na equipe do projeto pode ter sido uma decisão de alocação de recursos — ou pode ter sido feedback.

O ideal seria que você pensasse: *Oh, esta não é apenas uma conversa comum. Devo estar recebendo feedback. É melhor eu sintonizar no "modo receptor".* Por estranho que isso possa parecer, fazer isso vai ajudar a evitar as respostas reflexas ou os recuos súbitos que podem prejudicar o relacionamento e desperdiçar a oportunidade de aprender. Se estiver prevenido, você poderá fazer escolhas conscientes sobre como reagir.

E se for mesmo feedback, será avaliação, orientação ou reconhecimento? Você nem sempre vai saber, e o emissor também não. Sendo assim, faça a si mesmo a pergunta: Que tipo de feedback seria mais útil para mim agora? Se aos 83 anos você finalmente está deixando outro ser humano ler seu primeiro conto, não diga apenas: "Dê-me algum feedback", se o que você realmente quer para continuar motivado é incentivo: "Você poderia apontar três coisas que gostou no texto?".

Pergunte-se também: Qual é o objetivo do emissor? Do que *ele* acha que você precisa? Procure o motivo real subjacente. O feedback pode lhe parecer uma orientação voltada para o futuro ("Você não devia trabalhar tanto..."), quando o que a outra pessoa realmente quer que você entenda é uma preocupação maior com o que ela está sentindo ("Seu ritmo incansável está tendo uma influência negativa sobre a equipe"). Esteja atento a misturas complicadas (orientação com avaliação) e linhas cruzadas (eu queria orientação, mas você me deu reconhecimento). Vocês podem ter propósitos diferentes, e tudo estará bem desde que ambos tenham consciência disso e falem a respeito.

2. Quem decide?

Vocês podem ter uma boa troca, podem discordar e resolver problemas — mesmo que a decisão final deva ser tomada por um de vocês. Mas ambos precisam ter claro quem será essa pessoa. O projeto gráfico que você fez para a Convenção dos Criadores de Galinha é seu melhor trabalho, mas os organizadores — seus clientes — gostariam que as galinhas tivessem um aspecto mais realista. Você acha que com isso se perderia algo do poder icônico da galinha. Vocês expõem seus pontos de vista e chegam a um impasse. Quem decide? Você vai acatar a sugestão do cliente para a arte-final, ou eles vão acatar sua sugestão para dar a última palavra?

Muitas vezes não fica claro se o feedback é uma sugestão ou uma ordem. Quando seu chefe diz que você devia comparecer a um evento de terno e gravata, estará lhe dando um conselho profissional útil ("Você sempre pode tirar a gravata") ou uma ordem ("Ponha uma gravata ou estará despedido")? Você pode escolher entre obedecer ou não, mas certamente vai querer saber em que categoria se enquadra o feedback.

Existe um erro parecido muito comum: duas pessoas se envolvem numa conversa como se precisassem chegar a um acordo, quando na verdade isso não é necessário. Terminar um relacionamento, por exemplo. Se você rompe com uma pessoa e ela lhe diz que você é uma pessoa terrível, não há necessidade de chegarem a um consenso sobre esse ponto. Ela acha que você agiu mal, você acha que agiu com sensatez, e isso pode ficar assim. Você é quem toma a decisão sobre o fim do relacionamento; cada um dos envolvidos tem sua opinião sobre por que terminou.

3. É definitivo ou negociável?

Se o feedback é uma avaliação, determine seu status: é final ou provisório? Se sua nota de desempenho é final, convém que você saiba disso com antecedência. Se é provisória, pode ser que você consiga influenciar o resultado. Muitas vezes, os receptores perdem tempo tentando alterar uma decisão que já está tomada e não pode ser revertida. Se é assunto encerrado, é melhor usar o tempo para entendê-lo e buscar maneiras eficazes de mais adiante lidar com as consequências.

Você pode influenciar o contexto e a pauta

Muitas vezes achamos que, por estar na situação de receptor de feedback, nosso papel se resume a reagir à abertura do emissor, como devolver uma bola de tênis depois do saque. Mas seja como for que a outra pessoa comece, você pode usar sua vez de falar para contextualizar produtivamente a conversa e propor uma pauta.

Se o emissor já começa pelo meio da conversa, você pode dizer: "Podemos voltar um pouquinho atrás para que eu possa entender seus objetivos? Quero ter certeza de que estamos falando da mesma coisa". Se ele expõe cruamente uma acusação que lhe parece sem fundamento e está num contexto teimoso de "eu tenho razão", reformule o problema como uma divergência entre você e ele: "Gostaria de ouvir sua opinião sobre isso, depois compartilho a minha; assim, poderemos determinar onde e por que nossos pontos de vista são diferentes".

A abertura é importante, porque determina o tom e a trajetória da conversa. Pesquisadores do MIT descobriram uma correlação entre uma interação hábil nos cinco primeiros minutos de uma negociação e seus bons resultados.[2] Pesquisas sobre casais feitas por John Gottman mostram que se os três primeiros minutos de uma conversa de quinze minutos forem ríspidos e críticos, e não forem corrigidos pelo receptor, o resultado é negativo em 96% dos casos. Gottman diz que um fator essencial em casamentos felizes é a capacidade de o casal mudar de rumo para fazer "tentativas de reparo" e reagir a elas quebrando o ciclo que leva a uma escalada de conflito.[3]

Lembre-se, a correção de rumo se refere ao processo, não ao conteúdo. Seu objetivo não é determinar o que o emissor do feedback deve ou não dizer: você está tentando esclarecer o propósito mútuo da conversa e sugerindo a ele uma abordagem de mão dupla. Isso vai ajudar vocês a permanecerem alinhados durante toda a conversa.

Corpo: quatro técnicas para administrar a conversa

Há quatro técnicas que você precisa conhecer para navegar pelo corpo da conversa: ouvir, afirmar, fazer avançar o processo e resolver o problema.

Ouvir consiste em fazer perguntas esclarecedoras, parafrasear a opinião do emissor e identificar seus sentimentos. *Afirmar* é um misto de revelar, advogar e expressar — em essência, conversar. Não confunda afirmar com "afirmar a verdade" ou com "ter certezas". Você pode afirmar seu ponto de vista sabendo que é o *seu* ponto de vista e não necessariamente o quadro completo; pode ser afirmativo sobre suas ambiguidades; pode afirmar que tem dúvidas. Estamos usando o termo "afirmar" porque tem um sentido de intervenção, de autodefesa, mesmo não sendo combativo.

A terceira técnica tem a ver com os *movimentos do processo* — molas que encaminham a conversa para uma direção mais produtiva. Você está agindo como seu próprio árbitro, vendo a conversa de fora, notando que você e o emissor estão imobilizados e sugerindo uma direção melhor, ou um tema melhor, ou um processo melhor. Ser hábil na tão negligenciada arte de fazer avançar o processo pode ter muita influência no sucesso de suas interações.

Finalmente, a técnica de *resolver o problema* traz a questão: e agora? Qual a importância deste feedback, e o que um de nós ou nós dois deve fazer em relação a ele? Você afirma que sou avesso a risco. Talvez seja, mas não tanto quanto você sugere. É importante discutir isso, mas simplesmente falar do assunto não encerra a questão. Precisamos tomar juntos uma decisão sobre a possibilidade de investir nesse novo negócio, e isso vai nos exigir habilidade para resolver problemas.

Apresentamos essas quatro técnicas de modo escalonado, começando com ouvir para chegar vitoriosamente à resolução do problema. Mas as conversas reais raramente são tão organizadas. Elas tendem a dar voltas, e não há nada de errado com isso. A ordem em que você usa essas técnicas importa menos do que o uso efetivo que faz delas. Por mais que você ouça, não vai garantir que a única coisa que realmente lhe importa seja afirmada; e não há nada que você afirme que o faça ouvir o que realmente importa para o outro. E se há problemas a resolver mas você adia a solução, o brilho do entendimento em pouco tempo se apagará e você se perguntará para que serviu toda aquela conversa afinal.

Ouça o que está certo (e por que ele vê as coisas de outro modo)

Aconselhar a ouvir é ruído de fundo. É tão comum e tão aborrecido que sequer ouvimos. Mas se você está à deriva, esse pode ser um bom momento para acordar. Ouvir pode ser a técnica mais difícil no ato de receber feedback, mas é a que oferece a melhor recompensa.

Sua voz interna é essencial

Se você acha que está tendo uma conversa de um para um com seu emissor de feedback, pense de novo. Cada um leva dentro de si uma "voz interna", o fluxo constante de pensamentos e sentimentos que vocês têm em reação ao que está acontecendo enquanto a conversa se desenrola. (Sua voz interna está falando neste instante. Tente ouvi-la. Ela pode estar dizendo: "O quê? Eu não tenho voz interna nenhuma!".)

Essa voz quase sempre é bem discreta, principalmente quando estamos absortos no que alguém está dizendo. Mas quando discordamos do que está sendo dito, ou quando ficamos emotivos, nossa voz interna fica mais alta e exige nossa atenção. E quando ouvimos a nós mesmos, não podemos ouvir os outros ao mesmo tempo.

Você pode achar que esse não é um grande obstáculo — nem sabia da existência de sua voz interna, então como de repente isso pode passar a ser um problema?

Pode muito. Seu companheiro no conselho está falando sobre o fato de você estar fora de sintonia com a geração mais jovem de empregados, e você está pensando *isso não é verdade!* Agora seu colega começa a dizer outra coisa, mas sua voz interna ainda está enumerando argumentos sobre a primeira questão da discussão. Você nem sabe do que se trata esse novo assunto, mas provavelmente está errado também.

De secretária a guarda-costas

Sua voz interna funciona como uma secretária particular cuja função é garantir que ninguém perturbe você. "Lamento, mas a sra. Goldstein está ocupada no momento. Ela está absorta em seus próprios pensamentos sobre como você é sempre tão injusto com ela. Volte mais tarde."

Ao se exasperar, sua voz interna se transforma de secretária em guarda-costas armada. Quando seu superior, o *chef de cuisine*, grita "Se você não consegue dar conta, fora de minha cozinha!", sua voz interna pula em sua defesa e grita de volta (em sua cabeça): "Se você equipasse direito esta #*@$! de cozinha, talvez eu tivesse uma chance!". Seu superior pode passar por cima de sua secretária, mas ninguém passa por sua guarda-costas.

Quando a empatia acaba

Pesquisas cerebrais recentes sobre a empatia indicam que nem toda essa dinâmica de guarda-costas está em nossa cabeça.

Tania Singer, do Instituto de Neurociência Cognitiva de Londres, examinou processos neurais aparentemente ligados à empatia usando ressonância magnética funcional. Ela e sua equipe observaram a atividade cerebral de casais, em que a mulher era submetida a duas condições. Primeiro, Singer aplicou-lhe um choque elétrico, transmitido por um eletrodo fixado no dorso da mão, e pelo aparelho de ressonância magnética mapeou a atividade cerebral da mulher durante a experiência do choque (não sabemos se Singer conseguiu que os voluntários repetissem a experiência). A seguir, aplicou um choque de mesmo tipo no parceiro da mulher, que estava sentado perto e dentro do campo de visão dela. O interessante do experimento foi constatar que, ao observar *o parceiro* recebendo o choque, a mulher apresentou o mesmo tipo de atividade cerebral registrado quando *ela própria* sentia o choque.

Os padrões não foram totalmente idênticos. Quando a mulher observava o ser amado levando choque, as partes de seu cérebro que registram a dor física não se manifestaram (ela mesma não estava sentindo dor física). Mas as partes do cérebro que registram a experiência emocional de levar choque se manifestaram. Esse fenômeno se chama "resposta de neurônio-espelho" e indica que os seres humanos estão ligados pela empatia.[4]

Ampliando sua pesquisa, Singer quis saber se *sempre* manifestamos empatia pela dor ou pela situação de outrem. A resposta é não. Singer fez seus voluntários assistirem a um jogo em que alguns dos participantes jogavam limpo e outros não. Os observadores manifestaram uma resposta de neurônio-espelho quando viam os que jogavam limpo tomando choque, mas nenhuma resposta de neurônio-espelho quando os que não tinham fair play sentiam a mesma dor. Na verdade, em alguns sujeitos que assistiam aos jogadores que trapaceavam tomando choque, a parte do cérebro ligada ao prazer e à vingança se manifestava.[5] A conclusão? Somos conectados pela empatia, mas só em relação àqueles que em nosso juízo estão agindo bem.

O que isso tem a ver com o feedback? Quando recebemos um feedback que nos parece injusto ou fora de propósito, quando nos sentimos subestimados ou tratados de modo inadequado, nossa empatia e nossa curiosidade podem ser desligadas do ponto de vista neurológico. Assim, o ato de ouvir, durante uma conversa áspera de feedback, não se dá naturalmente. Mesmo as pessoas que são boas ouvintes em outros contextos podem ter dificuldade para sentir curiosidade quando seus sentimentos são acionados.

O que ajuda? Ouvir com um objetivo

Se queremos ser capazes de ouvir com mais eficiência, precisamos, ao mesmo tempo, *estar* no objetivo e *ter* um objetivo. Teremos de encontrar ou criar alguma curiosidade — um empurrãozinho que nos leve a supor que talvez o feedback não seja totalmente injusto, ou talvez o emissor veja algo que não estamos vendo, ou, no mínimo, que essa é a opinião dele e pode ser útil conhecê-la. Em poucas palavras, em vez de detectar erros, precisamos ouvir o que está certo e ter a curiosidade de saber por que vemos as coisas de um jeito tão diferente.

Prepare-se para ouvir

O que significa exatamente "preparar-se" para ouvir? Será como aquecer as cordas vocais antes de cantar ou alongar os músculos antes de fazer exercícios? Aqueça os ouvidos e deixe a curiosidade fluir.

Significa isto: antes de receber feedback (se você tiver tempo para se preparar), tenha uma conversa prévia com sua voz interna. Há umas coisinhas que vocês têm de acertar. Sua tarefa não é censurar sua voz interna ("Não seja defensiva!") ou fazê-la calar ("Pense o que quiser, mas fique quieta!"). Pelo contrário: sua voz interna se eleva porque quer sua atenção. Se lhe der atenção, ela se aquieta. Então se concentre no que ela diz e faça um esforço para entendê-la.

GATILHO	VOZ INTERNA
Verdade	"Isso está errado!"
	"Isso não me ajuda!"
	"Eu não sou assim!"
Relacionamento	"Depois de tudo o que fiz por você?"
	"Quem você pensa que é para falar assim?"
	"O problema é com você, não comigo."
Identidade	"Eu estrago tudo."
	"Estou perdido."
	"Não sou má pessoa — ou será que sou?"

Encontre os padrões de gatilho

Ao sintonizar em sua voz interna, você vai notar que existem padrões. Quando estamos exasperados, não pensamos em qualquer coisa, mas sim em coisas específicas e previsíveis. Saber disso nos dá alguma força para lidar com nossos gatilhos. Há infinitas variações, mas cada tipo de gatilho de feedback — de verdade, relacionamento ou identidade — gera seu próprio padrão de voz interna.

E depois negocie

Uma vez identificados seus padrões, tenha uma conversa consigo mesmo. Seu objetivo é ouvir sua voz interna, aprender a identificar suas reações e então usar isso para ajudá-lo a ter curiosidade. Essa conversa consigo mesmo pode ser mais ou menos assim:

VOCÊ: Durante a conversa de feedback, você vai me dizer que o discurso do emissor está errado.

VOZ INTERNA: Certo. Porque vai estar.

VOCÊ: O que vai estar errado?

VOZ INTERNA: O de sempre. Ele vai conversar com a pessoa errada, vai interpretar tudo errado. Ele só vê o erro que cometemos, mas não leva em conta tudo o mais que fizemos certo no dia a dia. Eu poderia continuar indefinidamente...

VOCÊ: É bom saber que você está cuidando de nós. Mas eu queria perguntar uma coisa: o que pode haver de verdadeiro no que ele está dizendo?

VOZ INTERNA: Você não está me escutando? Acabei de explicar que o que ele diz está errado.

VOCÊ: Eu *estou* ouvindo. Vou levar em conta suas preocupações. Mesmo assim, imagino que possa haver alguma informação correta no feedback.

VOZ INTERNA: Bem, suponho que ele possa ver coisas que não estamos vendo. Isso acontece, como se sabe. E a interpretação dele pode ser diferente, mas válida. Além disso, ele acertou na mosca algumas vezes. É isso.

VOCÊ: Então há alguma coisa para ouvir.

VOZ INTERNA: Suponho que haja um pouco, sim...

Não é exatamente um Shakespeare, mas você captou a ideia. Converse com sua voz interna. Reconheça a ajuda e seja grato (afinal, são seus próprios pensamentos). Lembre-se de que entender não significa concordar. Conduza essa sua voz para uma curiosidade real. E, finalmente, dê-lhe uma incumbência: *Preciso que você fique extremamente atenta ao que está sendo dito. Ajude-me a destrinchar as informações e compreender. O que há de certo no que ele está dizendo? Por que será que ele vê as coisas de outro modo?*

O quadro resume os padrões mais comuns de voz interna e dá ideias a respeito do que você deve ouvir e que perguntas poderia fazer.

VOZ INTERNA	O QUE DEVE OUVIR	O QUE PODE PERGUNTAR
VERDADE		
Isso está errado! *Isso não serve para nada!* *Eu não sou assim!*	*Dados*: que ele tem e eu não tenho, interpretações dele diferentes das minhas. *Impactos*: Posso não estar consciente deles por causa de meus pontos cegos.	*Pode me dar um exemplo?* *O que isso significa para você?* *Com que você está preocupado?* *O que você me vê fazer que me atrapalha?* *Qual o impacto disso em você?*
RELACIONAMENTO		
Depois de tudo o que fiz por você! *Quem você pensa que é para falar assim?* *O problema é você, não eu.*	*Desvios* que trazem à baila outro assunto sobre nosso relacionamento. *Sistemas* entre nós — em que cada um de nós contribui para as questões e qual é a minha parte no sistema?	*Ajude-me a entender o que você diz. Depois vou querer falar sobre como/ quando/ por que você está dando esse feedback e algumas de minhas preocupações de relacionamento.* *Em que estou contribuindo para o problema que há entre nós?* *O que é mais preocupante para você e por quê?*

311

VOZ INTERNA	O QUE DEVE OUVIR	O QUE PODE PERGUNTAR
IDENTIDADE		
Eu estrago tudo. *Estou perdido.* *Não sou uma má pessoa — sou?*	Qual é meu *circuito* particular — até onde posso oscilar e com que velocidade me recupero? Como falo comigo mesmo sobre meu próprio padrão? Posso classificar como *orientação*, focando na oportunidade de crescer, em vez de privilegiar o julgamento implícito na avaliação e na orientação?	*Você pode me ajudar a ver seu feedback em perspectiva?* *O que eu poderia fazer para melhorar? O que seria mais importante que eu mudasse?*

O segundo objetivo de ouvir: mostrar que você está ouvindo

Você não ouve para ser cortês. Não ouve porque o emissor esteja certo, ou porque você vai necessariamente aceitar o feedback. Nem está ouvindo porque sua própria opinião não importa.

Você ouve para *entender*. A primeira coisa a fazer é de ordem arqueológica: você escava sob os rótulos, esclarece contornos e encaixa peças que inicialmente não via. Reúne todos os indícios e as informações relevantes para ter uma visão do feedback da perspectiva de quem o deu. Depois disso você e sua voz interna podem chegar a um acordo quanto ao que fazer com aquilo que você desenterrou — como isso se enquadra em sua própria visão, e se você vai ou não aceitar o conselho.

Entender-se é o primeiro objetivo, fazer com que o emissor saiba que você entende (ou, igualmente importante, saiba que você *quer* entender) é o objetivo número dois. O fato de você ouvir recompensa o outro pelo esforço e pelo tempo dedicado a lhe dar o feedback, e dá a certeza de que ele foi claro. Você pode precisar de uma conversa posterior sobre por que decidiu não aceitar o que foi dito, e isso pode desagradar o emissor. Mas ele não poderá dizer que você não levou o conselho a sério ou que não o entendeu. E, como resultado, é mais provável que ele ouça quando você explicar qual foi sua decisão e o porquê dela.

Surpreendentemente, interrupções periódicas (para assegurar que você está entendendo, não para contestar o interlocutor) podem indicar que você está prestando atenção.[6] Então interrompa: "Antes que você prossiga, poderia falar mais sobre o que quer dizer com 'não profissional'? Quero ter certeza de que estou acompanhando o que está explicando". Deixar claro como você está ouvindo pode ser útil para os dois.

Cuidado com a interpelação incandescente

Uma coisa para observar: no esforço de nos manter atentos mesmo quando aborrecidos, nossas perguntas podem se tornar "incandescentes" — inquisitivas apenas na entonação, esquentadas pela afronta e pela frustração que estamos nos esforçando para reprimir. Nossos sentimentos transbordam a ponto de impregnar nossas "perguntas", e acabamos dizendo coisas como "Como você pode ser tão estúpido?" e "Você acredita mesmo nisso?". Essas duas sentenças têm um ponto de interrogação no final, mas nenhuma delas é realmente uma dúvida. A interpelação é determinada pela intenção daquele que fala, e no caso dessas duas "perguntas" o propósito é afirmar e convencer (ou descarregar e atacar), não compreender.

O sarcasmo é sempre incompatível com a verdadeira interpelação ("Não, não, adoro ser dilacerado pelo seu feedback. Algo mais?"), assim como as perguntas de confrontação ("Mas não é verdade que...?" ou "Mas se é assim, como você explica que...?"). São sinais exteriores da luta que está em curso entre você e sua voz interna. Sua voz interna diz: "Dá para acreditar nesse cara? Ora, vamos!". E você responde: "Espere! Nós deveríamos estar fazendo perguntas!". O resultado é "interpelação" com uma carga de frustração e afirmação.

Como agir, então, quando você experimenta sentimentos fortes? Se estiver muito abalado, não tente lutar contra eles e fazer perguntas. Seja assertivo. Substitua perguntas incandescentes do tipo "Você acha mesmo que o que está dizendo é coerente e justo?" por uma afirmação sensata como: "O que você está sugerindo me parece incoerente com os critérios que usou para outras pessoas na mesma situação que a minha. Não me parece justo". Depois você pode voltar a ouvir: "Há aspectos disso que me escapam?".

Afirme o que tem a afirmar. Isso torna o ouvir mais fácil e mais eficaz.

Afirme o que fica de fora

Parece paradoxal falar sobre afirmação no contexto de *receber* feedback. Mas o feedback não é apenas uma coisa que o emissor dá e você recebe. Vocês dois estão montando um quebra-cabeça — juntos. Ele tem algumas peças, você tem outras. Quando você não é assertivo, está escamoteando suas peças. Sem seu ponto de vista e seus sentimentos, a outra pessoa não saberá se o que está dizendo é útil, se vai ao encontro do objetivo, se está ajustado às suas experiências. Não haverá solução de problemas, nem alinhamento ou indicação de que você entendeu o feedback, de como poderá usá-lo ou por que colocá-lo em prática pode ser mais difícil ou arriscado do que o outro imagina.

Suas afirmações serão muitas vezes em resposta ao feedback do emissor, mas nem sempre. Pode ser que lhe peça um relatório de desempenho com uma autoavaliação. Mas em algum momento, por definição, você receberá feedback e terá de dizer alguma coisa em resposta.

Mude de "Tenho razão" para "Isto ficou de fora"

A afirmação eficaz depende de uma mudança radical de mentalidade: você não está tentando convencer ninguém de que tem razão, não está tentando substituir a verdade dele pela sua verdade. Pelo contrário, está acrescentando algo que foi deixado de fora. E o que mais frequentemente é deixado de fora são os seus dados, suas interpretações e seus sentimentos. Uma vez que fizer essa mudança, poderá afirmar qualquer coisa que seja importante para você. Com os dois conjuntos de peças do quebra-cabeça sobre a mesa, é possível começar a ver em que ponto vocês veem as coisas de modo diferente e por quê.

Erros de afirmação mais comuns

A seguir, veremos erros de afirmação frequentes, causados pelos três gatilhos: de verdade, de relacionamento e de identidade.

Erros de verdade

A cilada mais comum é regredir para uma mentalidade de "verdade".

> CILADA: "Esse conselho está errado."
> MELHOR: "Discordo desse conselho."

Qual é a importância dessa distinção aparentemente tão pequena? É o fato de manter o tema da conversa em seu lugar. Se você diz "esse conselho está errado", o emissor vai responder simplesmente com uma explicação para provar que está certo. Se diz "discordo desse conselho", ele não vai poder negar o fato de você ter uma opinião sobre o assunto. Você tem. Tudo o que resta ao emissor é imaginar por que você vê as coisas de outro modo. Você pode dizer: "No último lugar em que trabalhei tínhamos uma divergência de opiniões, mas havia menos problemas do que temos aqui". O emissor não sabe o que acontecia em seu emprego anterior; você não sabe o que ele já tentou fazer aqui antes. Essa é a conversa que é preciso ter.

Falar em termos de diferença não significa que os fatos não estão envolvidos: eles estão sempre no centro da conversa. Você precisa conhecer os números do resultado de vendas antes de decidir o que significam. Mas decidir o que eles significam é provavelmente a tarefa mais árdua e mais importante.

Erros de relacionamento

A maior cilada na afirmação de relacionamento é o desvio. Você pode evitá-la observando que há dois assuntos e dando a cada um o seu encaminhamento.

> CILADA: "Você é um babaca autocentrado."
> MELHOR: "Estou me sentindo subestimado, portanto é difícil para mim prestar atenção ao seu feedback. Acho que precisamos discutir como eu estou me sentindo, além do feedback em si."

Se você escolher a primeira opção, tem grandes chances de começar uma briga. Se escolher a segunda, provavelmente fará com que o emissor se pergunte que livros malucos você andou lendo. Mas (normalmente) isso é melhor que uma briga.

Uma segunda cilada comum é sobre sistemas, culpa e contribuição:

> CILADA: "Não é culpa minha. Não sou eu o verdadeiro problema aqui."
> MELHOR: "Concordo que contribuí para que isso acontecesse. Gostaria também de dar um passo atrás para vermos juntos o quadro geral, porque acho que há muitos outros fatores importantes a compreender se quisermos mudar as coisas."

Mais uma vez, a primeira resposta provavelmente vai desencadear uma discussão sobre quem é o problema. A segunda mostra disposição de assumir responsabilidade por sua contribuição, deixando claro que você não está sozinho nisso.

Erros de identidade

Quando nos sentimos desestabilizados ou oprimidos, é mais provável que nossas afirmações caiam no exagero.

CILADA: "É verdade. Estou desesperado."

MELHOR: "Estou surpreso com tudo isso, é muita coisa para aceitar assim. Preciso de algum tempo para pensar e digerir o que você disse. Vamos voltar ao assunto amanhã."

Quando você se sente sobrecarregado, é pouco provável que exponha seus pensamentos de modo claro ou sensato. No esforço de recuperar o equilíbrio, você pode assumir uma parte maior do que a devida num problema, ou simplesmente projetar desespero e insegurança amplificados. Melhor ser franco sobre o fato de estar surpreso pelo feedback e pedir tempo para descobrir o que ele significa para você.

Uma segunda cilada comum ocorre quando sua voz interna se empenha em manter o feedback à distância.

CILADA: "Isso é absurdo. Não sou esse tipo de pessoa."

MELHOR: "É chato ouvir isso, porque não é assim que me vejo, nem como quero ser."

Você pode indicar que a informação não se encaixa com o modo como você se vê sem dizer que ela está errada. E pode jurar que vai tentar entender sem também dizer que a informação está correta.

Seja o juiz de seu próprio processo

Durante muitos anos, quando dávamos oficinas de comunicação, nosso objetivo era ensinar a ouvir e afirmar. Se isso não proporcionava 100% daquilo que as pessoas precisavam saber, chegava bem perto.

Mas começamos a notar uma coisa interessante: quando observávamos pessoas particularmente hábeis em se comunicar, parecia que elas estavam usando uma terceira técnica, que não podíamos detectar qual era.

Então tivemos o estalo. Essas pessoas não apenas participavam da conversa, mas também *comandavam* a conversa, ativa e explicitamente. Os supercomunicadores têm uma habilidade excepcional para observar a discussão, diagnosticar o que está indo mal e fazer intervenções explícitas no processo para corrigi-lo. Era como se eles desempenhassem dois papéis ao mesmo tempo: não atuavam apenas como jogadores, mas também como juízes.

Movimentos do processo: diagnostique, descreva, proponha

Essas pessoas percebem exatamente como se situar na conversa, inclusive em que estágio estão, além das dificuldades mais comuns nesse estágio. Elas têm a habilidade de diagnosticar de cara onde a conversa está emperrando e como fazê-la ir adiante — não se trata de manipular as coisas em proveito próprio, mas atuar em benefício da comunicação clara. Desejam ser hiperexplícitas, às vezes talvez até de modo um pouco estranho, no esforço de fazer as coisas voltarem para os trilhos.

Seja qual for o seu nível de habilidade natural, você pode melhorar nesses movimentos do processo com percepção e prática. Nós mesmos melhoramos muito só de ouvir atentamente, e você também pode:

> Nós dois estamos argumentando, tentando convencer um ao outro, mas acho que nenhum de nós está ouvindo, ou compreendendo plenamente o outro. Sei que não estou me saindo muito bem na tentativa de entender quais são suas preocupações. Fale-me um pouco mais por que isso é tão importante para você e para o gerente da loja.

> Vejo duas questões aqui, e ficamos alternando entre elas. Vamos examinar uma por vez: a primeira é que você está aborrecida porque pensa que eu não lhe disse nada a respeito de minha próxima viagem a Washington, e eu estou aborrecido porque acho que disse; a outra é que você está preocupada, porque não sabe como vai administrar os compromissos das crianças durante minha ausência. Você concorda? E, se concorda, qual questão quer discutir primeiro?

> Você diz que venho tratando mamãe injustamente e que qualquer pessoa normal perceberia isso. Discordo de ambas as afirmações: não acho

que esteja tratando a mamãe injustamente, nem que "qualquer pessoa normal" pensaria que estou. Não quero dizer que minha opinião é a certa e a sua é errada, mas sim que vemos as coisas de modo diferente. Em vez de simplesmente discordar, eu me pergunto se existem aspectos de como você vê as coisas que eu não esteja entendendo plenamente. O que você acrescentaria?

Estou chocado com isso. Minha voz interna está dizendo: "Meu Deus, isso não é uma questão de interpretação. Simplesmente não foi desse jeito que aconteceu!". Você também parece aborrecido e deve estar pensando a mesma coisa. Gostaria de fazer uma pausa e voltar ao assunto daqui a algumas horas, depois de dar um tempo para nos acalmar.

Tudo bem, estamos num impasse. Precisamos entrar num acordo e não conseguimos. A sua solução é que eu ceda. Como se trata de um processo, não me parece justo. Por outro lado, não sei como resolver essa situação, portanto teremos de nos virar para isso. Qual seria um meio justo e eficaz de decidir quando não chegamos a um acordo?

Todos esses exemplos têm duas coisas em comum. A primeira é que nenhum dos comentários se refere à essência da discussão em si: todos eles contêm uma observação sobre algum aspecto do *processo* que está emperrado ou fora dos trilhos. E todos têm uma sugestão para ir adiante ou um convite para resolver o problema.

A segunda é que esses comentários parecem um pouco estranhos — não é assim que as pessoas comuns falam. E, paradoxalmente, essa é uma das razões pelas quais esse tipo de intervenção pode ter tanta força. Um juiz detém o jogo para fazer ajustes, e esse é exatamente o objetivo de um movimento do processo: você faz uma pausa na ação da conversa para dar um passo atrás e analisar como ela está indo e como é possível corrigir seu curso. Esses movimentos podem dar curto-circuito num ciclo crescente de frustração ou desacordo, além de dar às duas pessoas envolvidas a chance de fazer uma escolha adequada sobre como avançar juntas.

Solucione problemas para criar possibilidades

Estamos falando de como entender o feedback e processá-lo de modo útil e não destrutivo ou negligente. Mas existe sempre uma próxima questão central para o bom recebimento do feedback. E agora? Afinal, qual é o propósito de todo esse trabalho para entender o feedback? O que vocês vão fazer com ele?

Essa pode ser uma pergunta desafiadora, principalmente se você e o emissor discordam sobre o significado do feedback ou sobre o que deve acontecer em função dele. Quando houver conflito sobre isso, você vai precisar de uma sólida habilidade para resolver. Para surpresa da maior parte das pessoas, ser bom na resolução de problemas não é apenas questão de ser "esperto" ou "criativo". Existem técnicas específicas — perguntas a fazer, modos de abordar as coisas — que fazem a diferença.

Crie possibilidades

Às vezes, mesmo quando achamos que o feedback está correto, sentimos que não podemos fazer nada. É desanimador. Pode ser feedback sobre traços de personalidade muito arraigados ou aparência física (se lhe dizem que você é alto demais para fazer o papel do galã, seu esforço para encurtar com certeza será inútil). Ou aceitar o feedback pode exigir uma reviravolta tão grande em seu modo de vida, seus hábitos ou sua carga de trabalho, que você acaba não tendo certeza de que o esforço vale a pena ou duvidando da possibilidade de sucesso se tentar.

Mas muitas vezes podemos criar novas possibilidades, mesmo onde parece não haver nenhuma. Vimos exemplo disso no consultório de obstetrícia de Alita no capítulo 7. As pacientes da médica reclamavam que ela se atrasava com frequência. Alita não se sentiu desestimulada, mas estancou. Sem alguma grande reformulação estrutural em sua prática, atrasar se tornaria uma característica periódica da experiência de suas pacientes.

As pacientes teriam preferido resolver o problema: ser atendidas na hora. Mas elas tinham também outro interesse: entender *por que* as consultas se acumulavam, sendo que cada uma ainda queria atenção quando chegava sua vez de passar em consulta. Por esse motivo, um aviso na sala de espera explicando por que as consultas atrasam vai ao encontro das preocupações legítimas das pacientes. Elas passam a entender o processo e se sentem agradecidas. Percebem que a questão não é que a médica não se importa, ao contrário, é porque se preocupa muito.

Descobrir possibilidades requer duas coisas: ouvir atentamente os interesses que estão por trás do feedback e a habilidade de criar opções que atendam a esses interesses. Isso pode transformar suas conversas de feedback, que passam de discussões sobre se as ideias do emissor "estão no caminho certo" para uma exploração do que ele está tentando conseguir e como chegar lá.

Procure os interesses subjacentes

Em *Como chegar ao sim*, os autores Roger Fisher, William Ury e Bruce Patton fazem uma distinção essencial para a resolução de problemas: a diferença entre interesses e posições. Posições são o que as pessoas dizem que querem ou exigem. Interesses são as "necessidades, desejos, medos e preocupações" subjacentes que a posição declarada pretende atender.[7] Muitas vezes, os interesses podem ser atendidos por diversas opções, algumas diferentes daquilo que se pretendia de início.

O conselho sempre aparece como uma posição: é a melhor ideia do emissor para o que se deve fazer de outra forma. Você está sempre atrasado? Seja pontual. É detalhista demais? Pare com isso.

Ouvir os interesses subjacentes lhe dará mais margem de manobra. Consideremos a história de Earl, assistente social que atende crianças deficientes e suas famílias. Earl prende o cabelo num rabo de cavalo, usa uma barba comprida e desarrumada, e não tem dois dentes da frente. Embora seja ótimo em seu trabalho, seu aspecto nada convencional faz com que algumas famílias levem um tempo para se sentir à vontade com ele.

A supervisora de Earl sugeriu que ele cortasse o cabelo e aparasse a barba. Ele recusou e reagiu dizendo que as pessoas que tinham preconceito contra sua aparência não difeririam em nada das que tinham preconceito contra uma criança por sua deficiência. Era uma posição justa, mas isso não mudava o fato de que a aparência de Earl injetava tensão numa situação já difícil por si mesma.

A supervisora assumiu uma posição: "Melhore sua aparência". Mas com isso, o que ele ouviu foi: "Queremos que as famílias se sintam à vontade com você mais rapidamente". Earl partilhava desse interesse e sugeriu à supervisora outra maneira de abordar a questão. Pediu que ela falasse dele às novas famílias de um modo um pouco diferente, antes que elas o conhecessem. Além de apresentar as credenciais profissionais dele, ela diria, em poucas palavras, que ele tocava banjo e era músico semiprofissional dedicado à música country.

Só esse fato adicional sobre Earl situou sua aparência num contexto que as famílias entendiam. Em vez de ficarem surpresas ou arredias por causa de seu aspecto, ficavam intrigadas. Muitas delas falavam com ele sobre música e, em pouco tempo, passavam a crer que sua aparência era prova de sua coragem de ser ele mesmo — uma lição que Earl efetivamente dava às famílias e a seus filhos.

Quando você estiver num impasse — achando que alguém sugeriu algo difícil ou inaceitável —, pergunte sobre os interesses que estão por trás dessa sugestão.

Três fontes de interesse por trás do feedback

Os interesses que estão por trás da orientação ou avaliação normalmente podem ser classificados em três tipos, e cada um deles sugere uma direção diferente a seguir para a criação de opções:

Ajudar você. O emissor vê modos de aperfeiçoamento e oportunidades para acelerar seu crescimento ou sua curva de aprendizagem. Ou talvez queira protegê-lo de problemas ou perigos futuros que ele vê, mas você não. O objetivo é ajudar *você.*

Ajudar a si mesmo e ao relacionamento. Alguém pode dar feedback por se sentir aborrecido, sozinho, zangado, desapontado ou magoado por sua causa. Em vez de dizer "Sinto que fui deixada de lado", uma pessoa diz "Você está viajando demais". O feedback é sobre você e seu comportamento, com certeza. Porém os interesses envolvidos não são necessariamente óbvios: você poderia fazer um esforço concentrado para viajar menos, mas acabar saindo mais para fazer trilhas. Você fica pensando que "aceitou" a orientação, e ela sabe que você não entendeu nada.

Ajudar a organização/ equipe/ família/ outra pessoa. Às vezes, o feedback tem como objetivo ajudar ou proteger alguém, ou alguma coisa, além de vocês dois. Seu chefe não pode dar a você uma nota mais alta, porque não seria justo com os outros. Sua melhor amiga não se importa na verdade que você sempre se esqueça de lhe pagar o que deve, mas sabe que outro amigo em comum fica aborrecido de verdade quando você fica devendo para ele. Então ela intervém e fala sobre o assunto com você.

Para resolver o problema real, é preciso entender os interesses reais. E para entender os interesses reais, é preciso ver o que está por trás das posições declaradas e identificar em qual classificação o interesse se encaixa.

Gere opções

Uma vez que você aprendeu a distinguir os interesses subjacentes (e de quem são realmente os interesses envolvidos), pode dar o próximo passo, que é criar opções. A vida fica mais fácil quando você encontra opções que atendam aos seus interesses, bem como aos interesses do emissor do feedback.

É bom ser explícito sobre aquilo que está tentando conseguir. Você pode nomear os diferentes interesses e convidar a outra pessoa a pensar junto sobre as maneiras de satisfazê-los. A razão número um pela qual não encontramos boas opções é que nós simplesmente nem pensamos em tentar. Portanto, tente.

No caso de Earl, algumas opções resolvem o problema e satisfazem plenamente os interesses do emissor, sejam quais forem. Outras opções são de "processo": vamos tentar do seu jeito e contar o estoque; vamos revezar; vou desenhar galinhas mais realistas e mostramos ambas ao comitê organizador, aí vemos o que eles acham. Você não precisa ter uma decisão final sobre o feedback. Se o feedback é justo ou não, ainda não se sabe. O que vocês combinaram até agora foi um processo para avançar que pareça justo para ambas as partes.

Feche com um compromisso

Como saber se uma conversa de feedback acabou? Muitas vezes é quando alguém desiste, levanta e vai embora, encerra, ou o tempo acaba. Mesmo quando a conversa vai bem, muitas vezes pulamos um último passo indispensável: descobrir no que concordamos e o que vamos fazer em seguida. Se não formos explícitos, muitas vezes terminamos desapontados pela falta de progresso ou confusos sobre as altas expectativas da outra pessoa. Emissor e receptor se perguntam por que perderam tanto tempo com o assunto se nada muda nunca.

Encerrar com um compromisso pode ser simples como uma frase: "Quero pensar sobre o que me disse e amanhã conversamos de novo". Isso não significa que você tem que concordar com o feedback ou prometer que vai mudar. Pode fazer isso, é claro, mas também pode se comprometer a buscar mais informação, ou trazer outras pessoas para a conversa, ou ver como as coisas caminham nas duas semanas seguintes, ou explicar exatamente quais partes do feedback você decidiu não aceitar. O objetivo é a clareza. Vocês dois devem saber como ficam as coisas.

Dependendo da formalidade do contexto, vejamos diferentes tipos de coisas que você pode definir enquanto encerra os trabalhos:

Planos de ação: E amanhã, quem faz o quê? O que cada parte vai mudar, ou tentar mudar, e o que cada um de vocês vai fazer para que isso aconteça?

Parâmetros e consequências: Como e quando o progresso poderá ser medido? Considerem discutir as influências, positivas e negativas, que a medição pode exercer. Discutam também as consequências, se houver alguma, se as metas não forem atingidas.

Acordos de procedimento: Além das promessas sobre a essência do que deve mudar, vocês devem fazer acordos sobre o processo para chegar lá. Quando vão conversar de novo, e sobre quê? Vocês devem concordar em obter mais informação do cliente, do conselho, dos vizinhos, do mercado. Nós dois podemos jurar não discutir o assunto diante das crianças ou do cliente, ou aceitar que um dê ao outro o benefício da dúvida.

Novas estratégias: Seja em casa ou no trabalho, o atrito que produz feedback muitas vezes reflete diferenças entre nós que não vão desaparecer. Nesses casos, mais do que encontrar *soluções* é preciso encontrar *estratégias* — novas maneiras de contornar fraquezas e defeitos, desatenção ou temperamentos explosivos dos envolvidos. Ao fim da conversa, articule as ideias que tiveram para se adaptar um ao outro com mais êxito e, mais uma vez, assegure-se de que vocês têm bem claro sobre o que estão concordando.

Lembre-se: as conversas de feedback raramente se resolvem numa tacada. Em geral, consistem numa série de conversas ao longo de um período e, dessa forma, sinalizam em que ponto vocês estão, o que já conseguiram e como aquilo que vão tentar agora pode ajudar a caminhar juntos.

Junte as peças: uma conversa em movimento

Como dissemos, as conversas de feedback são imprevisíveis e você vai precisar transitar com habilidade entre as técnicas que descrevemos. Vamos dar uma olhada na conversa de avaliação para ter uma ideia de como você pode usar essas técnicas em movimento.

Uma conversa de avaliação sobre notas de classificação e gratificação

Você está numa conversa de fim de ano com sua chefe. A parte mais formal da reunião trata de bônus, aumentos e promoções. A reunião serve também como uma oportunidade geral de falar sobre qualquer coisa importante: o que você pensa sobre o ano que passou, suas preocupações sobre o ano seguinte.

Você tirou nota 4 de um máximo de 5 pelo terceiro ano consecutivo. A gratificação concedida a uma nota 5 é mais ou menos o dobro da que recebe quem tira 4. Você não se sente indignado, mas frustrado. No ano anterior, disseram que a grande diferença entre essas duas notas seria trazer novos clientes em vez de simplesmente comandar a divisão e atender clientes dos outros. Assim, você fez disso uma prioridade e trouxe 23 contas novas, com contratos que elevaram a receita produzida por sua equipe em quase 20%.

Agora veremos quatro maneiras diferentes com que você poderia conduzir a conversa. As três primeiras são variantes de como fazer as coisas não tão bem; a quarta é mais eficaz. Vamos imaginar em cada caso que as preliminares não representam problema e examinar a discussão no ponto em que você reage à sua nota e ao seu bônus.

Primeira versão

VOCÊ DIZ: "Isto é simplesmente injusto. No ano passado me disseram que tiraria 5 se trouxesse novos clientes. Fiz isso e agora levo um 4. Alguém aqui está preocupado com justiça?"

ANÁLISE: Vemos quatro problemas: (1) Você afirma que o resultado é injusto, mas na verdade só saberá se é injusto ou não depois de discuti-lo melhor. Pode ser que você não tenha trazido contas suficientes, ou que elas fossem muito pequenas, ou que o critério tenha mudado, ou que você não tenha deixado claro que foi o responsável por ter trazido essas contas, ou tenha entendido mal o que foi dito no ano passado, ou que outros fatores tenham pesado contra uma nota 5 mesmo que seu trabalho com clientes tenha sido bom. Depois de discutir melhor o assunto, você pode continuar pensando que a avaliação não foi justa, mas pode ser que não. (2) "Injusto" é afirmado como uma certeza e não como sua percepção. (3) A frase sobre ninguém se importar com justiça é um ataque pessoal baseado numa atribuição sobre a qual você sabe pouco. Pode ser que muitas pessoas se preocupem com justiça ou que várias defendam você com convicção. (4) Sua afirmação não é exata. Não lhe disseram que se trouxesse novos clientes com certeza receberia um 5; o que disseram foi que a grande diferença entre as notas 4 e 5 seria a conquista de clientes. RESULTADO: Sua chefe pode ficar mobilizada por qualquer um desses problemas. Antes que você perceba, ela defenderá sua identidade de pessoa justa, e uma discussão sobre "como sua chefe é" não vai ajudar a resolver a questão que realmente importa aqui.

Segunda versão

VOCÊ DIZ: "O.k., está certo. Acho que 4 é um pouco baixo, mas suponho que esteja tudo bem."

ANÁLISE: Esse comentário, além de não ser claro, é passivo-agressivo. Na verdade, o que você está dizendo é: "Só vou falar do problema o indispensável para fazer você imaginar em que estou pensando, mas não a ponto de assumir a responsabilidade por tê-lo abordado ou de ser claro sobre meu ponto de vista real". Discuta (ou não) o assunto — mas não fale "mais ou menos" sobre ele.

RESULTADO: Sua chefe pode não perceber que você está questionando um problema legítimo ou ficar aborrecida com o teor passivo-agressivo do seu comentário. Seja como for, você não vai ficar sabendo por que recebeu um 4 ou o que deveria mudar, e sua atitude pode afetar negativamente o que sua chefe pensa sobre você.

Terceira versão

VOCÊ DIZ: "Puxa, eu estava achando que ia tirar 5. Há alguma maneira de alterar isso?"

ANÁLISE: Não há nada de errado com o fato de você dizer que esperava 5, porque você realmente pensava assim. Mas, mais uma vez, você ainda não sabe por que recebeu 4, então a pergunta sobre alteração é prematura. Depois da discussão, você pode concordar que 4 é a nota adequada ou pensar que de fato merecia um 5. Nesse caso, com o que ficou sabendo, vai ser capaz de articular seu raciocínio.

RESULTADO: Sua chefe diz "não". Fim de papo. Fim do aprendizado. Fim da chance de influenciar o resultado. Ou ela pode dizer que vai levar o que você disse em consideração, mas não tem nenhuma informação nova ou meio de pensar sobre a questão que faria alguma diferença.

Quarta versão: uma conversa mais hábil

Seu objetivo é dizer que está surpreso e desapontado, além de explicar o porquê. Nesse ponto da conversa, você não está afirmando que a nota seja injusta ou pedindo que seja alterada, nem está julgando o sistema ou as pessoas que tomam as decisões.

Você quer investigar diversas coisas: quer saber mais sobre os critérios e como eles se aplicam ao seu caso; quer entender a relação que existe entre o que lhe disseram no ano passado e os critérios atuais; quer saber se alguma coisa mudou e que outras informações — sobre colegas, mercado, pressão de superiores — podem ser relevantes.

Uma vez que tenha obtido uma ideia melhor dessa informação, você pode ou não achar que a nota e o bônus foram justos, além de querer ou não abordar essa questão. Se chegar à conclusão de que a nota foi injusta, deve expressar isso como seu ponto de vista, não como um fato objetivo. Você também precisa deixar claro se gostaria que sua nota fosse revista ou se está tendo essa conversa só para conseguir entender o sistema, talvez de olho no próximo ano.

Vamos supor que sua chefe não tenha lido este livro e demore um pouco a entender aonde você quer chegar. Assim, você deve ser persistente.

VOCÊ: Estou surpreso por ter tirado 4 em vez de 5. Mas, na verdade, não conheço muito bem o processo de tomada de decisões nem os critérios empregados.

CHEFE: Você acha que merece 5?

VOCÊ: Sim, estava achando isso, mas pensei sobre isso e vi que não estava bem embasado em informações. Na avaliação do ano passado me disseram que uma das diferenças entre 4 e 5 seria trazer novos clientes, por isso me esforcei para trazer 23 novas contas, o que aumentou nossa receita em quase 20%. Estava supondo que isso bastava para um 5, mas não tenho uma ideia clara sobre os critérios. Pode também haver outros fatores que eu desconheço.

CHEFE: Acho que 4 é muito bom.

VOCÊ: Bem, valorizo isso, mas mesmo assim é importante para mim compreender melhor como são tomadas as decisões.

CHEFE: Você acha que foi injusto?

VOCÊ: Não tenho informação bastante para julgar. Você poderia me dizer que fatores pesaram na atribuição da nota? E poderia me dizer também que influência têm as novas contas e o aumento da receita na nota?

[*A chefe explica longamente o sistema de avaliação e você interrompe aqui e ali para esclarecer o processo, os termos e tudo o mais até que entenda com clareza.*]

VOCÊ: Baseado no que você acaba de explicar sobre os critérios, e supondo que não existam outros fatores, acho que eu deveria ter tirado um 5. Você não pensa assim?

CHEFE: Em termos de receita e clientes, eu concordaria. Mas isso não é uma ciência exata. Os integrantes da comissão de remunerações podem levar em conta outros fatores um pouco diferentes.

VOCÊ: Posso imaginar o trabalho que dá classificar tudo isso. Haveria fatores complementares que possam ser relevantes para mim?

CHEFE: Uns poucos membros da comissão levantaram dúvidas sobre seu comprometimento geral. Eles não se importam que eu revele isso, mas eu não disse nada a você porque discordo deles. Acho que não tem a menor importância e seria um desserviço se eu enfatizasse o assunto ou até mesmo se o mencionasse.

VOCÊ: Claro, é desagradável ouvir isso, mas é bom saber. Isso me mostra que, embora eu me considere dedicado, estou sendo interpretado pelo menos por algumas pessoas de um modo que levanta dúvidas.

CHEFE: Bem, suponho que eu poderia voltar a falar com a comissão e ver se há possibilidade de rever sua nota. Acho que não, mas posso tentar.

VOCÊ: Hum... Como isso seria interpretado pela comissão?

CHEFE: Como você pode imaginar, há muita gente que reclama de seu bônus, seja lá qual for. Mas, ocasionalmente, é preciso realmente reconsiderar.

VOCÊ: Bem, por um instante, eu queria deixar a nota para lá. O que acha da possibilidade de eu ter uma conversa com algum integrante da comissão que tem dúvidas sobre o meu comprometimento? Gostaria de entender melhor essa percepção antes de decidir lutar pela mudança da nota.

A conversa continua, já que ambos exploram opções e definem compromissos sobre como prosseguir. Mas você fez um bom trabalho se esforçando para entender o feedback e demonstrando vontade de aprender com ele.

E a capacidade de aprender com o feedback é o fator que mais pesa para o nosso futuro.

CAPÍTULO 12

Dê a partida

CINCO MODOS DE AGIR

Aqui vamos mostrar algumas ideias para dar a partida — maneiras rápidas de solicitar feedback, testar o conselho que recebemos, acelerar nosso aprendizado e avaliar nosso progresso.

Mencione uma coisa

É sua primeira análise de desempenho no novo sistema, e a cabeça de Rodrigo está girando com quadros, gráficos, competências e comentários. Está oprimido e confuso a respeito do que ele deveria ter feito de forma diferente.

Pelo menos ele não precisou lidar com biscoitos de chocolate.

Já os participantes de um experimento recente não tiveram tanta sorte. Foram informados de que deviam pular uma refeição antes de chegar ao laboratório. Entraram um a um, sentindo no ar o cheiro delicioso de biscoitos de chocolate que tinham sido assados num forno pequeno. Pediram à metade das pessoas que comessem dois ou três biscoitos, enquanto a outra metade deveria se abster dos biscoitos e, em vez disso, comer dois ou três rabanetes.

Em seguida, todos eles tiveram de resolver uma série de problemas de geometria em que precisavam desenhar figuras sem levantar o lápis da folha. Receberam bastante papel e autorização para fazer todas as tentativas que quisessem. Os que resistiram aos biscoitos e comeram rabanetes desistiram duas vezes mais depressa, depois de cerca de metade das tentativas dos demais. O pesquisador Roy Baumeister e sua equipe dizem que a atenção e o esforço que fizeram para resistir à tentação (ou forçar um comportamento novo e menos atraente) deixaram menos energia, atenção e persistência para a realização de outras tarefas.[1]

Isso tem importantes implicações para nosso esforço de agir segundo o feedback que recebemos, mudando comportamentos e hábitos. O feedback pode ser exato, oportuno, sagaz e bem transmitido, mas se envolve muitas ideias que devem ser acompanhadas, muitas decisões a examinar, muitas mudanças a fazer, é simplesmente demais. Nossa capacidade de empreender mudanças é um recurso limitado. Portanto, menos é mais (mais ou menos).

Sendo assim, mantenha a simplicidade: *mencione uma coisa.* No fim das contas, será que há um item que você e o emissor (ou emissores) veem como o mais importante para abordar? Deve ser algo significativo e útil, mas não fique paralisado por isso. Não precisa ser uma coisa *perfeita* — isso não leva a nada. Só uma coisa útil. Um começo.

Pergunte: "O que venho fazendo que está me atrapalhando?"

Como escolher uma coisa só? Não diga: "Gostaria de ter algum feedback". É muito vago. Melhor pedir: "Diga-me uma coisa em que posso melhorar". Ou, como vimos no capítulo 4, é possível refinar a pergunta: "Qual é a coisa que você me vê fazendo ou deixando de fazer que esteja me atrapalhando?". Isso permite que seu emissor vá um pouco além do habitual (Ei, foi você quem pediu!) e o ajude a priorizar e ir direto ao que interessa.

É claro que emergências são emergências: se seu cabelo *e* suas calças estão pegando fogo, a fórmula "uma coisa só" não serve. E não peça para dizer uma coisa simplesmente para deixar de lado as preocupações do outro. Você pode não ser capaz de trabalhar em dez problemas, mas se o emissor tem dez preocupações, elas existem. Tente entendê-las e validá-las, depois volte e estabeleça prioridades: "Você levantou diversas questões, e falamos sobre a importância de cada uma delas. Pretendo seriamente me aperfeiçoar, e na minha experiência o melhor meio de fazer isso é me concentrar numa coisa de cada vez. Então vamos determinar um bom ponto de partida".

Nem sempre é fácil. Quando sua filha mais nova quiser lhe dar um feedback, ela não vai reagir bem se você responder que a irmã mais velha já lhe deu sua cota de "uma coisa só" do mês. Assim, dependendo do tamanho e da dificuldade das mudanças, você pode abordar algumas delas de cada vez, principalmente se forem de áreas diferentes. Você pode tentar ser mais paciente com a filha mais velha e mais coerente com a mais nova. Ao escolher uma coisa, você cria expectativas. Vamos nos concentrar.

Ouça por temas

O relatório de feedback de Rodrigo continha dezenas de comentários e sugestões, e três "áreas de aperfeiçoamento" em destaque. A maior parte do feedback era vaga e rotulada (por exemplo, "na média em *empatia*", "abaixo da média em *engajamento*"). No fim, foi o imenso volume do feedback que o deixou perdido para decidir por onde começar.

Sendo assim, Rodrigo pôs o relatório de lado e iniciou sua própria missão. Escolheu três pessoas com quem tinha trabalhado em diferentes funções, entre elas seu chefe e um colega que ele achava especialmente irritante. A cada um deles fez a seguinte pergunta: "Qual é a coisa que estou fazendo que, na sua opinião, está atrapalhando minha própria eficiência?". Fez perguntas complementares para esclarecer. A conversa mais longa durou dez minutos.

Rodrigo sabia que no final ia ter mais de "uma coisa" a levar em conta, mas procurou os temas. Eis as conclusões baseadas nessas conversas:

Não demore para nos dizer o que está pensando.

Você hesita e deixa os outros dominarem a conversa. Dada a sua experiência, precisamos que intervenha com mais vigor e depressa.

Seja mais visível para a direção da empresa.

Não percebo quando você toma uma decisão. Quando fizer isso, informe-nos para que possamos agir.

Acho que o tiro que você dá em seu próprio pé é o fato de ser desorganizado.

Das cinco pessoas com quem ele falou, três foram direto à sua tendência em hesitar e deixar a conversa rolar, apesar de ser um líder de equipe. Até receber o feedback, essa deficiência sequer estava em seu radar. (Em retrospecto, percebeu que ela tinha sido mencionada em seu relatório de feedback; mas, se já não estivesse deliberadamente procurando por ela, nunca a encontraria debaixo daquela montanha de dados.) Na verdade, até agora, Rodrigo achava que tinha a dificuldade oposta: preocupava-se com o fato de não dar à equipe abertura suficiente para a participação nas decisões e estava trabalhando pela inclusão. Depois de falar com os colegas, descobriu que havia ocasiões em que precisavam de mais direção e clareza sobre a decisão que ele havia tomado, para que pudessem começar a discutir sobre sua implantação.

Então Rodrigo decidiu que "uma coisa" para o mês seguinte seria tentar se manifestar mais e dar mais direção. Uma colega lhe deu uma pequena orientação muito proveitosa: "Ela sugeriu que eu me propusesse a passar um pouco da conta. E prometeu me contar, caso isso acontecesse. Se não preciso me preocupar em saber se fui longe demais, posso melhorar mais rápido".

Pergunte o que é importante para ele

Uma última maneira de procurar efetuar uma mudança com potencial de grande impacto é pedir: "Diga uma coisa que eu poderia mudar que faria diferença para *você*". Sharon perguntou aos três filhos pequenos durante o jantar: "Tenho enfrentado muita pressão no trabalho, e estou sempre pedindo a vocês mais ajuda e compreensão. Mas vamos inverter a situação. O que eu poderia fazer diferente para ajudar vocês?".

Sharon não podia imaginar nenhuma resposta útil para essa pergunta. Achava que se houvesse alguma solução fácil, ela já teria descoberto. Aidan, de oito anos, gritou: "Mais balas!". Isso abriu uma disputa entre Aidan e Owen, de doze anos, que, não desprovido de razão, achava "mais balas" uma resposta estúpida. Mau começo para uma conversa.

Foi quando Colin, de dez anos, disse: "Nunca mais fomos ao boliche".

Isso pareceu a Sharon só um pouquinho melhor que "mais balas", mas ela viu que Colin estava falando sério. "Então você está com saudade do boliche?", a mãe perguntou.

"Não muito", respondeu Colin.

Confusa, Sharon disse: "Então me conte por que mencionou o boliche".

Colin tinha a resposta: "Porque era a única hora em que a gente fazia alguma coisa juntos, *só nós quatro*, e faz um ano que não vamos". Ele tinha razão. Um tempo só para os quatro era menos importante para seus irmãos, mais sociáveis, mas significava muito para Colin, mas Sharon não tinha percebido isso. Ela ligou para o boliche e reservou uma pista.

Uma pergunta, uma coisa.

Tente pequenas experiências

Às vezes você pode ser claro a respeito de querer ou não aceitar o feedback: "Agora que compreendi o que você está sugerindo, acho que é uma ideia fantástica e mal posso esperar para pô-la em prática". Ou: "Agora que compreendi o que você está sugerindo, tenho de ir em frente e dizer não (pintar minha sala de preto — não é o visual ideal para mim)". E às vezes ficamos em algum ponto no meio do caminho, sem saber bem se é uma boa ideia ou não: "Vou deixá-la de lado por enquanto e voltar a pensar nisso depois, talvez quando eu reencarnar como uma pessoa que tem tempo livre".

Em qualquer caso, tentamos analisar o feedback que recebemos: consideramos prós e contras, ponderamos diferentes opiniões e, finalmente, fazemos o que tem mais sentido. Mas aqui há uma dificuldade: em qualquer disputa entre a mudança e o status quo, o status quo tem a vantagem de ser o time da casa. Se nada de extraordinário acontecer, não mudamos.

Emily é um bom exemplo. Sua ONG, que apoia pais jovens e ensina como exercer a paternidade, foi construída do nada, com muito trabalho e uma visão do tamanho do mundo. Sua mensagem é inspirada e suas ideias são importantes.

As reações às suas sessões públicas de duas horas têm sido majoritariamente positivas. Mas volta e meia Emily recebe feedback de colaboradores, palestrantes convidados e pais dizendo que sua introdução de vinte minutos — em que apresenta a organização e seu trabalho no começo de cada palestra — é longa demais. Ela deveria pular direto para as atividades da noite.

Durante cinco anos, Emily resistiu a essas sugestões. Afinal, ela era uma excelente oradora, sabia motivar as pessoas, as palestras tinham repercussão positiva e ela era bem-sucedida fazendo as coisas a seu modo. Até agora não havia motivo nenhum para mudar.

Quando as coisas vão bem, o feedback pode parecer ameaçador, e não somente por sugerir que temos algo a aprender ou que ainda não chegamos à perfeição. É ameaçador porque nos pede para abrir mão de algo que é confortável e previsível. Já estamos indo bem e, mesmo se isso não acontecesse, pelo menos estamos conscientes das consequências. "Sei que estou sempre atrasada para tudo, mas até agora isso não teve um impacto desastroso sobre a minha vida. Os convidados não tiveram de esperar *tanto* assim e, no final, nos casamos, não é?"

Não decida, experimente

Essa é nossa abordagem: experimente. Ponha o feedback à prova, principalmente quando o que está em jogo é pouco e o ganho pode ser grande. Não porque você *sabe* que isso é o certo ou que vai ser útil. Mas porque é possível que seja útil. E porque muitíssimas vezes nossos atos têm consequências imprevistas, e tentar coisas novas pode ser muito estimulante. E porque não é todo dia que você (a gente) tenta coisas novas.

Vista a carapuça

Às vezes, você pode tentar o experimento em sua mente.

Harpreet já era professor havia anos quando leu comentários surpreendentes na avaliação de um aluno: "O professor é arrogante e depreciativo com os alunos. Ele desdenha de suas ideias e preocupações".

Harpreet sentiu-se mal. Essa caracterização não podia estar mais distante de seus valores e da imagem que ele faz de si mesmo. Dedicado a fomentar o crescimento dos alunos em seu laboratório, ele tinha orgulho de seu compromisso como orientador. Decidiu discutir a avaliação com a chefe de seu departamento. "Veja estes comentários", disse a ela. "Não consigo entender como foi que um aluno pôde dizer essas coisas."

Ela deu uma olhada nos comentários e, depois de um momento, levantou os olhos e disse: "Bem, vista a carapuça". Harpreet ficou pasmo. Esbravejou: "Não estou entendendo direito o que você quer dizer". "Vista a carapuça", ela repetiu. "Admita que o aluno tem razão de alguma forma."

"Mas o aluno *não tem* razão de forma nenhuma", protestou Harpreet, meio de brincadeira, meio a sério.

"Admita a possibilidade, só durante alguns dias", ela sugeriu. "Não porque você ache que a carapuça lhe serve, mas porque é uma boa maneira de descobrir se serve ou não. Se não servir, não se preocupe. Pode tirá-la. Mas se servir, mesmo que um pouquinho, vai lhe dar elementos para trabalhar a questão."

Vestir a carapuça de um feedback no vestiário da sua mente pode ser desconfortável, mas é um experimento de baixo risco. Harpreet provou o feedback e, depois de considerá-lo por diversos ângulos, começou a ver o que o aluno possivelmente quis dizer. Ele não percebia como eram arrogantes certos comentários que fazia, mas agora via que outra pessoa podia entendê-los assim. Essa nova perspectiva de si mesmo — não a "verdade", mas um modo alternativo de se ver — tornou-se extremamente valiosa para Harpreet e influenciou suas relações com os alunos pelo resto de sua carreira. E ele não teria tido acesso a isso se não tentasse provar a carapuça.

Tire a carapuça

Durante anos, sua mulher vem pressionando você a acordar mais cedo e fazer ioga antes de ir para o trabalho. Há duas coisas de que você não gosta nessa sugestão: acordar cedo e ioga. Você não vê como isso pode ter algum efeito positivo em sua vida. E tem uma norma: "Se não vê em que pode ser útil experimentar alguma coisa, não experimente". Sua mulher acha que está sendo preguiçoso, mas você acha que está apenas sendo esperto.

Foi então que um pensamento surgiu em sua cabeça: *Tenho cinquenta anos. Se viver até os oitenta, vou ter mais ou menos 11 mil manhãs para acordar. Se eu experimentar ioga e não gostar, terei 10 999 manhãs para acordar a hora que quiser.*

Então, um dia você acordou cedo e foi para a ioga. Ficou surpreso ao ver que essa era diferente da ioga de sua juventude. Depois, o professor lhe disse: "Espero que você não se machuque". Mas apesar desse "feedback", você tem de admitir que meio que gostou da coisa. E com certeza gostou do efeito que teve sobre você o resto do dia. Você decide ir mais algumas vezes, só para testar.

A única desvantagem dessa situação é que sua mulher tinha razão e você tem de admitir que estava errado. Mas você protesta: "Eu não estava errado, porque é uma ioga diferente, e eu não tinha como saber disso antes". Exatamente. É por isso que experiências de baixo custo como essa são tão boas. Você pode fazê-las mesmo tendo dúvidas, porque sabe que de vez em quando pode estar errado. Não tantas vezes quanto sua mulher diz, talvez, mas de vez em quando.

Você pode ter uma surpresa

O dr. Atul Gawande é um hábil cirurgião, escreve na revista *New Yorker* e dá aulas na Escola de Medicina de Harvard. Se alguém pudesse estar se sentindo no auge, essa pessoa seria ele.

Mas Gawande achou que talvez pudesse se aperfeiçoar. Contratou um especialista para observá-lo operando, em busca de pontos em que pudesse melhorar sua técnica cirúrgica e seus resultados, que já eram ótimos. Imaginou que o especialista poderia ver alguma coisa que ele não via.

Gawande ficou surpreso com as recomendações do especialista, que apresentou muitas sugestões técnicas ("Quando você se sente tentado a erguer o cotovelo, é porque precisa mudar a posição dos pés ou escolher outro instrumento.").[2] O especialista conseguiu também indicar alguns pontos cegos de Gawande: a maneira como ele cobria o corpo do paciente lhe dava uma visão perfeita do procedimento, mas obstruía parcialmente a visão de seu assistente, do outro lado da mesa. Isso, que era invisível para Gawande, ficou óbvio de imediato para o especialista, que também "indicou pontos em que perdi oportunidades de ajudar minha equipe a ter um desempenho melhor", observa Gawande.[3] O impacto do aconselhamento foi grande. Depois de pôr em prática as ideias do especialista — uma de cada vez, durante vários meses — Gawande registrou uma queda nos índices de complicações pós-operatórias em seus pacientes.

Gawande não contratou o especialista porque sabia que precisava de um ou por ter previsto essas melhorias específicas. Ele contratou um porque fazer isso não lhe traria desvantagens significativas, e as vantagens, ainda que obscuras, pareciam valer a pena. E com certeza foi útil para seus pacientes e para sua equipe, que o viu transformar seu interesse e sua abertura em aprendizado e aperfeiçoamento permanente.

Não é tudo-e-sempre

Baixar os riscos muitas vezes significa uma recontextualização da pergunta que você está fazendo a si mesmo quando se trata de feedback. Se a pergunta for "Devo ir à ioga para o resto da vida?", a resposta sempre será não. Se for "Devo experimentar ioga uma manhã destas e ver o que acho?", seus custos caem vertiginosamente.

Emily ouviu o conselho que estava recebendo — corte a introdução de vinte minutos — como uma sugestão tudo-e-sempre: *Dê suas oficinas de forma totalmente diferente para o resto da vida. Aliás, não seria ruim se admitisse que esteve sempre fazendo errado.*

Emily finalmente mudou quando se afastou do contexto tudo- -e-sempre. Embora não estivesse convencida de que cortar os vinte minutos que empregava para expor o quadro geral fosse a solução, decidiu experimentar por uma noite para ver o que acontecia. Deu as boas-vindas aos novos pais e passou direto às atividades.

Os resultados da experiência? Houve alguns momentos de estranheza quando Emily se perdeu um pouco por ter saído de seu roteiro normal. E ela acabou percebendo que havia partes de sua introdução que queria manter. Mas concluiu que os vinte minutos não eram mesmo necessários. "Da próxima vez, falo durante cinco minutos sobre aquilo que eles realmente precisam saber e distribuo alguma coisa impressa no final para quem quiser mais detalhes."

Não é tudo-e-sempre. É só um-pouco-e-às-vezes.

Algumas experiências inevitavelmente vão resultar em perda de tempo — é por isso que se chamam *experiências*. Mas no cômputo geral, existem recompensas significativas quando nos dispomos a pôr à prova o feedback, mesmo sem ter certeza de que é o correto ou mesmo tendo a certeza de que está errado. Pelo menos isso mostra ao emissor que você está aberto para seus conselhos, o que certamente acarretará vantagens para o relacionamento.

Fique firme na curva J

Esta é a história de Bernardus e do novo sistema de acompanhamento de clientes. Interrompa-nos se já ouviu isso antes.

O chefe de vendas esteve na cola de Bernardus durante meses para que ele usasse uma nova base de dados on-line que lhe permitisse acessar e recuperar dados em qualquer lugar e compartilhar a informação com toda a equipe. Se Bernardus saísse de férias, não teria de perder horas ensinando alguém como lidar com uma conta determinada, bastaria passar-lhe o nome do arquivo. E já não teria de se preocupar com a procura de papeizinhos com números, e-mails e anotações criptografadas sobre as prioridades e preferências do cliente.

Era um sistema magnífico, e Bernardus estava convencido de sua utilidade. Mas não conseguia fazer a transição. Ele começa a usar o sistema, não acerta e no meio do caminho desiste. Ou usa o sistema durante alguns dias, então se esquece e uma semana depois percebe que tem uma montanha de dados para lançar, caso quisesse ficar em dia. Seu hábito de tomar notas tem anos, e ele se sente dependente de lápis e papel confiável, mesmo que esteja amassado. Não é racional. É resistência à mudança.

Às vezes não fazemos a coisa mais indicada, inteligente, eficaz e saudável, porque não sabemos o que é. Mas às vezes sabemos exatamente qual é a coisa mais indicada, inteligente, eficaz e saudável, mas mesmo assim não a fazemos.

Dois para uma decisão

Não é um problema novo. Lembra a história de Ulisses? Ele temia ser seduzido pelo canto das sereias, que já tinha levado muitos marinheiros ao naufrágio. Sabia que não teria condições de fazer a escolha certa quando estivesse entre desfiladeiros e ouvisse a música irresistível. Assim, em vez de confiar na força de vontade para enfrentar o perigoso momento, pediu a seus marinheiros que o amarrassem ao mastro antes que chegasse a hora. Ulisses se dispõe a satisfazer seu desejo e evita a possibilidade de fraquejar diante da tentação.

Homero sabia das coisas no que se refere à dificuldade de fazer boas escolhas, potencialmente tão úteis para Bernardus quanto foram para Ulisses. O economista Thomas Schelling diz que, em grande parte, nosso comportamento confuso ao manter (ou não) os compromissos assumidos com nós mesmos decorre de uma espécie de personalidade dividida que todos temos.[4] No domingo à noite, decidimos que na manhã seguinte finalmente vamos começar nossa dieta de baixo carboidrato. Até aí, tudo bem. Mas chega a manhã da segunda-feira, e nos vemos diante de duas possibilidades: devo comer os bolinhos de costume, ou fico só no presunto com ovos? Não chega a ser alface, mas sem carboidratos não tem graça. Bem, na verdade faz pouca diferença começar hoje ou amanhã, ou na semana que vem, que seja.

É assim que nosso "Eu da Segunda de Manhã" rompe o acordo feito por nosso "Eu de Domingo à Noite". O sr. Domingo à Noite quer parar de adiar e começar a dieta. Fica aborrecido com a recusa para mudar do cara da Segunda de Manhã, mas o que pode fazer? Ao chegar a manhã da segunda-feira, esse cara é quem decide.

Então o sr. Domingo à Noite se pergunta: *Haverá um jeito de eu fazer não só a escolha de mudar, mas também fazer esse Segunda de Manhã cumprir o que eu decidi?* Há, sim. O sr. Domingo à Noite pode mudar os termos da escolha de modo que o cara da Segunda de Manhã chegue à conclusão "certa": nós dois vamos começar a dieta.

O sr. Domingo à Noite pode fazer isso de dois modos: aumentar o apelo positivo da mudança desejada ou aumentar as consequências negativas de não mudar.

Aumente o apelo positivo da mudança

Vamos ver primeiro como tornar a mudança mais atraente para o cara da Segunda de Manhã.

Compartilhe

As coisas desagradáveis ficam menos desagradáveis quando você tem companhia. Encontre um amigo, colega, orientador ou qualquer companheiro aspirante de dieta e sugira que façam a coisa juntos. Combinem aferições periódicas, relatórios por e-mail de tentativas e vitórias, façam juntos um lanche (com pouco carboidrato) para analisar o progresso. Seja solidário. Oriente, apoie, reflita com franqueza.

A socialização é útil, em primeiro lugar, porque faz de um objetivo sem graça uma missão divertida. Ou um pouquinho divertida, pelo menos. E combinar uma mudança com uma ligação humana reformula o lado emocional do esforço. Já não se trata de "estou sofrendo", mas sim de "estamos passando por isso juntos". Amigos têm dias de arrumar a casa juntos; estudantes estudam juntos; escritores que de outra forma seriam solitários compartilham um escritório.

Em segundo lugar, você fica responsável por outra pessoa. Pode ser que deixar rolar não tenha importância quando se trata só de você, mas agora tem de pensar no amigo também. E, finalmente, empreender a jornada ao lado de alguém pode proporcionar também a valorização. Um companheiro de dieta ou um personal trainer recém-contratado entende o sacrifício que você está fazendo. Ele testemunha seus progressos, *vê* você suando, comemora seu esforço. Essa valorização motiva a persistir mesmo quando você não está lá com muita vontade.

As pessoas extrovertidas devem estar achando que tudo isso faz muito sentido — elas normalmente se energizam estando com outras pessoas. Os introvertidos podem ouvir essas sugestões mais como um peso — além de fazer dieta ou exercício, agora tenho que *conhecer* pessoas também?

Você pode desfrutar dos benefícios da socialização sem precisar se enturmar ou entrar para um clube de ciclistas empolgados. As comunidades on-line oferecem a oportunidade de checar progressos, receber solidariedade, encontrar dicas valiosas e assumir compromissos sem ter de tirar o pijama ou tolerar papo furado. Há comunidades na internet para praticamente tudo o que você possa querer, seja controlar despesas, conviver com o estresse, cuidar de um filho autista ou perder peso. Talvez Bernardus possa encontrar alguma — ou fundar uma — para finalmente usar o programa de acompanhamento do cliente. Afinal, é uma ferramenta magnífica.

Conte pontos

Outro modo de aumentar a recompensa por manter um compromisso é fazer uma contagem de pontos. Essa é a razão principal pela qual os video games são tão viciantes — eles oferecem uma medição instantânea do nosso progresso e um convite para recomeçar e tentar de novo.

Shigeru Miyamoto é a mente criativa que está por trás dos jogos mais vendidos da Nintendo — o *Super Mario Bros.* e *A lenda de Zelda*. Quando fez quarenta anos, Miyamoto resolveu entrar em forma. Começou a correr, a nadar e a fazer gráficos detalhados de sua atividade e seu peso, que pregava na parede do banheiro. Fazendo essa contagem, ele transformou seu programa de treinamento físico num jogo.[5]

Primeiro ele fez isso para si mesmo, e depois para os outros: o Wii Fit de Miyamoto está em terceiro lugar entre os jogos de console mais vendidos de todos os tempos. Uma balança com sensores de pressão, o acessório Balance Board, checa seu peso e acompanha seu tempo de exercício e seus progressos enquanto você corre entre ilhas de fantasia ou brinca girando bambolês. A introdução de um elemento lúdico "leva as pessoas a fazer coisas que normalmente não fariam", diz Miyamoto. É uma maneira de envolver o seu eu lúdico quando se depara com um desafio e precisa resolver problemas. Fazer a contagem é um modo de provocar o feedback positivo das descargas de dopamina que motivam a continuidade do treino.

A gamificação[6] tem tanta força que atualmente está sendo usada (não sem controvérsia) para tudo, da captação de clientes à educação. Muitos professores do ensino fundamental no estado americano de Massachusetts estimulam os alunos a brincar com o *JogNog*, um jogo on-line em que os alunos juntam pontos respondendo a "torres" de perguntas científicas e têm suas conquistas classificadas em tempo real num ranking de campeões do país todo. Antoine, do oitavo ano, que antes achava a aula de ciências "chata" e "fácil demais", acabou dedicando o pouco tempo livre de que dispunha para ficar diante de uma tela nos fins de semana não para simplesmente brincar de video games, mas para responder milhares de perguntas de ciências. Quando Antoine analisava a tabela de classificação, ao ver a distância entre o nome dele e o do aluno logo acima, resmungava: "Agora eu vou passar esse cara — só para manter minha honra". Isso já tinha deixado de ser apenas sobre ciências.

Os melhores jogos atingem um "equilíbrio mágico entre a excitação de enfrentar novos desafios e o orgulho de ter resolvido problemas anteriores", diz Nick Paumgarten sobre os jogos da Nintendo de Miyamoto. Você não pode permanecer motivado se precisar dar tudo de si o tempo todo. Precisa provar a satisfação de exercitar habilidades que domina, intercaladas com as novas a que você está se dedicando para melhorar. Não se pode estar sempre na curva de aprendizagem. As descidas são necessárias para reduzir o passo e recarregar energias.

Como aproveitar essas ideias no que se refere a trabalhar num feedback e se esforçar para mudar? Bem, seja qual for a tarefa em que você estiver empenhado, existem maneiras de manter uma contagem? Há como tornar o processo mais competitivo, lúdico ou satisfatório? Se você está se esforçando para combater a procrastinação, é possível criar um sistema de incentivo para pequenas realizações diárias? Se estiver tentando atender ao pedido de sua mulher de parar de dizer palavrões, pagar uma prenda não só serviria para aumentar sua consciência como as crianças achariam divertido "ajudar". Baixe um aplicativo que acompanhe as escolhas alimentares que você faz e conte calorias. Use um pedômetro e veja se consegue bater o total de passos de ontem. Esse tipo de abordagem pode convencer o cara da Segunda de Manhã a deixar os bolinhos para trás.

Aumente o preço de não mudar

Até aqui temos falado sobre inclinar a balança a favor da mudança aumentando a atratividade da tentativa de mudar. Agora vamos para o outro lado da balança: como aumentar o preço de escolher não mudar.

Amarre-se ao mastro

Eis uma ideia: e se a escolha fosse entre "comece a dieta com pouco carboidrato ou coma os bolinhos e doe quinhentos dólares ao Partido Nazista Americano"? Bem, com certeza isso muda o canto da sereia do bolinho, não?

Mas por que uma de suas escolhas teria de ser sempre "coma o bolinho e doe ao Partido Nazista"?

Não teria, a menos que decida isso de propósito, amarrando-se ao mastro. Como funciona? Peça a um amigo para guardar quinhentos dólares seus. Se você não começar a dieta no dia em que se comprometeu a isso, ele doa realmente o dinheiro ao Partido Nazista Americano. Não tem nada a ver com sua dieta, mas com certeza muda os termos da escolha.

Thomas Schelling finalmente parou de fumar aplicando a si mesmo a ameaça de doação ao Partido Nazista. Ele tem ajudado médicos a parar com o consumo de drogas fazendo-os escrever uma carta ao conselho de medicina confessando o problema, que foi selada e confiada a um amigo incumbido de enviá-la se eles tivessem uma recaída. Assim, mais uma carreira de cocaína não seria só mais uma carreira: seria o diploma, a licença para trabalhar e a reputação.

Identifique a curva J

Quando você faz força para mudar, dá-se uma situação recorrente que merece ser identificada por ser muito comum e ter profundas consequências sobre nosso comportamento e nossas escolhas. Essa situação é importante exatamente porque sua forma complicada pode enganar.

Quando tentamos aceitar feedback que exija mudança ou começar alguma atividade nova e difícil, pode-se representar graficamente a situação pela chamada *curva J*. Imagine um gráfico em que o eixo vertical indica bem-estar (felicidade, alegria etc.) e o eixo horizontal representa tempo. Quanto mais alto, mais feliz; quanto mais baixo, mais infeliz. Esquerda é agora, direita é depois.

Em termos de felicidade, começamos em algum ponto do meio. Estamos abordando as coisas da maneira como sempre fizemos e, talvez por isso, sejamos mais ou menos felizes. Talvez nossa abordagem normal funcione razoavelmente bem, embora gere reclamações (feedback) dos outros, ou talvez nós mesmos não estejamos felizes com a situação, mas até agora não fomos capazes de mudar.

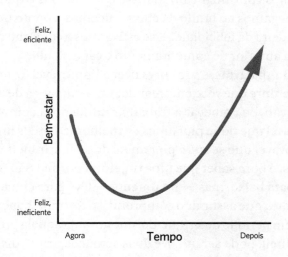

Mas agora, vamos falar sério. Finalmente estamos aprendendo a nadar, sair e conhecer gente, parar de fofocar, ir para o aeroporto com mais tempo, dar mais assistência aos integrantes de nossa equipe. Assim que começamos a pôr em prática as mudanças, nosso grau de felicidade cai imediatamente. É desconfortável e estranho.

Em tudo o que fazemos, ficamos piores em vez de melhorar. Sentimos uma leve depressão. Começamos a descer a ladeira, e parece que vamos cair cada vez mais fundo. Não sem motivo, começamos a avaliar: posso nunca ter me tocado, mas agora que estou mudando, as coisas estão ficando piores. Me sinto mal e não estou gostando dessa mudança.

É dessa forma que sentimos as coisas agora. E começamos a nos perguntar sobre o futuro. Como vai acabar isso, essa coisa nova que estamos tentando? Não fizemos nada além de ir ladeira abaixo, como que atraídos pela gravidade. Vamos continuar descendo até nos estatelar?

Claro que não. Vamos parar. Esse esforço para mudar foi um grande erro. Cancelamos a mudança. Lamento, sr. Domingo à Noite, nós tentamos, mas não deu certo.

É uma história triste, mas faz sentido... Quer dizer, *se* a previsão de que vamos continuar caindo fosse correta. Mas o que acontece quando chegamos ao fundo da curva e ficamos a ponto de começar a subir a ladeira da felicidade? E se estivermos a caminho de superar nosso grau anterior de contentamento e capacidade?

Em outras palavras, e se a curva tiver a improvável forma de J? Na verdade, sempre que você empreender uma mudança de hábitos ou de concepção, ou começar a trabalhar numa nova competência, é mais provável que fique pior antes de melhorar. E mais importante, é mais provável que se *sinta* pior antes de se sentir melhor. Nesses momentos, é bom saber que uma trajetória normal não segue cada vez mais para baixo, mas — finalmente — leva para cima.

Isso indica que assumir o compromisso de trabalhar em alguma coisa por um período determinado, que abranja aquela primeira etapa mais difícil, pode ser útil. Dê duas semanas, trinta dias, um ano fiscal — qualquer que lhe pareça uma duração razoável para testar se esse novo comportamento pode realmente ajudar. Quer você esteja tentando se acostumar a dormir com um respirador por causa da apneia, quer esteja aprendendo a deixar de fazer experimentos para começar a conduzir o laboratório, é preciso resistir e impedir que a parte descendente da curva sabote sua resolução.[7]

Entender a trajetória característica da curva J foi decisivo para Bernardus. Suas primeiras semanas lidando com a base de dados on-line foram um tanto desastrosas. Ele perdeu dados e precisou de mais tempo para inserir informações no computador do que para fazer anotações escritas. Mas começou a fazer a contagem do número de clientes que conseguiu inserir com sucesso, e em pouco tempo sua percentagem de falhas começou a diminuir. Seis meses depois, ele faz inserções na base de dados já durante a conversa por telefone com o cliente e está começando a colher os benefícios de ter toda a informação num só lugar, acessível pelo celular, sem precisar carregar o laptop 24 horas por dia. Agora, Bernardus está aproveitando a virada para cima da curva da felicidade.

Todas essas ideias podem ajudar a ter bons resultados em sua determinação de pôr em prática o feedback e mudar. Vendo a escolha sob uma nova luz, ou mesmo fazendo outra escolha, você poderá mudar de comportamento, o que muitas vezes põe em marcha um círculo virtuoso. E pôr em marcha — começar a avançar e continuar avançando — é o objetivo.

Oriente seu orientador

Quando um dos autores deste livro (não vamos dizer qual) cursava o ensino médio, jogava na defesa do time de futebol americano. Achava o terceiro ano meio paradão e ficou muito animado quando, num sábado à tarde, foi chamado para jogar. Enquanto a defesa se embolava, o capitão berrou para o time: "Dentro e fora da zona!". Todos correram para suas posições. Pouco antes do *snap*, Doug gritou em pânico para o capitão do time: "O que é 'dentro e fora da zona'?". O monólogo interno de Doug era mais ou menos assim: *Estou jogando no time principal da escola, diante de todas essas pessoas, e não faço ideia de como é uma formação defensiva. Não sei para onde ir ou o que devo fazer. O que há de* errado *comigo?*

O capitão respondeu gritando: "A gente não sabe! Marque alguém e pronto!".

Depois do jogo, Doug esperava que o capitão — ou outra pessoa — perguntasse ao treinador deles o que significava uma formação "dentro e fora da zona", mas ninguém fez isso. Aparentemente, se você não entende a formação, basta que "marque alguém". Foi o que Doug fez, durante o resto da temporada. O time teve um rendimento perfeito: 0-8.

Doug poderia ter dito ao treinador: "Podemos analisar de novo as formações, devagar, até que eu consiga entender?". Mas ele tinha medo de admitir que não sabia e, de qualquer forma, não é assim que as coisas funcionam: treinadores treinam, jogadores jogam. Os atletas não "orientam seu orientador" para ajudar a equipe técnica a entender o que o time realmente precisa saber para obter melhores resultados.

Aqui vamos usar o termo mais amplo "orientador" para designar qualquer pessoa que dê feedback. Inclui mentores formais, é claro, mas na maioria das vezes nossos "orientadores" são parceiros, clientes, coautores, colaboradores, integrantes de nossa banda, companheiros de quarto, amigos ou parentes. Colaboramos para obter o melhor produto, pedimos a colegas que nos ajudem em atualizações, ouvimos conselhos — solicitados ou não — de um planejador financeiro ou do tio Phil. No entanto, muitas vezes reagimos da mesma forma que os jogadores daquele time de futebol americano: se não entendemos o conselho, ou se o que nos está sendo oferecido não ajuda, não paramos para discutir o assunto. Nossos colegas e parentes sequer se dão conta de que o conselho não está chegando ao alvo. Ou talvez se deem conta disso perfeitamente, mas não percebem que parte do problema é o modo como eles estão encaminhando a questão.

É uma pena, pois orientar o orientador — discutir como ele pode ajudar e por quê — é um dos meios mais eficazes de acelerar seu aprendizado.

O que "orientar o orientador" não significa

"Orientar o orientador" não significa deitar o verbo sobre como deseja que falem com você: "Quando você diz que estou sempre chegando tarde, eu me sinto mal; então, de agora em diante, vamos nos limitar a elogiar". Ou: "Eu me sairia muito melhor neste exame de vista se você usasse letras maiores".

O objetivo não é erguer barreiras entre a oferta de feedback desafiante ou inconveniente; na verdade, é exatamente o oposto. Sua meta é encontrar meios de colaboração entre você e seu orientador para que a comunicação seja clara e eficaz, e você saiba o que é mais importante aprender o mais rápido que puder. O objetivo é trabalhar em conjunto para minimizar a interferência.

E há uma negociação. Você vai ter preferências, e o orientador terá as dele. Você fará solicitações que do ponto de vista do orientador não vão funcionar. Essa é a natureza dessas conversas: não se trata de fazer exigências, mas sim de imaginar juntos o que funciona melhor.

Fale sobre "feedback e você"

Há muitas coisas no modo como você recebe o feedback que não são conscientes. Não é como se você passasse 24 horas por dia refletindo sobre os pontos fortes e fracos de seu feedback e, seja como for, todos nós temos nossos pontos cegos. Mas provavelmente você tem consciência de *algumas* das formas como reage ao feedback — afinal, se está pensando em trazer o assunto à baila é porque alguma coisa no processo atual não está funcionando bem para você (inclusive, às vezes, o fato de não estar recebendo orientação nenhuma). Seja qual for essa coisa, fale claramente sobre ela com a pessoa que está lhe dando feedback. A seguir, fragmentos de como isso poderia ser:

> Sutileza comigo não funciona. Seja explícito e não pense que vai ferir meus sentimentos, pois você não vai.

> Sou propenso a ficar na defensiva no início. Depois volto atrás e fico pensando por que o feedback pode ser proveitoso. Portanto, se eu parecer

na defensiva, não se deixe levar. Eu estarei pensando naquilo que você me disse, mesmo que não pareça.

Reajo melhor quando você dá seu conselho como uma ideia que pode ajudar, e não como "a resposta obviamente correta". Nesse caso, fico preso na discussão sobre o que é "óbvio" ou "correto", em vez de considerar se vale a pena experimentar.

Ultimamente venho trabalhando nisto, em termos de aperfeiçoamento: _____. É nessa área que preciso de mais ajuda agora, e estou deixando outras coisas em banho-maria, mesmo sabendo que preciso trabalhar nelas também.

Sou mesmo sensível a feedback negativo. Então, por favor, não me dê feedback negativo no meio de uma apresentação, a menos que seja urgente e de utilidade prática imediata.

Ponha suas ideias para fora, explique seu raciocínio por trás delas e seja receptivo aos pensamentos do seu orientador a respeito do que você disse a ele.

Por sinal, é fácil para os orientadores descartar suas solicitações e preocupações pensando: *Bem, claro, há uma maneira ideal como todos nós gostaríamos de ouvir feedback, mas o que importa mesmo é o feedback em si.* E, até certo ponto, isso é verdade — a conversa não é uma corrida de obstáculos que seu orientador precisa completar. Mas, muitas vezes, nossas próprias observações sobre como aprendemos melhor podem fazer uma grande diferença em nossa capacidade de aceitar o feedback. Explicamos nossa própria tendência defensiva não para bloquear o emissor, mas para ajudá-lo a superar dificuldades.

Discuta preferências, papéis e expectativas mútuas

Às vezes, a pessoa que lhe dá o feedback é *realmente* um orientador, ou um chefe, talvez um colega ou amigo particularmente disposto a lhe dar conselhos. Nesses casos, pode ser melhor falar de forma mais geral sobre estilos e preferências no feedback e a dificuldade para aprender.

Três assuntos podem ser postos em destaque. Os dois primeiros referem-se ao receptor:

1 seu temperamento e suas tendências quanto a feedback;
2 áreas de crescimento em que você vem trabalhando.

A terceira refere-se ao orientador:

3 sua filosofia, forças e fraquezas, e exigências.

No quadro a seguir, vemos um conjunto de perguntas que podem ajudá-lo a transitar em território proveitoso.

SACO DE SURPRESAS — PERGUNTAS PARA ORIENTADOR E ORIENTANDO

Quem já lhe deu um bom feedback? O que teve de útil na forma como essa orientação foi feita?

Você já recebeu um bom conselho que rejeitou? Por quê?

Você já recebeu um bom conselho que adotou anos depois?

O que é motivador para você?

O que é desanimador para você?

Qual é o seu estilo de aprendizado? Visual, auditivo, generalista, detalhista?

O que o ajuda a ouvir um reconhecimento?

Em que você gostaria de ser melhor do que é?

Quais técnicas de receber feedback você admira?

O que sua infância e sua família lhe ensinaram sobre feedback e aprendizado?

O que as experiências de seu primeiro emprego lhe ensinaram?

Qual é o papel do tempo/ das etapas?

Qual é o papel do estado de ânimo e da visão de mundo?

Qual é o papel da religião ou da espiritualidade? ▶

> Qual foi o impacto dos grandes acontecimentos da vida? Casar? Perder o emprego? Ter filhos? Morte dos pais?
> Do que você não gosta na orientação? E na avaliação?
> O que ajuda você a mudar?

Seria útil esclarecer se a orientação é confidencial, com que frequência vocês se verão, como vão medir o progresso e quais devem ser suas prioridades e objetivos. Alinhem-se sobre para onde estão indo e como vão chegar lá.

Entre os orientadores que encontramos na vida estão os "orientadores acidentais", como seu vizinho que está virando uma amolação. Discutir papéis e expectativas mútuas pode ser útil neste caso também. Vamos supor que o vizinho está aborrecido porque seu cachorro volta e meia invade o jardim dele. Você está sendo "orientado" a instalar uma cerca mais alta, manter seu animalzinho na coleira ou, de preferência, encontrar uma nova casa para ele, bem longe. Seu vizinho está lhe dando uma orientação por meio de mensagens deixadas em sua caixa de correio.

Mas isso não está funcionando. Primeiro, porque você não está convencido de que o cachorro escapa para o jardim do vizinho com a frequência alegada por ele — mas é difícil saber, porque normalmente só fica sabendo do episódio quando recolhe a correspondência, no dia seguinte. Além disso, você está surpreso e contrariado com o tom hostil dos recados.

A deterioração ou a correção dessa situação tem pouco a ver com o cachorro e tudo a ver com o fato de você tomar a iniciativa de orientar seu orientador. Pegue o telefone ou, melhor ainda, vá até a porta da casa dele com a intenção expressa de (1) obter mais informação sobre o que está acontecendo realmente — com que frequência seu cachorro visita o jardim alheio, o que o vizinho faz quando vê seu cão e se houve algum prejuízo ou comportamento inconveniente; (2) orientar seu vizinho sobre a melhor maneira de lidar com você; e

(3) estabelecer expectativas mútuas sobre como empreenderão uma ação conjunta.

Então você pode dizer: "Assim que encontrar meu cachorro no seu jardim, por favor me chame imediatamente. Quando me deixa uma mensagem, só a leio no dia seguinte e fica difícil saber por que motivo ele estava fora". Você pode acrescentar: "Seria de esperar que nossa cerca fosse eficaz, mas alguma coisa não está dando certo. Então me dê algum tempo para averiguar se o cachorro precisa ser treinado de novo ou se vamos descobrir uma solução melhor. Dou notícias no fim de semana". Fazer com que o vizinho saiba que as preocupações dele chegaram ao alvo e que você vai precisar de algum tempo para tomar pé da situação e procurar soluções ajudará a evitar o agravamento do conflito.

Hierarquia e confiança

A hierarquia pode ter impacto nas conversas de orientação. Já discutimos em capítulos anteriores as vantagens de separar orientação de avaliação. Isso é difícil quando quem avalia é a mesma pessoa que orienta. Às vezes, é inevitável: você não pode ter um cônjuge para orientá-lo e outro que decide se vão continuar casados. Mas quando podem ser pessoas diferentes, devem ser. É melhor ter um orientador alheio a suas recompensas e às decisões sobre sua carreira.

Mas às vezes seu orientador é seu chefe, e não há como mudar isso. Nesses casos, você deve estar pensando que uma conversa do tipo "orientar o orientador" não tem cabimento: "Nunca falei com meu chefe sobre esse tipo de coisa. Meu chefe decide meu futuro. Não posso dar a entender que não sou uma pessoa forte e plenamente competente".

Com certeza, você deve fazer escolhas sensatas sobre com o que se sentirá bem discutindo num relacionamento específico. Mas falar sobre feedback não exige que seja revelado tudo (ou qualquer coisa) sobre erros passados. Não é preciso que você confesse: "Fui demitido de meus dois últimos empregos porque cometi muitos erros que custaram caro. Pode me ajudar com isso?". Você pode dizer:

"Fui contratado como um cara de visão geral, mas há uma porção de detalhes que também têm sua importância. Ser mais detalhista é um ponto crucial de aprendizado para mim. Seria bom que você fosse me mostrando as coisas em tempo real para que eu as corrigisse rapidamente".

Quando for contextualizar um pedido de feedback, fale em termos de eficiência mais que de ambição. Não diga: "Um feedback para conduzir bem as reuniões é importante, porque em cinco anos me vejo como vice-presidente". Da mesma forma, evite generalidades vazias: "Feedback para conduzir reuniões é importante para mim, porque acho que é uma habilidade importante no trabalho hoje em dia". Seu pedido de feedback deve sempre estar ligado à disposição de tornar seu trabalho atual mais eficiente: "Feedback para conduzir reuniões é importante para mim, porque quero usar o tempo de minha equipe com a maior eficiência possível, dada a fusão iminente". Isso põe o objetivo e a recompensa em termos atuais que interessam realmente a ambas as partes.

Há mais uma coisa que interessa aos dois lados: trabalhadores que procuram feedback negativo — orientação sobre como podem melhorar — tendem a receber avaliações de desempenho mais favoráveis.[8] É possível que, ao mostrar interesse no aprendizado, você não esteja evidenciando o que lhe falta aprender, mas sim que você é bom em aprender.

Não vire um fanático do "me-dá-um-feedback-aí"

É claro que, como qualquer coisa, isso pode ser levado ao extremo. O jovem Dan pegou o vírus do feedback e, embora sua sede sincera de aperfeiçoamento fosse louvável a princípio, suas intermináveis solicitações de feedback em pouco tempo se tornaram opressivas. "Ele quer conversar sobre desempenho depois de cada reunião com cliente", reclamou um colega. "Não aguento mais isso!"

Se você tentar recrutar todo mundo ao redor para seu exército pessoal de aprendizado, vai acabar gerando esgotamento — e em pouco tempo verá seus colegas desertando. Perguntar aos outros o que acham de *você* e como podem ajudá-lo não é a única forma de aprender. Tente fazer perguntas sobre *eles*: o que pensam sobre o problema de trabalho que vocês estão enfrentando juntos? Será que já viram situação semelhante no passado, e que erros foram cometidos nesses casos? O que deu a eles o insight para responder à imprensa como fizeram esta manhã? As pessoas gostam de falar sobre suas próprias ideias e experiências. Explorando o que elas sabem, você pode aprender tanto quanto aprenderia com pedidos explícitos de orientação.

Seu orientador pode ajudar você a entrar em sintonia

Seu orientador não nasceu orientador, e é pouco provável que tenha tido aulas de orientação. É um estivador, ou um advogado, exatamente como você. Dessa forma, ele pode ou não se sentir muito confortável ou competente exercendo esse papel, e até mesmo os melhores orientadores têm seus pontos fortes e fracos.

Você pode perguntar o que o seu orientador está vendo de problemático — se é que está — no trabalho que estão fazendo juntos. Ele pode responder:

Não é sempre que consigo saber o que você está pensando quando lhe dou sugestões. Não tenho certeza se concorda ou discorda, nem se você se sente autorizado a se manifestar quando discorda.

A empresa quer que as mulheres tenham acesso a uma orientadora do sexo feminino, e tenho muito prazer em ser a sua. Fui criada com três irmãos e tive quatro filhos, então esta é uma experiência de aprendizado para mim também.

Para mim, reconhecimento é o mesmo que fumaça. Não gosto de fazer apreciações e já me disseram que não sou boa nisso. Mas quero ser uma boa orientadora, então vamos ver se vai dar certo.

Quando a pessoa a ser orientada é o chefe

À medida que passam os anos e você galga a ladeira do sucesso, cada vez menos pessoas vão assumir o risco de lhe dar orientação sincera. Você pode receber avaliação — e para isso conta com analistas de mercado, resultados financeiros e o conselho de diretores. E talvez receba reconhecimento: aplausos quando se ergue para falar, gratidão de subordinados que admiram sua disposição de lhes dedicar tempo e atenção. Mas a orientação autêntica e franca fica cada vez mais rara.

Por sermos humanos, tendemos a atribuir esse lento desaparecimento de orientação à nossa eficiência e a nossa excelência geral. E para sermos justos, até certo ponto, é o que acontece. Você é o CEO ou o COO ou o C-QUALQUER COISA, porque é bom naquilo que tem de fazer, e há muito tempo é bom nisso. Mas todo mundo tem deficiências e fraquezas, que são mais propensas a se manifestar à medida que a complexidade do que você faz aumenta. Você precisa de ajuda para ver seus pontos cegos, que a essa altura não afetam apenas a você, mas a toda a organização.

Mesmo que seja presidente de um banco internacional ou esteja disputando a final de Wimbledon, sempre poderá melhorar com a orientação. Todos nós temos essa possibilidade. Um conselheiro de confiança pode ajudá-lo a pensar diante de escolhas complexas ou prepará-lo para um eventual retrocesso.

Algumas formas de orientação, de fato, só podem vir de subordinados. O que eles conhecem que mais ninguém conhece? Sua influência sobre eles. Quando se reúnem com você, estão reunidos também com seus pontos cegos. Veem as confusões que você faz, que sabotam sua mensagem, que geram trabalho extra para eles e para os outros. E ouvem dos subordinados deles o que os demais integrantes da organização acham que você não entende ou não dá atenção suficiente ou não tem muita clareza a respeito.

Os subordinados são uma valiosa fonte de informação, e é surpreendente que não se recorra a eles com maior frequência. É como ficar preso no trânsito engarrafado e não levar em conta que tem uma linha direta com um helicóptero sobrevoando acima, o qual tem a visão do quadro geral que você está impedido de ver de onde está. Ele pode informar sobre os pontos críticos, engavetamentos e atalhos que você pode pegar para chegar mais longe e mais depressa.

É difícil fazer a informação circular de baixo para cima numa organização, e você terá de recorrer à engenharia hidráulica para conseguir isso. Por quê? Lembre-se de que em geral os emissores de feedback têm receio de declarar suas preocupações, *principalmente* em relação a níveis superiores. Temem pôr em risco o relacionamento com você — caso discorde, fique aborrecido, aja na defensiva ou revide. Nem querem ferir seus sentimentos ou se constranger por não conduzir bem a conversa.

Mostrar-se claramente interessado em sugestões e receptivo a elas pode ser muito revigorante. "O chefe tem autoconfiança bastante para pedir e ouvir feedback. É uma pessoa com quem posso trabalhar."

Você pode pensar em instituir um relacionamento de "tutela reversa", no qual escolhe um ou mais orientadores de diferentes níveis da organização para poder ver o mundo — e a si mesmo — através dos olhos deles. Como esta organização é percebida do ponto de vista do chão de fábrica? Como é vista pela geração mais jovem de trabalhadores e clientes? Com o que as pessoas estão preocupadas nas filiais de Caracas, Calgary ou Kuala Lumpur, e o que pensam seus clientes a respeito das novas pressões do mercado global? Você não quer ser relegado pelas prioridades dos demais; quer saber de que forma as suas prioridades estão ou não chegando às extremidades da organização e que consequências não intencionais podem estar tendo — de modo que todos possam trabalhar juntos continuamente para se adaptar e corrigir rumos.

Um pensamento final sobre orientar o orientador: pode soar pouco modesto vindo dos autores, mas pode ser útil para você e seus colegas ou familiares lerem juntos este livro. Não literalmente ao mesmo tempo, lendo alto uns para os outros entre uma e outra xícara de chocolate quente. Mas vocês podem escolher um capítulo e depois discuti-lo à mesa do almoço ou jantar. Não é necessário ter uma pauta, nem a conversa precisa tratar de temas específicos. Conversem apenas sobre seus pensamentos e suas reações àquilo que acabaram de ler. Usem as ideias expostas aqui como catalisador da conversa, escolhendo algumas que façam sentido e outras que não façam, depois discutam sobre elas.

Se tiver interesse, mande um e-mail para os autores. Faremos o possível para responder. Diga-nos o que lhe pareceu útil e o que não. E, se souber, inclua uma breve e clara explicação sobre o que significa "dentro e fora da zona".

Convide-os para entrar

Há uma coisa que ainda não dissemos: deixar que uma pessoa entre em sua vida para ajudá-lo *transforma a relação*. Não só porque você aprende, mas porque a convivência cria vínculos e altera os papéis de ambos no relacionamento. Você se torna uma pessoa humilde, vulnerável e confiante o suficiente para pedir ajuda; a outra pessoa torna-se alguém capaz de ajudar, respeitada e reconhecida o suficiente para ser solicitada.

No capítulo 10, examinamos por que é tão importante ser bom em estabelecer limites. Você precisa saber quando e como manter os outros fora do seu campo emocional. Mas, da mesma forma, tem de saber quando e como fazê-los entrar — seja seu campo emocional um jardim bem cuidado ou um velho depósito de sucata. Para muitas pessoas, essa é a dificuldade maior.

Sejamos francos: o campo emocional de qualquer um é uma mistura de jardim e depósito de sucata. Seu jardim pode ser bagunçado ou arrumado, as partes apresentáveis constituírem um pequeno lote ou um vasto parque. Mas todos nós temos umas coisas no quartinho da bagunça, e todos nós podemos precisar de ajuda para decidir o que fazer com aquela pilha enferrujada de receios e as velhas caixas de vergonha pelas quais estamos sempre passando. Deixar alguém entrar *ali*, depois do jardim, é o que exige coragem. É aí que nasce a intimidade.

O modo como lidamos com o feedback num relacionamento tem uma enorme influência sobre o próprio relacionamento. Mudar a forma como tratamos o feedback pode transformar a relação. Vamos examinar quatro variantes comuns, em que o feedback estava fora de lugar, observando como deixar alguém entrar fez a diferença.

Um bom ouvinte pede feedback

Faz poucos anos que Roseanne notou que seus relacionamentos eram desequilibrados. "As pessoas me procuram para pedir ajuda. Sou boa ouvinte, boa para ajudar. E gosto disso. Mas comecei a ver que todas as minhas conversas giravam em torno dos problemas de outras pessoas. Eu sabia o que estava acontecendo com todo mundo, mas nem meus amigos mais chegados sabiam o que se passava comigo."

De início, ela pensou que seus amigos e colegas eram simplesmente autocentrados. "Mas agora", diz Roseanne, "eu percebo que me abro pouco. Não é frequente nem fácil que eu dê informação sobre mim mesma, fora que nunca peço ajuda. Eu estava enviando sinais dos quais não tinha consciência — afastando as pessoas, dizendo a elas que ficassem longe." Ela preservava seu campo com silêncio.

Roseanne pensou nessa constatação durante meses. "Eu sabia que não era assim que eu queria que as coisas fossem e estava determinada a mudar. Decidi trabalhar numa capacitação bem específica: eu ia aprender a pedir ajuda. E durante muito tempo, fiquei só na decisão. Na verdade, foi um pouco engraçado. Sou uma pessoa com um milhão de problemas, mas por alguma razão nenhum deles parecia ser um em que eu pudesse precisar de ajuda. E de qualquer maneira, como eu ia saber a quem recorrer ou o que ia querer dessa pessoa? Estava tão habituada a não pedir ajuda que não sabia por onde começar."

Finalmente, Roseanne descobriu uma estratégia. Decidiu pedir a uma amiga que a ajudasse em algo que era uma preocupação autêntica, mas que afinal não tinha tanta importância: repensar seu guarda-roupa. "Caramba! É bom ter cuidado com o que se pede! Aquilo me pegou na veia. Era como se Nancy estivesse guardando suas opiniões sobre minha aparência havia anos. 'Nada de bolinhas depois dos trinta!' — foi a primeira coisa que ela disse. E depois: 'Vamos falar sobre seu cabelo'. Então eu sobrevivi até este ponto! Ao que parece, uma boa maneira de receber feedback é *pedir*."

Ao longo do tempo, com aquela amiga e outras, e até mesmo com colegas de trabalho, Roseanne começou a deixar as pessoas entrarem nas partes menos convidativas de seu campo. Ela revelou algumas das cicatrizes que ainda conservava de uma infância problemática e sua dificuldade para lidar com relacionamentos sérios. Parte do feedback foi mais útil do que ela previra. Mas o mais importante é que ela está estabelecendo vínculos mais profundos.

Deixando que a ajudem ela está deixando que a conheçam.

Um conselheiro frustrado desabafa

Clay, por sua vez, estava tendo uma experiência oposta à de Roseanne: "Uma de minhas colegas de trabalho, Nadine, tem um filho de treze anos. Bryan é ótimo em vários aspectos — é um menino inteligente, engraçado, perspicaz. Mas nunca foi fácil. Tem chiliques que são verdadeiras tempestades e ultimamente vem dirigindo sua raiva contra os pais. Nadine e o marido estão perdidos, não sabem como conviver com isso. Mas ela não quer saber de conselho, só desabafa e se cala".

Clay tem algum conselho a dar? Tem. Mas mesmo conhecendo Nadine há tanto tempo, ele segura a língua. "Não tenho filhos e, por isso, acho que as pessoas não são muito receptivas a minhas sugestões nessa área. Mas antes de ser geólogo, trabalhei alguns anos num acampamento de verão para crianças problemáticas. Tenho uma noção do que tira os meninos do sério e o que ajuda a acalmá-los. Talvez porque eu mesmo tenha sido um menino como eles."

A colega de trabalho de Clay sabe disso? "Ela faz uma ideia", diz ele. "E de vez em quando eu toco no assunto, digo coisas como 'Claro, tive um menino em minha cabana que fazia isso', mas Nadine passa por alto, nunca dá continuidade."

Se estivéssemos treinando Clay para conselheiro, haveria muita coisa a lhe oferecer. Ele poderia ser claro sobre o que sabe e o que não sabe. Poderia dizer: "Tenho algumas ideias sobre o que pode ajudar, que tirei do trabalho que fiz com meninos como Bryan. Ao mesmo tempo, não sou pai, então não tenho essa perspectiva". Ele poderia dizer ainda que reconhece o grande trabalho que é cuidar de Bryan e ser explícito sobre autonomia — que Nadine é livre para aceitar ou não suas ideias: "Você já fez um grande esforço e talvez já tenha tentado essas coisas. No final das contas, você o conhece melhor...".

Mas este livro é sobre receber feedback. E acontece que receber feedback era exatamente a coisa necessária para destravar o quebra-cabeça de Nadine. Clay fez uma coisa que nunca tinha pensado antes: pediu conselho a Nadine. "Fui jantar na casa dela", diz ele, "e entramos no assunto da minha vida pessoal. E, pela primeira vez, falei da minha luta contra a depressão. Descobri que Nadine sabia muita coisa sobre antidepressivos, e achei a conversa muito proveitosa. Foi então que, do nada, no meio dessa conversa sobre mim, ela começou a falar de Bryan. Relatou um episódio recente e depois ouviu com atenção minha teoria sobre o que devia estar acontecendo com ele. Foi literalmente a primeira vez que falamos sobre o assunto, e ela parecia uma esponja."

Há uma conclusão para essa história, explica Clay. "A partir daí passamos a conversar sobre essa questão de ter a cabeça aberta ao conselho. E isso me tocou. Ela suspeitava da minha depressão e achava que sabia coisas que podiam me ajudar, mas não se sentia à vontade para falar. De modo que ela estava tendo a mesma experiência que eu, ao não se sentir autorizada para oferecer ajuda. Pense nisso." De fato.

Feedback perfeito para a pessoa perfeita

Fiona fundou e comanda um centro comunitário de saúde no Quênia. Durante dez anos, trabalhou contra o relógio para construir parcerias, ampliar os serviços e treinar novatos. Ela é querida e respeitada na região. Vem gente de toda a África para conhecer seu modelo de ajuda à comunidade.

Recentemente, Fiona começou a se sentir inquieta, pois ao mesmo tempo em que aparecem novas oportunidades, ela enfrenta um problema inesperado: apesar de trabalhar com empenho para treinar sua equipe, ela não preparou ninguém que pudesse assumir a organização caso precisasse deixar o cargo.

Quando se convenceu dessa lacuna em seu planejamento, ela se dispôs a enfrentá-la com a competência que lhe é própria. Fez listas das qualidades que a pessoa precisaria ter e começou a traçar estratégias para que sua equipe as adquirisse. Também começou a investigar onde poderia encontrar novos funcionários que pudessem já estar preparados para a função.

Foi então que uma amiga de outro centro de saúde perguntou a Fiona: "O que você está fazendo que está impedindo seu pessoal de aprender?". O significado era claro: depois de dez anos, você deveria ter pelo menos algumas pessoas em condições de comandar o centro. Fiona ficou ofendida: "*Impedindo* minha equipe de aprender? Você está de brincadeira?". E mencionou todo o treinamento e a orientação que oferecera.

Mas a questão continuou dando voltas em sua cabeça. Então um dia ela procurou um jovem membro da equipe, competente e observador, e não perguntou a ele *se* estava atrapalhando alguém, mas sim *de que forma* estava atrapalhando: "O que você acha que estou fazendo que possa impedir a equipe de aprender?".

Acontece que Fiona — como muitos empreendedores — queria ter suas impressões digitais em tudo. Nos primeiros tempos, isso garantiu o controle de qualidade e passou uma mensagem coerente. Mas quando a organização cresceu, a necessidade que ela tinha de supervisionar, dirigir e administrar tudo impedia que qualquer pessoa pudesse decidir o que quer que fosse sem que ela desse seu aval. Os membros de sua equipe não podiam cometer seus próprios erros e nunca aprenderam a tomar iniciativas ou confiar em seus próprios julgamentos.

O feedback exigiu um difícil autoexame por parte de Fiona, assim como muitas outras conversas dentro da organização. Houve três consequências: Fiona aprendeu a dar um passo atrás e atribuir mais responsabilidades aos outros. Seu relacionamento com os membros da equipe se estreitou o bastante para facilitar essa tarefa. E, finalmente, Fiona demonstrou que ninguém é perfeito, nem ela mesma. Isso permitiu que todos relaxassem, avançassem e aprendessem com os erros.

Espelhos deformantes

Amy acaba de ser repreendida pelo chefe. Diante de todos, numa teleconferência. Mais uma vez.

Ela põe o telefone no gancho e liga imediatamente para Hank, seu melhor amigo desde o tempo em que trabalhavam juntos como gerentes do turno da noite numa cadeia de supermercados. Amy agora é gerente de um supermercado rival do outro lado da cidade, e Hank continuou sendo seu ombro amigo. Nos últimos meses, ele cansou de ouvir falar do novo chefe regional e principal antagonista de Amy, Ivan.

A última foi a seguinte: Ivan programou uma teleconferência com os gerentes de loja da região para discutir uma troca de transportadora. Amy entrou uns poucos minutos atrasada e pegou o chefe no meio de uma frase: "... Amy, atrasada como de costume".

"Ele tinha que dizer isso só pra mim", ela disse a Hank. "É muita falta de profissionalismo. Havia dezoito pessoas naquela ligação que ouviram essa descompostura."

Mais tarde, na mesma teleconferência, eles entraram em atrito outra vez quando Ivan explicou que a nova transportadora exigiria pessoal autorizado para assinar a recepção de produtos. Amy lembrou que outros fornecedores já exigiam assinaturas. "Não é verdade", corrigiu Ivan. "Até hoje não, mas de agora em diante vamos precisar das assinaturas. Cada um deve combinar de assinar pela entrega de seus produtos."

Amy continua com Hank: "Então falei que ia passar a lista de assinaturas autorizadas que já estou usando. É claro que eu só queria dizer a ele que obviamente nós já tínhamos uma lista. Então, como se eu não estivesse ouvindo, ele disse: 'Acho que a Amy quer mesmo ter razão'. É como se o Ivan não conseguisse se controlar. É a pessoa mais defensiva que já conheci, mas não pensa duas vezes antes de ofender outra pessoa". Hank ouve atentamente e diz "sim" e "uau" de tempos em tempos.

Quando desliga, Hank fica pensando se ele devia ter se esforçado mais para ajudar Amy a ouvir o feedback.

Triangulamos em busca de consolo, mas não de orientação

Amy está fazendo o que todos nós fazemos quando nos chateamos com críticas — ela procura apoio. Desabafar é natural e tem efeito catártico. Transformar a ferroada do momento na última "você não sabe da maior" para amigos e colegas ajuda a nos aproximar dos outros e a recuperar o equilíbrio.

Mas, com muita frequência, paramos por aí. Pedimos a nossos amigos que sejam espelhos complacentes, assim podemos recuperar o equilíbrio e nos sentir melhor. Mas perdemos a oportunidade de pedir também que eles nos ajudem a filtrar o feedback em si, para aproveitar qualquer coisa que se possa aprender.

É claro que, do ponto de vista de Amy, a atitude de Ivan não tem nada a ver com feedback; ele simplesmente está sendo um idiota. Mas extrair feedback da idiotice é bem o tipo de coisa que os amigos podem ajudar a fazer.

Hank tem um palpite

Naquela mesma tarde, Amy liga outra vez para Hank. Agradece por tê-la apoiado e faz um pedido: "Normalmente, percebo aonde as pessoas querem chegar, mas com Ivan acontece alguma coisa que não entendo. Não sei se eu mexo com ele, ou se ele é assim com todo mundo. Preciso que você me ajude com isso". Ela gostaria que Hank passasse de espelho complacente a espelho franco.

A intuição de Amy faz sentido: no conflito entre ela e Ivan, Hank

368

realmente vê os dois lados. Ele entende por que a amiga está exasperada com os comentários de Ivan. Mas Hank teve suas próprias experiências com Amy, que sempre queria ter razão, e agora se pergunta se esse não seria um ponto cego para ela. O fato de Ivan ser difícil não quer dizer que Amy também não seja.

Hank observa que não é a primeira vez que ela e Ivan entram em atrito por causa de "quem tem razão". Ele vê um padrão: não é só Ivan que está irritando Amy — ela também está irritando o chefe. "É verdade", admite a amiga. "Mas não é por isso que vou me comportar como se ele tivesse razão quando não tem, principalmente se estiver fazendo comentários sobre meus erros diante de outras pessoas."

Ela faz uma pausa e então acrescenta: "Sabe, aconteceu outra coisa que eu não mencionei". Quando ouviu Ivan dizendo que ela estava "atrasada como de costume", Amy continuou cortês ao telefone. Mas não conseguiu se segurar e enviou a ele uma mensagem de texto, enquanto os demais participantes da teleconferência tagarelavam sobre transporte e assinaturas.

AMY: Atrasada? Dois minutos.
IVAN: Cinco.
AMY: Estava cuidando da reclamação de um comprador.
IVAN: Não importa. Não se atrase.
AMY: Dois minutos. Talvez três.

Voltando à teleconferência, Ivan e Amy retomaram a conversa, dessa vez sobre assinaturas e antigos procedimentos de recebimento de produtos, e mais uma vez Amy não desconfiou que a discussão passou do prazo de validade.

Hank insinua que talvez haja um fundo de verdade na ideia de que Amy gosta de ter a última palavra, e que isso está contribuindo para os conflitos com Ivan. (É claro que essa tendência aparece inclusive em sua conversa com Hank: "Mas, sabe, eu realmente estava só dois minutos atrasada", ela acrescenta, antes de desligar.)

Faça duas listas para se manter nos trilhos

Em seu esforço para servir como espelho franco, Hank sugere que eles façam duas listas — o que há de errado com o feedback e o que pode estar certo ou aproveitável (é uma versão do quadro de contenção que incluímos no capítulo 8). Cada vez que Amy se desvia para defender ou chamar a atenção para os problemas da atitude de Ivan, Hank diz a ela que escreva isso na coluna "o que há de errado". Depois, ele a conduz de volta para o que pode estar certo.

A seguir, uma amostra do que Amy anotou num guardanapo:

O FEEDBACK	O QUE HÁ DE ERRADO COM O FEEDBACK	O QUE PODE ESTAR CERTO
"Acho que Amy realmente quer sempre ter razão." "Atrasada de novo." "Não se atrase."	Onde estamos, na escola primária? Totalmente inadequado dizer aquilo na teleconferência diante de todo mundo. Devia ter falado a sós comigo. Devo fingir que ele tem razão mesmo quando sei que não tem? Eu estava dois minutos atrasada, mas não perdi nada. Ele está exagerando.	Fico mesmo absorta no debate de detalhes, mesmo que não tenham importância. A história dos produtos não tem importância — eu só não gosto que digam que estou errada diante de todos, principalmente quando sei que estou certa. Por que será que eu preciso ter a última palavra? Hum... Meu pai?
		Entrei atrasada nas teleconferências poucas vezes. Agora estou observando que os outros não se atrasam. Ideias para mudar isso? Se eu estava dois ou cinco minutos atrasada, importa menos que o fato de ele ter notado. Melhor ser pontual.

Pôr no papel e discutir o que estava errado liberta Amy para ver o que podia estar certo, ou ser válido, ou ainda razoável. Os dois lados da lista não se embaralham, e o objetivo para Amy não é chegar a alguma grande conclusão sobre suas relações com Ivan, ou a um veredicto sobre quem estava mais certo ou era mais culpado. Amy está procurando aprender — sobre si mesma e sobre seu relacionamento com o chefe. Dessa forma, quando ela falar com Ivan sobre suas ideias, vai ter uma visão mais equilibrada do que está acontecendo e uma noção melhor do que poderia ajudar a melhorar a situação.

Feedback não se refere apenas à qualidade do debate ou à exatidão das avaliações. Tem a ver também com a qualidade das relações, com sua disposição para mostrar que você não tem ideias preconcebidas e de se lançar inteiro — suas falhas, incertezas e tudo o mais — no relacionamento.

CAPÍTULO 13

Trabalhe em conjunto

FEEDBACK NAS ORGANIZAÇÕES

Everett, gerente da cadeia logística de uma fábrica de laminados metálicos, gosta de informações.

Por isso, ficou surpreso quando recebeu uma carga de informações de que não gostou em sua avaliação 360 graus. Isso causou-lhe estranheza, pois estava em total desacordo com a forma como ele se via. Everett ficou na defensiva — por si mesmo e em nome de todas as informações boas do mundo. Todo o esforço do feedback, disse ele a quem quisesse ouvir, tinha sido mal executado e estava sem sentido.

Então, um dia — bum! — a ficha caiu. "O feedback entrou nos eixos", disse ele. "De repente passei a me ver de outro modo, e isso explicou muitas coisas. Ah, é por *isso* que tive dificuldade; era *nisso* que eu estava errado; foi *isso* que sabotou meu casamento; é *isso* o que eu tenho de mudar." Everett agora apoia a avaliação 360 graus com o mesmo zelo dos convertidos. "É a única forma de fazer caras bem-sucedidos, mas teimosos como eu, olharem para si mesmos."

Mas muitos de seus colegas discordam. Alguns deles acham a própria avaliação 360 graus útil, mas não predominantemente esclarecedora. Outros pensam que não serve para nada, e mais alguns ainda sentem que é destrutiva. Everett acha essa atitude lamentável:

"Nenhum sistema de gestão de desempenho é perfeito, mas o nosso é realmente bom. Muitos de nossos superiores estão acomodados. Ou talvez estejam com medo de trabalhar duro para crescer".

Pierre também está lutando com o sistema de gestão de desempenho de sua empresa. Como presidente de uma rede de lojas de roupas, ele fez um levantamento do preço que o sistema cobrava de seus funcionários: estava demandando tempo demais e deixava as pessoas se sentindo desmoralizadas e injustiçadas. "A maior parte das pessoas que trabalham aqui é excelente", ele diz. "Mas o sistema que tínhamos simplesmente não estava funcionando. Todos o achavam estressante. E problemas de desempenho que precisavam ser tratados continuavam sem atenção. Estamos procurando um caminho melhor, mas ainda não o encontramos." Ele acabou cancelando os relatórios de desempenho, jogou tudo fora.

Pierre acha que as pessoas são boas, mas o sistema tem problemas; Everett acha que o sistema é bom, mas as pessoas têm problemas.

Não existem sistemas de feedback perfeitos

Por falar em "pessoas com problemas", os doze primeiros capítulos deste livro analisam exatamente como é difícil para qualquer um ser um aprendiz perfeito. O simples fato de sermos humanos acarreta uma vida de desafios quanto a nos vermos com clareza, administrar nossas reações emocionais e modificar velhos hábitos. As pessoas são capazes de aprender e mudar? Com certeza. É difícil para todos e, ao mesmo tempo, cada um de nós fazer isso? Pode apostar.

Assim como não há aprendizes perfeitos, não há sistemas de feedback organizacional perfeitos. Existem sistemas melhores e piores, mais ou menos adequados às necessidades de cada organização. Mas qualquer pessoa que escolha e tente implementar um sistema específico vai ter que lidar com tensões inevitáveis e implicações associadas a ele.

Por exemplo, qualquer sistema aplicado a uma organização que congregue muitas pessoas vai enfrentar o problema das diferenças de temperamento. O sistema será bem apropriado para uns, aceitável para outros e inadequado pelo menos para alguns. E, de modo inevitável, será implantado por alguns gerentes relativamente bons em feedback e outros não tão bons. Assim, nunca se terá uma execução ideal ou adesão total, e essa dificuldade pode formar uma espiral descendente. *Aquele* cara não está dedicando seu tempo a isso, então por que eu faria?

Emissores de feedback em qualquer sistema muitas vezes arcam com altos custos e obtêm poucos benefícios. Lucinda, que trabalha em pesquisa farmacêutica, é clara a esse respeito: "Leva um tempo que tiro das minhas obrigações principais, e não há recompensa ou reconhecimento pela tarefa bem-feita".

E ela está insegura sobre como avaliar seus subordinados. Sabe que nem todos apresentam alto desempenho, mas se preocupa com o preço moral a pagar por avaliações negativas: "Se eu atribuir pontuação ao meu grupo dentro da escala rigorosa que me deram, muitos deles ficarão desanimados. Num mercado de trabalho restrito, não posso correr o risco de perder qualquer um dos talentos que consegui, ou prejudicar o desempenho que conquistamos. Então, ser forçada a diferençar isso com rigor pode ser justo do ponto de vista da organização, mas para mim e para minha equipe só há desvantagens. E pelo que tenho ouvido, outros gerentes não estão dando a menor atenção à escala de qualquer maneira. Se eu a usasse, estaria punindo as pessoas só por pertencerem à minha equipe".

Jim se sente refém do sistema de desempenho no Serviço Nacional de Parques por outra razão. Ele lidera uma equipe de busca e resgate, na qual o desempenho é fundamental para a sobrevivência. "Eu empreguei tempo para recrutar e selecionar os melhores", explica ele. "Se eu levar a pessoa errada para uma tempestade de neve, coloco todo mundo em perigo. Só tenho gente nota dez, porque, ao contrário de outros gerentes, já me dei ao trabalho de ter conversas duras e tomar as medidas difíceis. O 'ranqueamento forçado' me puniria por fazer um bom gerenciamento."

Ruim com ele, pior sem ele

Do ponto de vista de Jim e Lucinda, os sistemas de feedback são cheios de falhas: é arriscado para o gerente fazer análises de desempenho totalmente abertas. Se conduzidas erroneamente por emissores ou receptores, essas conversas podem prejudicar a confiança, as relações de trabalho, a motivação e a coesão da equipe.

Porém, mais uma vez, arriscado é *não* fazê-las. Os problemas se agravam, o gerente e o sistema perdem credibilidade, a produtividade da equipe cai e seus integrantes de melhor desempenho se ressentem porque os que fazem corpo mole não enfrentam nenhuma consequência.

Os gerentes ficam paralisados e a displicência se generaliza. Lembre-se de que 63% dos executivos entrevistados disseram que a maior dificuldade na gestão de desempenho é a falta de coragem dos gerentes deles em ter conversas difíceis justamente sobre desempenho.[1] Fazem avaliações artificialmente elevadas até de funcionários medíocres, o que dilui a eficácia das análises feitas para melhorar o desempenho ou orientar a tomada de decisões. Numa organização, 96% dos funcionários receberam a pontuação mais alta.[2] E o pesquisador Brené Brown observa que a ausência de feedback significativo era a razão principal citada por pessoas de talento para deixar a organização.[3]

É fácil reclamar do sistema e das pessoas que o aplicam. Difícil é acertar o que será útil, principalmente por causa da quantidade de objetivos que os sistemas de avaliação de desempenho devem atingir:

- proporcionar avaliação coerente de papéis, funções e regiões;
- garantir que as remunerações e a distribuição de gratificações sejam justas;
- incentivar comportamentos positivos e punir os negativos;
- comunicar expectativas com clareza;
- delegar responsabilidades;
- alinhar visão e objetivos individuais com os da organização;

- orientar e desenvolver o desempenho individual e de equipe;
- ajudar a pôr e manter as pessoas certas nos lugares certos;
- auxiliar no planejamento da sucessão nos cargos essenciais de liderança;
- promover satisfação no trabalho e moral elevado;
- ter tudo pronto a tempo: diariamente, trimestralmente, anualmente.

Não é possível atingir todos esses objetivos com um único sistema ou mesmo com uma combinação de sistemas.

A tendência atual é centralizar e padronizar sistemas, colhendo dados e indicadores a respeito de funcionários, funções, regiões e mercados. Isso pode ajudar, mas não há como usar "indicadores" para contornar o fato de que o feedback é um processo baseado em relacionamentos e permeado de julgamentos. Como observa Dick Grote em "The Myth of Performance Metrics" ["O mito dos indicadores de desempenho"], não se avalia o desempenho de um tradutor pelo número de páginas que ele traduz.[4] É preciso julgar a qualidade da tradução — sua capacidade de captar nuances, significados e tom. Além disso, como já vimos, o feedback vive (ou morre) em meio às habilidades de confiança, credibilidade, relacionamento e comunicação entre emissor e receptor.

Portanto, não há respostas fáceis. Mas uma coisa podemos afirmar: os sistemas sempre serão imperfeitos. Devemos nos esforçar para melhorá-los, mas isso nos levará só um pouco mais longe. A grande alavancagem será ajudar as pessoas que estão dentro do sistema a se comunicar com mais eficiência, sabendo que, entre emissor e receptor, é a habilidade do receptor que tem o maior impacto. É preciso equipar quem recebe o feedback para criar *impulso* — conduzir seu próprio aprendizado, procurar espelhos francos tanto quanto espelhos complacentes, manifestar-se quando alguém precisar de reconhecimento ou orientação ou então estiver confuso sobre o que fazer. À medida que o receptor fica mais habilitado a receber — criando impulso — a organização também fica melhor. Todos são *impulsionados* juntos.

* * *

A seguir, vamos considerar este desafio — pessoas imperfeitas em sistemas imperfeitos — e dar ideias para o aperfeiçoamento de três perspectivas organizacionais diferentes: liderança e RH, líderes de equipe e orientadores, e receptores.

O que a liderança e o RH podem fazer

Vamos começar com a liderança e o RH, já que se supõe que eles são os que podem "fazer alguma coisa" quanto ao problema da gestão de desempenho. Eles não são os únicos atores, mas são os mais visíveis e os que têm mais possibilidade de pôr a mão na massa. Há três coisas úteis que eles podem fazer:

1. Não se limite a anunciar os benefícios: explique os dilemas

A tarefa de implantar e patrocinar um sistema de avaliação de desempenho normalmente compete ao departamento de Recursos Humanos.[5]

Como esses sistemas são criticados com tanta frequência e facilidade, os chefes de RH têm dificuldade para mostrar o lado positivo do assunto: "O que é ainda melhor do que a Sexta-Feira Focada e a Quarta-Feira de Trabalho Duro? O novo sistema de desempenho!". Mas essa defesa tem consequências involuntárias, pois engessa ainda mais os papéis dos que participam do debate: o RH e a direção da empresa são líderes de torcida. Todos os demais são líderes de vaias. E quanto mais o RH manda mensagens positivas, mais os discordantes se sentem obrigados a mandar mensagens negativas.

É claro que o RH e a liderança da empresa estão perfeitamente conscientes dos problemas reais. Uma pesquisa concluiu que, confidencialmente, em fóruns de altos funcionários de RH, só 3% deles davam nota A para seu próprio sistema de gestão de desempenho;

58% davam C, D ou F.[6] Eles conhecem as dificuldades melhor do que ninguém, mas não é seu papel falar publicamente sobre elas.

Nosso conselho é: não promova apenas os benefícios. Discuta e explique os dilemas também. Vamos mostrar por que isso é importante com o caso de um cliente que tivemos há alguns anos. Jane, a nova chefe de RH, foi contratada para corrigir o sistema de gestão de desempenho da organização. Seu antecessor tinha tentado implantar um novo sistema, mas, depois de um ano de trabalho, a comissão executiva revogou o projeto e o funcionário deixou a organização.

Então Jane chegou e examinou o que seu antecessor tinha programado. E decidiu que sua prioridade máxima seria não simplesmente adotar um novo sistema, mas sim utilizar exatamente o mesmo do antecessor que tinha sido rejeitado pela comissão executiva. O assistente de Jane perguntou por que ela estava procurando problema: "Se o que você está querendo é ser demitida, não é mais fácil e mais divertido postar umas fotos escandalosas no Facebook?".

Mas ela tinha um plano. Pediu uma reunião com a comissão executiva e começou sua apresentação pedindo que o grupo reexaminasse o sistema que havia sido rejeitado no ano anterior. Ninguém ficou muito satisfeito com essa sugestão, mas quando Jane acrescentou: "Quero fazer uma lista de todos os problemas dele", restou pelo menos a possibilidade de alguma diversão.

A comissão executiva começou sua crítica, a lista cresceu e Jane também adicionou alguns defeitos por conta própria. Quando terminaram, ela leu em voz alta cada um dos itens da lista e concluiu com um: "Puxa vida!". Depois de uma pausa, Jane acrescentou: "São defeitos graves. Não é de admirar que vocês tenham rejeitado esse sistema". Essa afirmação foi recebida com um certo zum-zum: *Ela não tinha entendido até agora que esse plano era furado? Essa é a pessoa que contratamos para resolver o problema?*

Então Jane disse: "Agora vamos fazer uma lista das vantagens desse sistema". O processo começou devagar, mas foi ganhando impulso. Mais uma vez, ela concluiu lendo em voz alta cada um dos itens. Muitos dos itens falavam das vantagens do novo sistema em comparação com o vigente, ou com outros que a comissão executiva também conhecia. Quando ela terminou, fez uma pausa e disse: "Graves defeitos *e* vantagens importantes". Continuando: "Comparamos muitos outros sistemas de gestão de desempenho. Todos eles têm defeitos. O plano que estamos examinando agora é o que tem menos defeitos e as maiores vantagens, de acordo com os nossos objetivos e com o que estamos enfrentando. Devemos escolher esse, porque é de longe o mais adequado para nós. No momento em que aparecer alguma coisa melhor, podem ter certeza de que vou adotá-la".

O plano foi aprovado por unanimidade. A conversa levou cerca de 45 minutos. Quando perguntaram a um membro da comissão executiva o que tinha causado a reversão da decisão do ano anterior, ele respondeu: "No ano passado, só nos apresentaram as vantagens do sistema. Este ano discutimos seus defeitos".

Raciocínio engraçado, talvez, mas corretíssimo. Quando temos de fazer uma escolha sobre um assunto preocupante e somos informados apenas de suas vantagens, preenchemos o espaço dos defeitos por conta própria — com alguns reais, outros imaginários. E então construímos uma saída imaginária: por que aceitar um plano com tantos defeitos quando podemos aceitar um que não tenha defeito nenhum? Vamos usar esse.

Jane encontrou um meio de trazer à tona as vozes internas dos membros da comissão — seus medos e suas preocupações — de modo que elas pudessem ser pesadas e avaliadas. Quando se faz isso, é possível que os defeitos superem as vantagens, mas pelo menos as pessoas podem avaliar as escolhas reais envolvidas. Não estaremos escolhendo entre este e outro plano de fantasia ainda a ser descoberto: vamos escolher entre este plano e outros comparáveis que também terão vantagens e defeitos.

Geralmente, quando selecionamos ou implantamos um sistema organizacional, o RH e a liderança devem proporcionar aos funcionários de todos os níveis da organização:

- esclarecimento sobre os vários objetivos do sistema;
- uma explicação de por que o sistema foi escolhido entre todos os outros;
- transparência quanto a custos e benefícios potenciais;
- uma avaliação do custo de uma participação displicente;
- um convite para participar de discussões em andamento, sugestões e feedback.

Quando se trata de reclamações ou preocupações sobre o sistema, certifique-se de que está ouvindo e reconhecendo. Peça sugestões específicas que possam melhorá-lo. Se decidir rejeitar uma ideia que está sendo proposta, é indispensável explicar por quê: "Discutimos longamente a questão. Isso resolve o problema aqui, mas cria outro mais adiante. Depois de um balanço, decidimos não implantá-lo". Se você não explica o motivo, as pessoas vão supor que você não entendeu direito as vantagens daquilo que elas sugeriram, que pediu informações só por formalidade ou que não se importa com as preocupações e o bem-estar delas.

O RH pode otimizar o processo, mas no final os problemas criados e o tempo investido em dar e receber feedback são de todos, não somente do RH. Compartilhar o problema, além de dar origem a novas ideias, transforma os papéis tradicionais de opressor-vítima em papéis de interessados na solução do mesmo problema.

Ismail, cansado com o estado do feedback em sua empresa, decidiu "compartilhar o dilema". Convocou uma reunião geral e pôs as cartas na mesa: "Todo mundo reclama que não recebe feedback suficiente. Todo mundo reclama que não gosta do feedback que recebe. Funcionários culpam gerentes, gerentes culpam funcionários. Todos culpam o RH. Aplicamos os melhores sistemas que conhecemos de avaliação e treinamento, mas vamos admitir a verdade: eles não são perfeitos e nunca serão. Nenhum sistema pode obrigá-lo a aprender, mas nenhum sistema pode impedi-lo de aprender. Então, daqui para a frente, o melhor a fazer é nos perguntar: que tipo de aprendiz eu quero ser, e que tipo de orientador eu quero ser? Estamos no mesmo barco: se vocês me apoiarem em meu aprendizado, apoiarei vocês no seu".

Ismail ajudou aquelas pessoas a ver que o problema não era administrativo, mas humano. Fez com que todos se interessassem e conversassem — não apenas sobre os problemas, mas sobre assumir a responsabilidade pelo próprio aprendizado e pela busca de soluções concebíveis.

Obviamente, não se pode ter todas as pessoas que trabalham numa organização envolvidas no planejamento e na implantação de sistemas de feedback. Mas é possível convidar à participação, formal e informal. Muitas vezes é útil convidar aqueles que mais protestam contra os sistemas de desempenho para participar do processo de projetá-los, tanto para aproveitar sua perspectiva e suas ideias quanto para envolvê-los no desafio de transformar suas queixas em algo construtivo.

2. Separe reconhecimento, orientação e avaliação

Um simples sistema de gestão de desempenho não pode comunicar com eficiência os três tipos de feedback. Cada um deles requer diferentes qualidades e diversos ambientes para ser eficaz.

A avaliação precisa ser justa, coerente, clara e previsível — seja para pessoas, equipes ou divisões. É necessário entender quem está avaliando quem e quais os critérios de sucesso e progresso. Ao longo do ano, todos nós devemos ter conversas sensatas e de mão dupla, sobre objetivos e progresso, a tempo de tratar os problemas no percurso. O sistema de avaliação precisa ser rígido para garantir justiça e coerência, e flexível para dar conta das diferenças individuais em papéis e circunstâncias. Nada disso é novo nem fácil.

Uma boa orientação exige parâmetros diferentes para funcionar bem. As pessoas que estão se aperfeiçoando precisam de sugestões frequentes, quase que em tempo real, e da oportunidade de fazer pequenas correções ou melhorias ao longo do caminho. A "única grande reunião de orientação do ano com vinte sugestões" ou mesmo "duas reuniões de orientação por ano com dez sugestões cada uma" provavelmente não será útil, porque, em sua essência, *a orientação é um relacionamento, não uma reunião*. Orientador e orientando precisam de discussões permanentes sobre o que o orientando pode fazer à luz das necessidades da organização e das competências individuais. Eles precisam de pessoas que lhe sirvam de espelhos francos para ajudá-los a se ver quando não estão em seu melhor momento, e de espelhos complacentes para lhes garantir que podem fazer melhor.

Como já discutimos, criam-se pelo menos três problemas ao misturar avaliação e orientação. Primeiro, no extremo receptor, minha atenção será atraída para a avaliação, que sufoca a orientação. Se começo a pensar que posso ter perdido a gratificação que já prometi a minha família, não vou nem mesmo ouvir suas sugestões para otimizar minhas apresentações em PowerPoint. O segundo problema é que, se vou me abrir para a orientação, tenho de me sentir em segurança.[7] Preciso ter certeza de que não vou prejudicar minha estabilidade no emprego ou o progresso na carreira ao admitir erros e áreas de fragilidade. Preciso ter confiança absoluta de que, ao me abrir para as conversas de orientação, não vou comprometer minha avaliação.

Finalmente, como já dissemos, muitos locais de trabalho sofrem de transtorno de déficit de reconhecimento. Mesmo as pessoas mais satisfeitas podem às vezes se sentir subestimadas em sua dedicação ao trabalho e por causa dos sapos que têm de engolir pelo caminho. Programas formais de reconhecimento ajudam, mas damos mais importância à valorização recebida de nossos colegas e supervisores mais próximos do que ao reconhecimento cerimonial de quem está sete níveis acima de nós. O muito obrigado automático perde valor rapidamente, mas um "Puxa, ver você resolvendo tão bem esse problema me faz repensar a forma como abordo a questão" pode representar mais que uma placa ou um vale-presente.

Cada um ouve o reconhecimento de uma forma diferente.[8] Alguns o ouvem no contracheque e ficam admirados ao ver que outros precisam de mais do que isso para se sentir valorizados. Há também quem o ouça por meio de uma palavra positiva dirigida em particular, ou um bilhetinho de agradecimento, ou na paciência que um mentor mostra ao repetir suas instruções mais uma vez, ou na interessante tarefa que lhe é atribuída. A questão aqui não é ter um "sistema de reconhecimento": em vez disso, o melhor é ter uma norma cultural de reconhecimento que incentive todos a observar (1) os pontos positivos genuínos e singulares do trabalho dos outros, e (2) como cada membro de uma equipe ouve o reconhecimento e o incentivo para que eles sejam expressos da melhor forma quando dirigidos àquela pessoa em particular.

Em última instância, a responsabilidade de equilibrar os três tipos de feedback cabe tanto a emissores quanto a receptores. Sara, consultora em seu primeiro ano de trabalho, achava que estava recebendo muita orientação valiosa, mas não tinha ideia de como estava se saindo. Esse vazio fazia com que ela lutasse para não ouvir a orientação como avaliação. "Eu não sabia se estava no caminho certo e, diante de tanta orientação vinda de parceiros, eu me sentia o tempo todo como se estivesse diante de um pelotão de fuzilamento. Finalmente, decidi perguntar e disse ao parceiro: 'Antes que você me dê orientação, pode me dizer como acha que estou me saindo? Estou no caminho certo, com base em onde deveria estar nesta etapa?'. Ele ficou surpreso: 'Sara, você está indo muito bem! Sem dúvida, tem futuro aqui — você não percebeu isso?'. Eu não percebia, mas, no momento em que ele disse isso, pude relaxar e me concentrar na orientação. E agora que consigo ouvir a orientação como orientação, vejo que é realmente muito útil."

3. Promova uma cultura de aprendizado

Em toda organização, circulam mensagens explícitas e veladas sobre o que é (realmente) reconhecido e o que é (realmente) recompensado. Se você quer "aprender" a ser valorizado, saiba que suas atitudes devem ser coerentes com aquilo de que se fala com admiração, com o que se destaca nas histórias de guerra que se contam, com o que é tido como importante em relação a projetos de visibilidade e promoções principais.

A seguir, cinco ideias que ajudam a promover uma cultura do aprendizado.

Destaque casos de aprendizado

O mais visível retrato da competência em muitas organizações é a superestrela cujo talento é uma dádiva divina, que sempre apresenta resultados consistentes e, com um pouco de sorte e os relacionamentos certos, ascende rapidamente na hierarquia. Mas a realidade muitas vezes é diferente do mito. Na verdade, o que muitas dessas superestrelas estão realmente fazendo é *aprender*.

Talento como dom divino é o modo como seus pares contam a história de Sijia. Ela é atraente, brilhante e afável, fica com os melhores projetos e em pouco tempo começa a ser chamada para reuniões de alto nível. Entre seus colegas, sua rápida ascensão é vista como resultado de seus dotes naturais e de sua habilidade para fazer o jogo político.

Mas seus colegas estão deixando de lado uma parte da história. O que eles não veem é que Sijia é uma aprendiz determinada e proativa. Ela presta atenção ao que não entende e faz perguntas. Pede para participar de reuniões que possam ajudá-la a entender melhor o cliente e, em consequência disso, observa em primeira mão como é que as pessoas que estão acima dela desempenham seus papéis. A abertura de Sijia à orientação é evidente. Ela não se apresenta como perfeita; na verdade, é rápida para reconhecer seus erros e aprender com eles. Ninguém acha que Sijia tem todas as respostas, mas seus colegas com mais tempo de casa a veem como parceira confiável no trato dos problemas mais difíceis.

Infelizmente, a organização de Sijia não está capitalizando toda a sua capacidade de aprender. Ela ascende, mas não é estimulada a compartilhar sua atitude pró-aprendizado, o que ninguém da administração faz. Por isso, seus pares e colegas menos experientes atribuem seu sucesso à sorte e à subserviência, mas não observam (ou emulam) seu maior patrimônio.

Parte do que define uma cultura organizacional são as histórias e mitos sobre ela — a coragem, ou o genialidade, ou a resistência diante de desafios impossíveis. Essas histórias nos dizem em que tipo de lugar trabalhamos e o que esperam de nós. "Histórias de erros" que afinal resultam em "histórias do que aprendemos" são muitas — provavelmente cada funcionário e cada equipe de sucesso têm algumas —, mas raramente elas são compartilhadas.

Cultive identidades de crescimento

Se você quer que as pessoas abandonem uma identidade fixa em favor de uma identidade de crescimento, duas coisas podem ajudar. Primeiro, ensine do que se trata. "Identidade de crescimento" não é um conceito muito conhecido. Faça uma sessão sobre a diferença entre identidade fixa e identidade de crescimento; estimule as pessoas a discutir o assunto, formular perguntas, expressar suas dúvidas. Fale sobre as diferentes formas com que as pessoas assimilam o feedback negativo e o positivo, e também sobre como dar e receber orientação dentro de uma equipe. Levante os conceitos de espelho franco e espelho complacente, e faça com que os boatos transcendam o nível da fofoca, levando colegas a se ajudar mutuamente na busca de pontos cegos e no processamento do feedback para o que está certo, não apenas desabafando sobre o que está errado. Capte as ideias no ar e pelo radar das pessoas.

Segundo, proponha para discussão nas conversas de feedback o desafio do "puxe" — o trabalho necessário para reconhecer nossos gatilhos e encontrar um meio de aprender. As pessoas ficam melhores com a prática e podem praticar mais produtivamente quando as duas partes da conversa estão conscientes das dificuldades do feedback. Discutir reações, confusão, defensiva, pontos cegos e interpretações sobre de onde vem e para onde vai o feedback — tudo isso faz parte das conversas diárias de como fazer bem as coisas.

No entanto, é importante que a "identidade de crescimento" não seja usada pelos emissores como meio de abreviar a conversa: "Você não está aceitando meu feedback porque não tem identidade de crescimento". Ter essa identidade não significa aceitar sempre o feedback, apenas proporciona a oportunidade de ouvi-lo.

Discuta a segunda contagem

No capítulo 9, sugerimos que você se concedesse uma segunda contagem ao lidar com um feedback difícil. Talvez não tenha se saído bem em sua avaliação, ou o projeto em que trabalhava pode ter fracassado, mas estamos mais interessados na forma como reagiu a essas experiências. É isso que vai nos dizer do que você é capaz num ambiente que se torna cada vez mais complexo e no qual as dificuldades aumentam naturalmente.

Não recomendamos "conceder" realmente uma segunda contagem às pessoas. (*Agora estou preocupado com sua avaliação da minha reação* à *sua primeira avaliação*.) Mas pedimos que você discuta o desafio que a segunda contagem representa e sua importância. Um emissor de feedback pode estimular um receptor a refletir não só sobre o feedback em si, mas sobre o que vai fazer com ele e de que forma — para pensar a respeito de como maximizar sua segunda contagem.

Crie feedbacks paralelos

Em relações internacionais, o conceito de diplomacia paralela (ou *multitrack*) aplica-se aos atores envolvidos nas mudanças de sistemas e na construção da paz. A primeira faixa de atuação corresponde ao governo oficial — envolvido em negociações, conferências, sanções e tratados. A faixa paralela é o trabalho não oficial, mas muitas vezes significativo, desempenhado por outras instâncias — membros da comunidade, organizações de base, entre outras.[9]

Pegamos esse conceito emprestado para explicar as duas faixas que as organizações podem pôr em prática para apoiar o aprendizado individual. As estruturas da faixa principal são necessárias para apoiar a avaliação e a orientação. Nela se incluem os sistemas de gestão de desempenho, programas de treinamento etc.

Mas, de muitas formas, as atividades da faixa paralela são ainda mais determinantes para o aprendizado. Consistem em conversas informais entre amigos, colegas e mentores; os casos de sucesso e fracasso; discussões sobre os melhores procedimentos e as técnicas que ajudam ou atrapalham; até mesmo uma troca de livros preferidos. Você pode marcar almoços com amigos de espelho complacente e espelho franco, combinando vida social e ajuda mútua para aprender.

A faixa paralela dá um nome formal a essas importantes interações informais, e isso ajuda a falar sobre ela e trazê-la mais conscientemente à cultura da organização.

Incentive a normalização social

A parte menos atraente da gestão de desempenho para todos os envolvidos é a fase chamada "cobrar e ser cobrado". Determinar objetivos, orientar e fazer avaliações são responsabilidades que normalmente devem ser desempenhadas ao mesmo tempo que outras, mais urgentes, e em geral são as primeiras a serem adiadas em face de crises mais imediatas. Então acaba sobrando para o RH ou para os líderes de equipes a tarefa de cobrar, e a gerentes e funcionários a situação de ser cobrados.

A obra de Robert Cialdini sugere que podemos estar abordando de forma errada todo o processo. Cialdini é especialista em influência e afirma que falar de comportamento negativo muitas vezes tem o efeito indesejável de reforçá-lo como norma social. Se sou um gerente que recebe e-mails reprobatórios sobre o atraso de minhas avaliações, posso ter duas reações. A primeira seria me sentir subestimado por todo o trabalho duro que tenho feito e que é a razão do meu atraso. Não fico jogando pingue-pongue em meu (aparentemente espaçoso) cubículo; estou é atolado em milhares de projetos que a organização precisa que eu faça.

Mas a segunda reação, baseada no tom do e-mail de cobrança, é o entendimento de que deve haver muitos outros colegas atrasados. Acho que estou em boa companhia. Se meu comportamento falho é a norma, não me sinto particularmente movido a levar essa crítica a sério. O que vai acontecer é que vou receber outro lembrete, dentro de uma semana ou mais, como todo mundo. Parece que é assim que a coisa funciona por aqui. Curiosamente, quando os e-mails param de chegar, começo a ficar preocupado com a possível perda da "janela" de tolerância.

Os estudos de Cialdini mostram que destacar *boas* normas é mais eficaz para mudar comportamentos indesejáveis do que reprimir as normas ruins. Em vez de lançar um aviso reprovador: "31% de vocês ainda não terminaram seus relatórios", é mais eficaz comemorar "pelos 69% de vocês que concluíram seus relatórios. Obrigado!". Aqueles que completaram a tarefa sentirão que seu esforço foi reconhecido. E os demais vão perceber com a mensagem que estão em descompasso com seus colegas.[10]

O que os líderes de equipe e emissores de feedback podem fazer

O que pode fazer um gerente ou um líder de equipe para melhorar a cultura organizacional?

Uma cultura organizacional é, na verdade, uma coletânea de subculturas que podem variar imensamente de gerente para gerente, de equipe para equipe e de departamento para departamento. É possível ter muita influência sobre sua própria subcultura e sobre seus colegas de equipe e, com o tempo, convidar outros para se unirem a você. Vejamos três ideias que podem ajudar.

1. Seja o modelo de aprendizado, peça orientação

Se tiver de escolher entre *pregar* as vantagens de ser um aprendiz e *ser um modelo* de aprendizado, não tenha dúvida. De muitas formas, o gerente é a cultura: se for um bom aprendiz, dará o tom para uma cultura de aprendizado.

O primeiro passo para ser um modelo de aprendizado, naturalmente, é *ser* um bom aprendiz. Essa é a parte difícil para todos nós. Comparado a ela, o passo seguinte é fácil, ainda que muitas vezes seja esquecido: tornar seu esforço para aprender *explícito*. Incentive as pessoas a discutir seus pontos cegos com você. Substitua as conversas de culpabilização por conversas de colaboração conjunta e comece sempre perguntando como você pode ter contribuído para o problema. Faça com que as pessoas assumam suas responsabilidades, mostrando a elas que você reconhece as suas. Quando fizer análises de desempenho, ajude as pessoas a examinar o sistema e seu papel dentro dele, e agradeça pelo engajamento e pelo esforço para mudar. Seja franco a respeito do que continua achando difícil na hora de receber feedback. Peça orientação e ajuda, não apenas dos que estão acima de você, mas de colegas e subordinados. Já falamos de tudo isso anteriormente, mas voltamos ao assunto aqui, porque servir de modelo é a coisa mais poderosa que você pode fazer como líder para aperfeiçoar a cultura.

2. Como emissor, administre a mentalidade e a identidade

Consideremos a situação que Janice está vivendo. Embora tenha excelente qualificação e uma ficha lotada de análises brilhantes, vem sendo preterida para promoção frequentemente. Está confusa e cada vez mais ressentida. Por que está sendo tratada de forma tão injusta? A política deste lugar é absurda.

O supervisor de Janice, Ricky, sabe que ela *não* está sendo tratada injustamente: ela apenas não tem os requisitos necessários. Não é promovida porque há preocupações bem fundamentadas — de Ricky e de outros — sobre a capacidade dela de lidar com as pessoas. Mas temendo que isso fosse chateá-la, o supervisor nunca lhe deu esse feedback diretamente. Janice não pode mudar uma coisa que não percebe. No esforço bem-intencionado de não magoar a subordinada, ele não só a magoa como atrasa a carreira dela. E *isso* sim é tratá-la de maneira injusta.

Ricky nos lembra que os gerentes temem as conversas de feedback tanto quanto os funcionários. Os emissores podem ter de enfrentar seus próprios problemas de identidade:

Não sou bom para dar feedback. Fica óbvio sempre que tento.

Se eles discordarem ou ficarem aborrecidos comigo, talvez eu não seja um bom gerente.

Eles não vão gostar de mim.

Não quero que eles pensem que sou controlador ou que eu queira "dizer-lhes como eles têm de fazer o seu trabalho" (embora, obviamente, alguém tenha de fazer isso).

Sou uma pessoa legal. Não quero ferir os sentimentos deles ou dar a entender que não os apoio.

Talvez a preocupação mais comum seja a última: magoar alguém, sejam quais forem nossas intenções, é algo que entra em conflito com nossa autoimagem de boa pessoa ou líder que apoia. É verdade que o receptor precisa do feedback: ele é prolixo, indiferente, exala "atitude" ou mau cheiro. Mesmo assim, apontar esses problemas deixa quase todos nós incomodados. Ainda que seja apenas o cumprimento de nosso papel, é horrível magoar ou aborrecer outras pessoas, e é compreensível que se tente evitar isso sempre que possível.

Nosso conselho é ter em mente que aquilo que pode magoar alguém a curto prazo pode ajudá-lo num período mais longo; e, com efeito, é provável que sonegar feedback importante para evitar sofrimento — para nós e para os outros — cause um prejuízo real ao longo do tempo. Todos nós precisamos de empatia e incentivo — espelhos complacentes —, mas também de informação exata e clara — espelhos francos. Quando nós mesmos estamos errados ou damos um tiro no pé, queremos que alguém nos diga isso. Contudo, hesitamos em dizer a mesma coisa aos outros. Quando você ficar em dúvida sobre dar e como dar feedback, assegure-se de levar em conta as consequências para o receptor a longo prazo, na mesma medida que seu próprio desconforto de identidade a curto prazo.

3. Esteja ciente de que as diferenças individuais se chocam nas organizações

Parte dos problemas referentes a feedback nas organizações decorre das diferenças de temperamento e circuito: todos nós temos diferentes linhas de base, oscilação e sustentação/recuperação.

Para simplificar, vamos supor que, numa população qualquer, cerca de metade do pessoal seja do tipo otimista e de recuperação rápida, como a Krista do capítulo 7, e a outra metade seja do tipo Alita, que oscila muito em reação ao feedback negativo e demora para se recuperar. Agora, só de brincadeira, vamos emparelhá-los para dar feedback uns aos outros.

Nossa sensibilidade ao feedback pode afetar não apenas como o recebemos, mas também como o damos. Se um gerente é altamente sensível ao feedback negativo, pode não se sentir à vontade para dá--lo a outras pessoas, talvez supondo que todos terão a mesma reação sofrida que ele.

O que pode ser verdade. Ou não. Se você juntar um tipo Alita, que detesta feedback crítico, com um tipo Krista, que não consegue ouvir feedback negativo a menos que seja extremamente explícito, nada será comunicado. O medo que Alita sente de magoar Krista vai levá-la a fazer insinuações que, mais do que ferir os sentimentos da receptora, vão frustrá-la, já que ela fica mais feliz com a clareza. O antigo gerente de Krista costumava resolver problemas dizendo: "NUNCA MAIS faça isso". Ela adorava. Entendia. Nenhum dano, só ajuda.

Mas agora pense no que aconteceria se um tipo Krista desse feedback crítico a um tipo Alita. Krista provavelmente vai ignorar a sensibilidade de Alita. Seu feedback curto e grosso, que pretende ajudar a melhorar — "Essas três coisas? Nunca mais faça isso" — pode arrasar a receptora, fazendo-a retroceder em vez de progredir. Na cabeça de Krista, sua atitude direta não significa muito — ela só está dando um conselho. Mas, para Alita, é marcante. Nenhuma ajuda, só dano.

Se Alita procurar Krista para lhe dizer como aquilo foi perturbador para ela, as tendências de ambas vão se repetir na próxima conversa. Alita será vaga e hesitante para falar da real dimensão da devastação causada pela dureza de Krista. Esta, por sua vez, nem vai ouvir uma coisa tão indireta, mas sim descartá-la com um: "Coragem, menina!" ou "Não leve as coisas para o lado pessoal..." ou "Desculpe, você disse alguma coisa?". Krista não vê o problema e fica chocada quando, seis meses depois, Alita pede demissão e vai trabalhar com um concorrente: "Mas eu investi tanto no desenvolvimento dela!".

É claro que há outras variações sobre o tema de como o temperamento afeta nosso estilo de orientar e avaliar. As pessoas muito preocupadas normalmente dão feedback em abundância, como meio de sustentar uma ideia de controle sobre o ambiente. As pessoas que têm padrões inalcançáveis para si mesmas também podem ter padrões inalcançáveis para os outros, o que resulta num fluxo interminável de orientação e avaliação negativa, além de um silêncio sistemático quanto a reconhecimento. E, em geral, as pessoas que têm dificuldade para controlar seus impulsos são "diretas" de um modo que às vezes ajuda, outras nem tanto. Com todas essas variações, é possível encontrar pessoas com uma combinação improvável de insensibilidade para dar feedback e hipersensibilidade para receber. É por esse motivo que, quando for um emissor, é muito importante pedir ao seu receptor que oriente você como orientador dele.

O que os receptores podem fazer

Umas poucas palavras finais aos receptores que lutam para se adaptar à convivência em uma organização, comunidade, família. Primeiro, um lembrete: seja qual for o contexto ou a empresa, você é a pessoa mais importante no seu próprio aprendizado. Sua empresa, equipe e superiores podem oferecer ou sonegar feedback. Ainda assim, ninguém é capaz de impedi-lo de aprender. Não é necessário depender de seu relatório anual ou da boa vontade de seu chefe para ensinar: você pode observar, fazer perguntas, pedir sugestões de colegas, clientes, parceiros e amigos. Não precisa ficar rondando alguém à espera de que lhe ensine como vender mais sapatos. Observe quem é o melhor vendedor de sapatos e tente descobrir o que ele faz diferente dos outros. E peça-lhe que observe você. Independentemente do que ele sugerir, tente. Experimente o conselho e, se o sapato servir, use-o.

Seja qual for o seu trabalho numa organização — vender sapatos ou salvar almas —, você está cercado de pessoas com quem pode aprender.

Da mesma forma que a tensão entre o aprendizado e a aceitação em cada indivíduo, as tensões que estão na essência do feedback organizacional são uma condição permanente. As ideias deste capítulo e do restante do livro podem nos ajudar a administrar essas tensões e nos levar a conversar uns com os outros.

Mas, embora o aprendizado seja uma responsabilidade compartilhada, no final das contas, ele caberá a você.

Triple Self-Portrait, de Norman Rockwell.

AGRADECIMENTOS

Se você está precisando de uma carga extra de críticas em sua vida, diga a todo mundo que está escrevendo um livro sobre como receber feedback.

Os comentários mais típicos dirigidos a Sheila foram algo do tipo: "Interessante. Lembra o dia de seu casamento?". *Sim, há vinte anos?* "Bem, seja como for, sempre achei que seu vestido era..." Os comentários referentes a Doug iam mais ou menos por este caminho: "Espere, *você* está escrevendo um livro sobre como receber feedback? É um tanto irônico, não acha?". *Sim, um pouco, claro.*

Assim, temos a quem agradecer. Muita gente.

Em primeiro lugar, estamos gratos a todas as pessoas que dividiram conosco suas histórias e lutas. Os exemplos mencionados neste livro são baseados em experiências de pessoas reais — clientes, colegas, vizinhos, amigos, parentes. Os detalhes que poderiam identificar essas pessoas foram mudados e, em alguns casos, fizemos composições, mas tentamos manter a verdade emocional de cada história.

Durante muitos anos, tivemos o privilégio de trabalhar no Projeto Harvard de Negociação com Roger Fisher. Roger é pioneiro na área de gestão de conflito e foi um de seus adeptos mais apaixonados. *Como chegar ao sim*, escrito com William Ury e Bruce Patton, divulgou a ideia de negociação baseada em interesses. Originalmente publicado em 1981, o livro é uma obra-prima — está entre as melhores coisas que já escreveram sobre como os seres humanos lidam com as diferenças. Roger morreu em 25 de agosto de 2012, aos noventa anos. Como disse um amigo em seu funeral: "Agora é conosco". Assim é.

Bruce Patton, nosso amigo e coautor de *Conversas difíceis*, vive o legado de Roger diariamente — no rigor intelectual que empresta a toda análise que faz e no incansável otimismo com que aborda alguns dos conflitos mais difíceis do mundo. Suas contribuições para a teoria, prática e pedagogia da negociação são de grande alcance, e seu generoso companheirismo ao longo dos vinte últimos anos tem sido inestimável.

O trabalho de Chris Argyris, Donald Schön, Diana McLain Smith, Bob Putnam e Phil McArthur constitui outro pilar de nosso pensamento. Embora não usemos o termo "escada de inferência", o conceito ajuda a organizar o capítulo 3, e suas ideias sobre a contribuição e as rotinas defensivas permeiam todo o nosso pensamento. Chris, obrigado pelo trabalho a que você dedicou a vida e pelas ideias de muitas vidas que você deu ao mundo.

Nossos agradecimentos ao teórico da negociação e educador John Richardson, que leciona na Escola Sloan de Administração do MIT. Foi John quem nos apresentou às diferenças fundamentais entre reconhecimento, orientação e avaliação. A formulação original dessas ideias pode ser encontrada em *Getting It Done*, que John escreveu com Roger Fisher e Alan Sharp. É uma pérola do cânone da comunicação.

Durante os últimos vinte anos, Bob Mnookin, da Escola de Direito de Harvard, passou de nosso (um pouquinho assustador) mentor a colega e grande amigo. Ensinar com você e os outros da equipe — Erica Ariel Fox, Kathy Holub, Alain Lemperer, Linda Netsch, Frank Sander e Alain Laurent Verbeke — foi uma das experiências mais satisfatórias da nossa vida profissional.

Do Programa de Negociação, agradecemos a Susan Hackley, James Kerwin, Jessica MacDonald, Jim Sebenius, Dan Shapiro, Stephan Sonnenberg, Guhan Subramanian, William Ury e ao pequeno núcleo de alunos brilhantes que trabalharam conosco como professores assistentes ao longo dos anos. Um obrigado especial a Michael Wheeler, da Escola de Administração de Harvard, que sugeriu o título deste livro em sua primeira tentativa.

No campo da psicologia e do comportamento organizacional, temos uma dívida com a pesquisa e os escritos de Aaron Beck, Carol Dweck, Amy Edmondson, Dan Gilbert, Marshall Goldsmith, John Gottman, Lee Ross e Martin Seligman. Estamos muito gratos também a Jeffrey Kerr, Rick Lee, Sallyann Roth e Jody Scheier por seus conhecimentos quase sempre excepcionais sobre a dinâmica dos relacionamentos. As ideias deles estão por todo o livro.

Na base de nossa compreensão da neurociência e do comportamento está a obra de Richard Davidson, Cate Fornier, Jonathan Haidt, Steven Johnson e Sophie Scott. A neurocientista Cate nos ajudou a patinar à beira do abismo da simplificação, sem (esperamos) nunca nos deixar cair nele.

Nossa amiga psicóloga Robin Weatherill esteve conosco durante toda a jornada, oferecendo comentários incisivos, casos, observações e ideias. Obrigado, Robin, por sua disposição de servir como espelho franco e pelas conversas de longo alcance durante tantos jantares nas noites de sexta-feira. Você nos apoiou mais do que pode calcular.

Muita gente tem agenda apertada, mas a de nosso camarada Adam Grant é *realmente* apertada. Conhecido como "o homem que mais trabalha da Academia", Adam leu o original deste livro enquanto viajava para divulgar seu esplêndido *Dar e receber* (Trad. Afonso Celso da Cunha. Rio de Janeiro: Sextante, 2014), transmitindo-nos estudos, pensamentos e ideias que nos faltaram.

O feedback de Scott Peppet, da Universidade do Colorado, foi entregue com tanta generosidade, exatidão e inteligência, que chegamos a pensar que ele devia estar rindo de nós. Todo mundo deveria rir como ele. Michael Moffitt, decano da Escola de Direito da Universidade do Oregon, foi a primeira pessoa a quem confiamos uma versão do original. Michael nos recomendou simplificar e diminuir.

Bem, nós tentamos. Bob Bordone, da Escola de Direito de Harvard, nos deu um feedback inacreditavelmente útil para a primeira metade do livro; então, se as coisas degringolaram do meio em diante, vocês sabem de quem foi a culpa.

Rob Ricigliano, Judy Rosenblum e Linda Booth Sweeney são os únicos inquilinos da intersecção do diagrama de Venn ocupada por pessoas que (1) compreendem o pensamento sistêmico e (2) gostam de nós. Dado o espaço tão pequeno, é estranho que nunca tenham se encontrado. Agradecemos aos três pela leitura minuciosa e pelas sugestões.

Erica Ariel Fox estava ocupadíssima escrevendo seu próprio livro, *Winning from Within*, para nos ajudar com o nosso. Ou nós é que estávamos muito ocupados para ajudá-la? Seja como for, ninguém ajudou ninguém. E, mesmo assim, é um luxo raro ter uma amiga tão chegada escrevendo um livro ao mesmo tempo que nós. Estamos gratos, Erica, pelo amor e pelo incentivo de alguém que sabe das coisas.

Pelos casos que contaram, pela edição e pela disposição sem limites para discutir essas ideias, muito obrigado a Jennifer Albanese, David Altschuler, Lana Proctor Banbury, Stevenson Carlebach, Sara Clark, Nan Cochran, Ann Garrido, Micah Garrido, Jill Grennan, Jack e Joyce Heen, Barbara e Malard Hoffmann, Kathy Holub, Stacy Lennon, Rory Van Loo, Susan Lynch, Celeste Mueller, Lea Ellermeier Nesbit, Andrew Richardson, Susan e Bob Richardson, Tom Schaub, Angelique Skoulas, Anna Huckabee Tull, Jim Tull e Karen Vasso.

Nossos profundos agradecimentos aos nossos colegas do Triad: Sarah Seminski, criativa, laboriosa e de talento onívoro; Elaine Lin, cuja inteligência e humanidade perturbam tanto os clientes que eles perdem a capacidade de *não* mandar pães e bolos pelo correio; Heather Sulejman, alma e coração do Triad, a única que mantém todos em seu juízo perfeito salvo ela mesma, embora pareça quase normal apesar de sua tenebrosa devoção à banda Depeche Mode. E nossa parceira Debbie Goldstein, a pessoa mais universalmente amada que conhecemos — Debbie, ao longo dos altos e baixos da vida, não há ninguém que tivéssemos preferido ter ao lado a longo prazo. (Aliás, Taylor, encontramos Georgette. Estava no escritório dela.)

Obrigado também aos que nos deram ideias durante a imersão de 2013 no Triad: Emily Epstein, Sharon Grady, Michele Gravelle e Sam Brown, Peter Hiddema, Audrey Lee, Ryan Thompson, Gillien Todd e Rob Wilkinson; e a nossos colegas e amigos que ajudaram de tantas outras maneiras: Lisa Baker, Eric Barker, Chris Benko, Richard Birke, Robin Blass, Dawn Buckelew, Cecile Carr, Laura e Dick Chasin, e colegas do Projeto Conversas Públicas, Jared Curhan, John Danas, Phil Davis, Alan Echtenkamp, Jac Fourie, Amy Fox, Mike Garrido, Eric Henry, David Hoffman, Bernardus Holtrop, Ted Johnson, Dee Joyner, Ismail Kola, Susan McCafferty, Liz McClintock, Jamie Moffitt, Monica Parker, Brenda Pehle, Jen Reynolds, Grace Rubenstein, Danny e Louise Rubin, Gabriella Salvatore, Joe Scarlett e Mary Fink, Jeff Seul, Olga Shvayetskaya, Linda Silver, Hill Snellings, Scott Steinkerchner, Laila Sticpewich, Wojtek Sulejman, Don Thompson e Joshua Weiss. BK Loren, da Oficina de Escritores de Iowa, junto com colegas de classe do verão de 2012, proporcionaram inestimável orientação e companhia quando o projeto tomava forma; Angelique Skoulas cedeu generosamente o silêncio de seu apartamento em Cambridge durante a reta final; a sogra Susan Richardson e seu marido John Richardson seguraram as pontas em casa alegremente; e o pessoal da Biblioteca Pública Carlisle personificou a combinação ideal de "que bom ver vocês de volta" e "não vamos incomodá-los" durante o tempo todo.

Vimos colaborando com o pessoal da Duke Corporate Education há mais de uma década. São parceiros inestimáveis na experimentação do que pode ser útil para executivos e organizações que enfrentam as mudanças e os desafios globais. Holly Anastasio, Dennis Baltzley, Jonathan Besser, Laurie Beyl, Christina Bortey, Jane Boswick-Caffrey, Nedra Bradsher, Cindy Campbell, Mike Canning, Cindy Emrich, Pete Gerend, Monica Hill, Leah Houde, Robin Easton Irving, Nancy Keeshan, Tim Last, Mary Kay Leigh, Pat Longshore, Steve Mahaley, John Malitoris, Liz Mellon, Maureen Monroe, Carrie Painter, Bob Reinheimer, Judy Rosenblum, Michael Serino, Blair

Sheppard e Cheryl Stokes tornaram-se grandes amigos, além de colegas.

Nosso muito obrigado à agente Esther Newberg e sua equipe da ICM. Você nos "adotou" quando éramos filhotes e, ao longo dos anos, nosso apreço pelo seu talento, sabedoria e apoio só cresceu.

Este é o nosso segundo projeto com a equipe da Viking Penguin, e desta vez foi igualmente gratificante. Susan Petersen Kennedy e Clare Ferraro estiveram conosco desde o início, e nos sentimos gratos pela confiança que tiveram em nós. O capista Nick Misani marcou um golaço em seu primeiro chute. Nick, lembre-se de nós quando fizer seu discurso de agradecimento pelo prêmio que vai ganhar. Carla Bolte criou um projeto gráfico moderno e convidativo. As equipes de publicidade — Carolyn Coleburn, Kristin Matzen e Meredith Burks — e marketing — Nancy Sheppard, Paul Lamb e Winnie De Moya — acreditaram, como nós, que este é um livro de administração e psicologia, e tiveram grandes ideias sobre como levá-lo até as organizações e as pessoas. Nick Bromley manteve tudo funcionando e todos nos trilhos.

Escrevemos vários parágrafos elogiosos sobre nosso editor, Rick Kot, mas ele apagou tudo e no lugar inseriu isto: "Rick é terrível, ponto final". Então ficamos assim e acrescentamos: seus questionamentos perspicazes e suas sábias emendas (intermináveis) tornaram este livro muito melhor, e o humor embutido em seus comentários nos fez rir às gargalhadas. Rick, caminharíamos sobre brasas por você. Esperamos que as coisas não cheguem a esse ponto, mas, se chegarem, é só dar uma ligada.

Doug gostaria de agradecer ao apoio incrível de seus amigos mais próximos: Don, Syl, Kate, Annie e Emma; Jimmy, Louisa, Susannah e Allyson; Wynn, Phyllis, Sophia, Alexa e Nadia; Matt, Luann, Faulks, Holly, Bloss, Manuela e os Krausens, além de todos os caras do Sports Barn e do Monkey Down. Por algum motivo, ganhei na loteria da amizade e sei que sou mesmo muito sortudo.

E a família. Uma penca de gente bonita. Rand, quando estávamos crescendo, eu achava que você era o Super-Homem, e ainda acho. Robbie, você tem essa incrível capacidade de fazer com que todos a sua volta se sintam felizes e em segurança (desculpe por tentar lhe vender água da torneira quando éramos pequenos); Julie, você é a pessoa mais rápida e engraçada que conheço, e me incluo nessa avaliação; Dennis, Alana e David, obrigado por amarem essas três pessoas e por serem cunhados tão bacanas. E a todos vocês, obrigado pelo maior de todos os presentes: meus sobrinhos — Andy, Charlie, Caroline, Colin, Daniel, Luke e Matty. Mãe, falo com você e com papai na dedicatória.

"Agradecimento" não expressa a dívida que Sheila tem com seu marido, John Richardson, e filhos, Ben, Petey e Addy. Todos eles resistiram a um projeto exaustivo e fingiram que não estavam anotando tudo no livro contábil de favores que encontrei atrás do sofá. Meus adoráveis pais, Jack e Joyce, me deram uma vida de aceitação e reconhecimento, assim como um saudável ceticismo sobre as opiniões dos outros, boas ou más. E minha avó Christine, que faleceu aos 105 anos durante a execução deste projeto, demonstrou diariamente a dádiva que é ser capaz de rir de si mesma. Robert e Susan, Jill e Jason, Stacy e Dan, Jim e Susan, Fred e Jessica, Andrew e Amanda — parece que vocês sabem o momento exato de perguntar ou incentivar. O feedback recebido de cada um é o mais importante para meu próprio senso de quem sou, e vocês têm sido compassivos e tolerantes, sempre.

Embora os nomes do livro representem uma variedade de culturas e tradições, falamos sobre cultura apenas indiretamente. A cultura, é claro, pode ter muita influência sobre a maneira de dar ou receber feedback; mesmo assim, gostaríamos de observar que os temores, as frustrações e as reações exasperadas que apresentamos ao receber feedback são profundamente humanas e universais.

Finalmente, nosso sincero agradecimento a todos aqueles que conhecemos e conheceremos que tiveram a coragem, a curiosidade e o compromisso de procurar e aceitar feedback quando é isso o que mais importa.

Notas sobre algumas organizações relevantes

O programa de negociação (PON) da Escola de Direito de Harvard

Quando Roger Fisher, Bill Ury e Bruce Patton fundaram o Projeto Harvard de Negociação (HNP), em 1979, não tinham ideia de como a área da negociação ia crescer. Em 1983, o HNP deu origem ao PON, uma organização tutelar e consórcio interuniversitário focado em negociação, mediação, sistemas de disputas e solução de conflitos. Hoje em dia, o PON congrega uma comunidade multidisciplinar de pesquisadores e profissionais, e trabalha no HNP e em nove outros projetos focados na construção da teoria fundamentada, na pesquisa em ciências sociais e na excelência em ensino e formação clínica.

HNP

Sob o comando do diretor professor James Sebenius, entre os projetos atuais do HNP estão o Iniciativa de Estudo Grande Negociador e Iniciativa de Negociação China. Entre os trabalhos já realizados, encontram-se processos que contribuíram para os acordos de Camp David em 1978; treinamento de todas as partes para o processo de negociação que antecedeu as conversações que puseram fim ao apartheid na África do Sul; e uma oficina conjunta para diplomatas americanos e soviéticos, entre muitos outros. O HNP talvez seja mais conhecido pela teoria da negociação com princípios, apresentada no livro *Getting to Yes*, lançado em 1981 (3. ed. Nova York: Penguin, 2011 [Ed. bras.: *Como chegar ao sim*. 2. ed. Rio de Janeiro: Imago, 2005]). Outros livros da equipe do HNP são *Difficult Conversations* (2. ed. Nova York: Penguin, 2010 [Ed. bras.: *Conversas difíceis*. Rio de Janeiro: Elsevier, 2011]), *Getting Past No* (Nova York: Bantam, 1993 [Ed. bras.: *Supere o não*. Rio de Janeiro: Bestseller, 2010]), *Getting It Done* (Nova York: HarperBusiness, 1998 [Ed. bras.: *Em ação! Fazendo as coisas acontecerem*. Rio de Janeiro: Campus, 1999]), *Beyond Reason* (Nova York: Penguin, 2006. [Ed. bras.: *Além da razão*. Rio de Janeiro: Imago, 2009]) e *3-D Negotiation* (Cambridge: Harvard Business Review Press, 2006 [Ed. bras.: *Negociação 3-D*. Porto Alegre: Bookman, 2008]).

PON

Liderado pelo professor Robert Mnookin e pela diretora-executiva Susan Hackley, o PON procura estimular a próxima geração de professores e acadêmicos de negociação. Com abordagens diversas, entre elas a do direito, negócios, governo, psicologia, economia, antropologia, artes e educação, os membros da comunidade PON procuram esclarecer as causas de conflito e dar aconselhamento para a gestão competente e eficaz de conflitos. Por que motivo um negócio que teria beneficiado as duas empresas envolvidas fracassa? Por que um país resolve suas diferenças em paz e outro trava uma guerra civil sangrenta? Por que alguns casais se divorciam amigavelmente enquanto outros recorrem aos tribunais, com muito sofrimento e altos custos? O PON está trabalhando para fazer avançar essa teoria e ajudar a divulgar essas competências no mundo.

A Câmara de Compensação

Como parte de seu compromisso com a gestão de conflitos e educação em negociação, o PON desenvolveu uma quantidade de simulações de negociação, com notas explicativas, demonstrações em vídeo, além de aulas interativas em vídeo e on-line. O material pode ser procurado por meio da Câmara de Compensação do PON e da Harvard Business School Publishing.

Educação executiva

O HNP foi o precursor do curso Workshop de Negociação no currículo da Escola de Direito de Harvard, e o HNP e o PON oferecem formação executiva por intermédio do Instituto de Negociação de Harvard (HNI) e da série de Seminários Executivos do PON. Sheila Heen, Bruce Patton e Douglas Stone dão curso avançado de Conversas de Negócios Difíceis para executivos, pelo HNI e pela série Exec. Ed. do PON. Para mais informação, www.pon.harvard.edu.

Triad Consulting Group

Fundado por Douglas Stone e Sheila Heen, o Triad é um grupo empresarial de consultoria global e educação corporativa com sede na Harvard Square, em Cambridge, Massachusetts.

Se você está implementando uma grande iniciativa de mudança ou procurando aperfeiçoar as técnicas de gestão do dia a dia de altos executivos, podemos ajudar. Trabalhamos com clientes para fortalecer a capacidade individual e organizacional numa diversidade de áreas, entre as quais:

- conversas difíceis
- negociação e solução de problemas
- a equação da influência
- como pôr equipes para trabalhar

- como fortalecer o impacto por meio da prática de sistemas
- feedback e aprendizado

Em geral, o trabalho de consultoria consiste em: orientar uma equipe de executivos para funcionar com eficiência quando há muita coisa em jogo e as partes interessadas se encontram divididas, ajudar a melhorar a colaboração dentro de cada função e entre funções; usar mapeamento de sistemas para orientar a alocação de recursos e otimizar o impacto das iniciativas importantes.

Oferecemos orientação executiva, intervenção em equipe, mediação e facilitação, apresentações principais e experiências de recuo. Em parceria com o cliente, criamos projetos adequados a seu contexto e suas dificuldades, garantindo uma abordagem relevante e realista. O Triad valoriza o vínculo e o humor para ensinar executivos a ser francos consigo mesmos e uns com os outros sobre o que estão enfrentando. Sabemos que grande parte disso é uma dureza, mas estamos nesse barco com vocês.

Nossos clientes se distribuem por uma dezena de ramos de atividade e seis continentes. Entre eles estão a BAE, BHP, Capital One, Capgemini, Citigroup, Educational Testing Service, Federal Reserve Bank, Genzyme, Hess, Honda, HSBC, Johnson & Johnson, Massachusetts General Hospital, Merck, Metlife, Novartis, Prudential, PwC, Shell, TimeWarner, Unilever e Verizon.

No setor público, já trabalhamos com a Casa Branca, a Suprema Corte de Cingapura, o Parlamento da Etiópia, Unaids, The Nature Conservancy, a Arctic Slope Regional Corporation e o New England Organ Bank. Membros de nossa equipe deram cursos e fizeram mediações na África do Sul, Oriente Médio, Caxemira, Iraque, Afeganistão e Chipre. Nossos consultores lecionam na Escola de Direito de Harvard, Escola de Direito de Georgetown, Escola Tuck de Administração de Dartmouth, Escola Tufts Fletcher, Boston College, Universidade do Wisconsin e Escola de Administração do MIT. Somos autores de dezenas de livros populares e acadêmicos e artigos na área.

Sinta-se à vontade para se comunicar conosco pelo e-mail info@diffcon.com.

Visite o Triad em www.triadconsultinggroup.com.

Tudo começa com uma conversa.

NOTAS

INTRODUÇÃO [pp. 9-22]

1   Os estudantes americanos com idades entre seis e dezessete anos passam em média três horas e 58 minutos por dia fazendo o dever de casa (disponível em: <www.smithsonianmag.com/arts-culture/Do-Kids-Have-Too-Much-Homework.html>, acesso em: 22 out. 2015). O ano escolar é de 180 dias em geral (disponível em: <www.nces.ed.gov/surveys/pss/tables/table_15.asp>, acesso em: 22 out. 2015). Supondo uma ou duas tarefas diárias e acrescentando monografias, testes-surpresa, provas intermediárias, provas finais e exames gerais, trezentos é uma estimativa conservadora, principalmente para o ensino médio.

2   Trinta e cinco milhões de crianças nos Estados Unidos praticam esportes organizados a cada ano (disponível em: <www.statisticbrain.com/youth-sports-statistics>, acesso em: 22 out. 2015); existem 98 817 escolas públicas no país (disponível em: <www.nces.ed.gov/fastfacts/display.asp?id=84>, acesso em: 22 out. 2015) e 19% dessas escolas (18 775) oferecem cursos de teatro (disponível em: <www.nces.ed.gov/surveys/frss/publications/2002131/index.asp?sectionid=3>, acesso em: 22 out. 2015). Muitas das 33 366 escolas particulares também oferecem cursos de teatro.

3   Disponível em: <www.press.collegeboard.org/sat/faq> e <www.statisticbrain.com/college-enrollment-statistics>. Acessos em: 22 out. 2015.

4   Disponível em: <www.statisticsbrain.com/online-dating-statistics>. Acesso em: 22 out. 2015.

5   Disponível em: <www.skybride.com/about>. Acesso em: 22 out. 2015.

6   Disponível em: <www.cdc.gov/cchs/nvss/marriage_divorce_tables.htm>. Acesso em: 22 out. 2015. Os números dos Centers for Disease Control incluem anulações, mas

excluem dados de Califórnia, Geórgia, Havaí, Indiana, Luisiana e Minnesota. Os dados do United States Census Bureau indicam que o número de divórcios anuais gira em torno de 1,5 milhão (disponível em: <www.census.gov/compendia/statab/2012/tables/12s0132.pdf>, acesso em: 22 out. 2015).

7   Os dados do censo mostram que em 2010 (último ano de dados disponíveis) houve perda de 12,645 milhões de empregos no setor privado. Não foram contabilizados autônomos e empregados de instituições sem fins lucrativos. Disponível em: <www.census.gov/compendia/statab/2012/tables/1250635.pdf>. Acesso em: 22 out. 2015.

8   O Small Business Administration mostra 533 945 "nascimentos" e 593 347 "mortes" de pequenas empresas entre 2009 e 2010. Disponível em: <www.sba.gov/advocacy/849/12162>. Acesso em: 22 out. 2015.

9   As estatísticas diferem muito das relatadas pelo CEB, segundo as quais 51% das empresas fazem análises anuais (disponível em: <www.westchestermagazine.com/914-INC/Q2-2013/Improving-Performance-Review-Policies-for-Managers-and-Employees>, acesso em: 22 out. 2015) dos 91% de profissionais de RH entrevistados que declaram que suas empresas têm programas formais de avaliação de desempenho (disponível em: <www.worldatwork.org/waw/adimLink?id=44473>, acesso em: 22 out. 2015). Organizações que têm RH geralmente empregam um sistema formal de avaliação; as que não têm aplicam procedimentos informais.

10   Segundo dados do Escritório Internacional do Trabalho (Laborsta), a força de trabalho global consiste em aproximadamente 3,3 bilhões de trabalhadores (disponível em: <laborsta.ilo.org/applv8/data/EAPEP/eapep_E.html>, acesso em: 22 out. 2015). Se a metade deles for objeto de algum tipo de análise, e estimando que cada análise leve trinta minutos para ser preparada e executada, chegaremos a 94,178 milhões de anos. Os gerentes que se dedicam a essas análises fazem muitas delas, portanto essa é provavelmente uma estatística conservadora.

11   *Merriam-Webster's Collegiate Dictionary*. 9. ed. Nashville: Thomas Nelson, 1986.

12   Pesquisa de 2011 feita pela Globoforce. Disponível em: <www.bizjournals.com/boston/news/2011/04/29/survey-majority-hate-performance.html>. Acesso em: 22 out. 2015. A pesquisa da Cornerstone on Demand chegou à estatística de 51%. Disponível em: <www.getworksimple.com/blog/2012/01/20/4-statistics-that-prove-performance-reviews-don't-work-for-the-modern-worker>. Acesso em: 22 out. 2015.

13   Veja, na nota 12, a pesquisa de 2011 da Globoforce.

14   *Results of the 2010 Study on the State of Performance Management*, da Sibson Consulting and World at Work, entrevistou 750 profissionais de RH no outono de 2010. Só 20% dos entrevistados dizem que, quando o desempenho corporativo é medíocre, os índices individuais caem, o que indica pouca correlação entre o desempenho individual e o organizacional. E apenas 40% disseram que seus chefes baseiam o gerenciamento de desempenho em avaliação e orientação de relatórios diretos. Disponível em: <www.sibson.com/publications/surveysandstudies/2010SPM.pdf>. Acesso em: 22 out. 2015.

15   Para um panorama sobre o comportamento de busca pelo feedback, ver: Michiel Crommelinck e Frederick Anseel, "Understanding and Encouraging Feedback

Seeking Behavior: A Literature Review" (*Medical Education*, n. 47, pp. 232-41, 2013). A relação entre a busca pelo feedback negativo e a análise de desempenho é tratada em: Z. G. Chen; W. Lam e J. A. Zhong, "Leader-Member Exchange and Member Performance: A New Look at Individual-Level Negative Feedback-Seeking Behaviour and Team-Level Empowerment Climate" (*J Appl Psychol*, v. 92, n. 1, pp. 202-12, 2007); e em S. J. Ashford e A. S. Tsui, "Self-Regulation for Managerial Effectiveness: The Role of Active Feedback Seeking" (*Acad Manage J*, v. 34, n. 2, pp. 251-80, 1991). Entre as pesquisas que mostram um vínculo entre o comportamento de busca pelo feedback e a criatividade estão: J. Zhou, "Promoting Creativity Through Feedback" (em J. Zhou e C. E. Shalley (Orgs.), *Handbook of Organizational Creativity*. Nova York: Lawrence Erlbaum Associates, 2008, pp. 125-46); e D. E. M. De Stobbeleir; S. J. Ashford e D. Buyens, "Self-Regulation of Creativy at Work: The Role of Feedback-Seeking Behavior in Creative Performance" (*Acad Manage J*, v. 54, n. 4, pp. 811-31, 2011). Uma análise da busca de feedback e da adaptação pode ser encontrada em: E. W. Morrison, "Longitudinal Study of the Effects of Information Seeking on Newcomer Socialization" (*J Appl Psychol*, v. 78, n. 2, pp. 173-83, 1993); C. R. Wanberg e J. D Kammeyer-Mueller, "Predictors and Outcomes of Proactivity in the Socialization Process" (*J Appl Psychol*, v. 85, n. 3, pp. 373-85, 2000); E. W. Morrison, "Newcomer Information-Seeking: Exploring Types, Modes, Sources, and Outcomes" (*Acad Manage J*, v. 36, n. 3, pp. 557-89, 1993).

16 S. Carrere et al., "Predicting Marital Stability and Divorce in Newlywed Couples" (*Journal of Family Psichology*, v. 14, n. 1, pp. 42-58, 2000). Ver, em geral: <www.gottman. com>. Observamos que a pesquisa de Gottman fala especificamente da correlação entre a receptividade do marido a informações de sua esposa e a saúde do casamento. Independentemente das descobertas de Gottman, na nossa opinião a receptividade de qualquer uma das partes provavelmente contribui para a saúde do relacionamento.

17 Thomas Friedman, "It's a 401(k) World". *The New York Times*, 1º maio 2013.

2. SEPARE RECONHECIMENTO, ORIENTAÇÃO E AVALIAÇÃO [pp. 45-66]

1 A distinção entre reconhecimento, orientação e avaliação foi apresentada a nós por John Richardson. Os conceitos foram definidos no livro que ele escreveu junto com Roger Fisher e Alan Sharp, intitulado *Getting It Done: How to Lead When You're Not in Charge* (Nova York: HarperBusiness, 1998). [Ed. bras.: *Em ação! Fazendo as coisas acontecerem*. Rio de Janeiro: Campus, 1999.]

2 Marcus Buckingham e Curt Coffman, *First Break All the Rules: What the World's Greatest Managers Do Differently*. Nova York: Simon & Schuster, 1999, pp. 28, 34. [Ed. bras.: *Quebre todas as regras*. Rio de Janeiro: Sextante, 2011.]

3 Gary Chapman, *The 5 Love Languages: The Secret to Love That Lasts*. Chicago: Northfield Publishing, 2009. [Ed. bras.: *As 5 linguagens do amor: Como expressar um compromisso de amor a seu cônjuge*. 3. ed. São Paulo: Mundo Cristão, 2013.]

3. ENTENDA ANTES DE MAIS NADA [pp. 67-104]

1   Esse diagrama e os conceitos que se seguem se baseiam parcialmente na escada de inferência, ferramenta criada por Chris Argyris e Don Schön.

2   Disponível em: <www.rogerschank.com/artificialintelligence.html>. Acesso em: 22 out. 2015. Ver também Roger Schank, *Tell Me a Story: Narrative and Intelligence* (Evanston: Northwestern University Press, 1995).

3   A tendência à confirmação se refere à nossa propensão a notar informações que corroborem nossas opiniões preexistentes. Ver Raymond S. Nickerson, "Confirmation Bias: A Ubiquitous Phenomenon in Many Guises" (*Review of General Psychology*, Washington, v. 2, n. 2, pp. 175-220, 1998).

4   O autofavorecimento é a tendência de atribuir nossos acertos a nossas próprias qualidades e nossos erros a fatores externos. Isso pode levar a uma ideia exagerada de nossas qualidades comparadas às qualidades dos outros. Para o exemplo dos motoristas, ver O. Svenson, "Are We All Less Risky and More Skillful Than Our Fellow Drivers?" (*Acta Psychologica*, v. 47, n. 2, pp. 143-8, fev. 1981). A ideia exagerada dos gerentes sobre o próprio desempenho foi tirada de uma pesquisa da *BusinessWeek* com 2 mil executivos americanos (disponível em: <www.businessweek.com/stories/2007-08-19/ten-years-from-now-and>, acesso em: 22 out. 2015).

5   David Foster Wallace, *Ficando longe do fato de já estar meio que longe de tudo*. Trad. de Daniel Galera e Daniel Pellizzari. São Paulo: Companhia das Letras, 2012, p. 266.

4. ENXERGUE SEUS PONTOS CEGOS [pp. 105-31]

1   Steven Johnson, *Mind Wide Open: Your Brain and the Neuroscience of Everyday Life*. Nova York: Scribner, 2004, pp. 31-2. Para um texto fascinante sobre a relação entre o tamanho da íris humana e a evolução da cooperação, ver Michael Tomasello, "For Human Eyes Only" (*The New York Times*, 13 jan. 2007).

2   Para um panorama da teoria da mente, ver Alvin I. Goldman, "Theory of Mind", em Eric Margolis; Richard Samuels e Richard Stich (Orgs.), *Oxford Handbook of Philosophy and Cognitive Science* (Oxford: Oxford University Press, 2012, p. 402).

3   Ver, por exemplo, Simon Baron-Cohen; Alan M. Leslie e Uta Frith, "Does the Autistic Child Have a 'Theory of Mind'?" (*Cognition*, v. 21, pp. 37-46, 1985).

4   Steven Johnson, *Mind Wide Open: Your Brain and the Neuroscience of Everyday Life*. Nova York: Scribner, 2004, pp. 31-2.

5   Albert Mehrabian, *Nonverbal Communication*. New Brunswick: Aldine Transaction, 2007. Mehrabian, professor emérito da Universidade da Califórnia em Los Angeles, afirma que o tom de voz é responsável por 38% de nossa mensagem; a linguagem corporal, por 55%, e as palavras efetivamente ditas, por apenas 7%.

6   Jon Hamilton, "Infants Recognize Voices, Emotions by 7 Months". *National Public Radio*, 24 mar. 2010. Disponível em: <www.wbur.org/npr/125123354/infants-recognize-voices-emotions-by-7-months>. Acesso em: 22 out. 2015. Ver também Annett Schirmer e Sonja Kotz, "Beyond the Right Hemisphere: Brain Mechanisms Mediating Vocal Emotional Processing" (*Trends in Cognitive Sciences*, v. 10, n. 1, pp. 24-30, jan. 2006).

7   Atul Gawande, "Personal Best". *The New Yorker*, 3 out. 2011.

8   Sophie Scott, "How Does The Brain Decode Speech?". Entrevista concedida a Ira Flatow no programa *Science Friday*, em 29 de maio de 2009. Disponível em: <www.npr.org/templates/story/story.php?storyId=104708408>. Acesso em: 22 out. 2015.

9   Ver, por exemplo, Paul Ekman, *Emotions Revealed: Recognizing Faces and Feelings to Improve Communication and Emotional Life* (Nova York: Holt Paperbacks, 2007). Ekman diz que, devido a movimentos involuntários de certos músculos faciais, não somos tão bons em dissimular nossas emoções quanto pensamos.

10   Isso é conhecido como assimetria ator-observador (Jones e Nisbett, 1971). O ator tende a atribuir o próprio comportamento à situação, enquanto o observador tende a atribuir o comportamento do ator ao seu caráter. Conceito relacionado é o de erro fundamental de atribuição (Lee Ross, 1967), segundo o qual, ao falar do comportamento dos outros, tendemos a valorizar o caráter e subestimar a situação.

11   Robert I. Sutton, *Good Boss, Bad Boss: How to Be the Best... and Learn from the Worst*. Nova York: Business Plus, 2010, p. 211.

12   Alex Pentland, *Honest Signals: How They Shape Our World*. Cambridge: MIT Press, 2008. Para um panorama da pesquisa e suas aplicações, ver Alex Pentland, "To Signal Is Human" (*American Scientist*, n. 98, Nova York, maio/jun. 2010). Disponível em: <web.media.mit.edu/~sandy/2010-05Pentland.pdf>. Acesso em: 22 out. 2015.

13   Num artigo do *New York Times* intitulado "I Know What You Think of Me" (15 jun. 2013), o escritor Tim Kreider discute os efeitos negativos de receber por engano o e-mail de um amigo, dirigido a outro amigo, que fala de nós: "Penso sempre que o mais devastador dos ciberataques [...] não se daria no setor militar ou financeiro, mas seria simplesmente tornar públicos, ao mesmo tempo, todos os e-mails e todos os textos já enviados [...]. O tecido social se evaporaria instantaneamente [...]. Ouvir sem censura as opiniões de outras pessoas a nosso respeito é um lembrete desagradável de que [...] os demais nem sempre nos veem à luz compassiva que pretendemos, fazendo todas as concessões, sempre do nosso lado".

5. NÃO ENTRE PELO DESVIO [pp. 137-62]

1   "Flowers for Kim", *Lucky Louie*, temporada 1, episódio 6, 2006. O diálogo foi levemente editado quanto à linguagem e à extensão.

2   O erro fundamental de atribuição é um termo cunhado por Lee Ross em 1977. Ver "The Intuitive Psychologist and His Shortcomings: Distortions in the Attribution

Process" em L. Berkowitz, *Advances in Experimental Social Psychology* (Nova York: Academic Press, 1977).

3 Gostamos de gente que gosta de nós e que é como nós. Ver Robert Cialdini, *Influence: The Psychology of Persuasion* (Nova York: HarperBusiness, 2006). Em especial o capítulo 5, "Liking: The Friendly Thief".

4 Para mais informações sobre autonomia na negociação, ver Roger Fisher e Daniel Shapiro, *Beyond Reason: Using Emotions as You Negotiate* (Nova York: Penguin, 2006).

6. IDENTIFIQUE O SISTEMA DE RELACIONAMENTO [pp. 163-90]

1 Entrevista concedida por John Gottman a Randall C. Wyatt, em 2001, no site Psychotherapy.net. Disponível em: <www.psychotherapy.net/interview/john-gottman>. Acesso em: 22 out. 2015.

2 Sobre sistemas de relacionamento empresarial, ver Diana McLain Smith, *The Elephant in the Room: How Relationships Make or Break the Success of Leaders and Organizations* (San Francisco: Jossey-Bass, 2011).

3 Peter M. Senge, *Fifth Discipline Fieldbook: Strategies and Tools for Building a Learning Organization*. Nova York: Crown Business, 1994. "Accidental Adversaries", de Jennifer Kemeny, com base em seu trabalho da década de 1980, é referido nas páginas 145-8.

4 Robert Ricigliano examinou o valor de usar uma perspectiva de sistemas no conflito. Ver Robert Ricigliano, *Making Peace Last: A Toolbox for Sustainable Peacebuilding* (Boulder: Paradigm, 2012).

5 Daniel Kim et al. "Archetype 1: 'Fixes That Backfire'". In: SENGE, Peter M. *The Fifth Discipline Fieldbook: Strategies and Tools for Building a Learning Organization*. Nova York: Crown Business, 1994.

7. SAIBA COMO SEU CIRCUITO E SEU TEMPERAMENTO AFETAM SUA HISTÓRIA [pp. 193-216]

1 Nossos mais profundos agradecimentos à neuropsicóloga dra. Cate Fortier pela revisão deste material e à dra. Robin Weatherill por suas ideias e acompanhamento.

2 Para um texto clássico sobre a ideia de adaptabilidade e bem-estar subjetivo, ver P. Brickman e D. T. Campbell, "Hedonic Relativism and Planning the Good Society", em M. H. Appley (Org.), *Adaptation-Level Theory* (Nova York: Academic Press, 1971, pp. 287-305). A adaptabilidade também é chamada na literatura de "teoria do ponto de ajuste", "esteira hedonista" e "teoria da adaptabilidade".

3 D. Lykken e A. Tellegen, "Happiness Is a Stochastic Phenomenon". *Psychological Science*, n. 7, pp. 186-9, 1996. Lykken sugere que 50% a 80% podem ser genéticos; outros estudos sugerem algo mais próximo de 50%. Ver S. Lyubomirsky; K. Sheldon e

D. Schkade, "Pursuing Happiness: The Architecture of Sustainable Change" (*Review of General Psychology*, Washington, v. 9, n. 2, pp. 111-31, 2005).

4   Piece compara ganhadores de loteria e pessoas com lesão na coluna vertebral: P. Brickman; D. Coates e R. Janoff-Bulman, "Lottery Winners and Accident Victims: Is Happiness Relative?" (*Journal of Personality and Social Psychology*, Washington, v. 36, pp. 917-27, 1978).

5   Numerosos pesquisadores sugerem que as pessoas felizes reagem com mais força a estímulos prazerosos e as infelizes reagem com mais força a estímulos desagradáveis. Ver R. J. Larsen e T. Ketelaar, "Personality and Susceptibility to Positive and Negative Emotional States" (*Journal of Personality and Social Psychology*, Washington, v. 61, pp. 132-40, 1991).

6   Para uma visão geral do trabalho de Jerome Kagan, ver Robin Marantz Henig, "Understanding the Anxious Mind" (*The New York Times*, 29 set. 2009). Ver também Jerome Kagan e Nancy Snidman, *The Long Shadow of Temperament* (Cambridge: Belknap, 2009).

7   C. E. Schwartz et al., "Structural Differences in Adult Orbital and Ventromedial Prefrontal Cortex Predicted by Infant Temperament at 4 Months of Age". *Archives of General Psychiatry*, v. 67, n. 1, pp. 78-84, jan. 2010.

8   Jonathan Haidt, *The Happiness Hypothesis: Finding Modern Truth in Ancient Wisdom*. Nova York: Basic Books, 2006, p. 29.

9   Acredita-se que o sistema límbico tenha evoluído a partir dos primeiros mamíferos, há mais de 100 milhões de anos. Para uma excelente visão geral da evolução cerebral, ver "The Evolutionary Layers of the Human Brain". Disponível em: <thebrain.mcgill. ca/flash/d/d_05/d_05_cr/d_05_cr_her/d_05_cr_her.html>. Acesso em: 22 out. 2015.

10 Richard J. Davidson e Sharon Begley, *The Emotional Life of Your Brain: How Its Unique Patterns Affect the Way You Think, Feel, and Live — And How You Can Change Them*. Nova York: Hudson Street Press, 2002, pp. 41, 69.

11 Ibid., pp. 24-39.

12 Em 2012, uma análise de exames de ressonância magnética funcional e tomografias por emissão de pósitrons realizadas entre 1990 e 2007 concluiu que a teoria "situacional" das emoções é menos provável que a teoria "conceitual", segundo a qual diferentes partes do cérebro estão envolvidas na interpretação de emoções e acontecimentos. Ver K. Lindquist et al., "The Brain Basis of Emotion: A Meta-Analytic Review" (*Behavioral Brain Sciences*, v. 35, pp. 121-43, 2012).

13 Dois estudos seminais: R. J. Davidson, "What Does the Prefrontal Cortex 'Do' in Affect: Perspectives in Frontal EEG Asymmetry Research" (*Biological Psychology*, v. 67, pp. 219-34, 2004). Sobre as diferenças na matéria branca, ver M. J. Kim e P. J. Whalen, "The Structural Integrity of an Amygdala-Prefrontal Pathway Predicts Trait Anxiety" (*Journal of Neuroscience*, v. 29, pp. 11 614-8, 2009).

14 Em *The Resilience Factor: 7 Keys to Finding Your Inner Strength and Overcoming Life's Hurdles* (Nova York: Broadway Books, 2002), Karen Reivich e Andrew Shatté dizem que a resiliência tem quatro utilidades — superar obstáculos na infância, admi-

nistrar as frustrações da vida cotidiana, reagir a grandes adversidades e procurar conquistar tudo o que for possível. Estamos aqui usando o conceito em seu sentido biológico, mas sua influência se estende a todos os campos, questão a que nos referimos em vários momentos ao longo de todo o livro.

15 Davidson e Begley, op. cit, pp. 83-5.

16 Richard Davidson criou questionários que podem ajudar o leitor a compreender seu perfil tanto no que se refere ao tempo que leva para se recuperar de sentimentos negativos quanto à sua capacidade de sustentar sentimentos positivos. Ver Davidson e Begley, op. cit, pp. 46-9.

17 Ver S. Lyubomirsky; K. Sheldon e D. Schkade, "Pursuing Happiness: The Architecture of Sustainable Change" (*Review of General Psychology*, Washington, v. 9, n. 2, pp. 111-31, 2005). Ver também Martin E. P. Seligman, *Flourish: A Visionary New Understanding of Happiness and Well-being* (Nova York: Atria Books, 2012, pp. 157, 159).

18 Ibid., pp. 157, 159.

19 Mihaly Csikszentmihalyi, *Flow: The Psychology of Optimal Experience*. Nova York: Harper Perennial, 2008.

20 Haidt, op. cit., pp. 30-1.

21 Variantes do que chamamos "bola de neve" também são chamadas de *catastrofização*. Ver David D. Burns, *Feeling Good* (Nova York: Harper, 2009, p. 42). Chris Argyris refere-se ao fenômeno como "zoom da fatalidade" no artigo "Teaching Smart People How to Learn" (*Harvard Business Review*, Cambridge, p. 104, maio/jun. 1991).

8. DESFAÇA AS DISTORÇÕES [pp. 217-40]

1 Nossas ideias sobre a relação entre pensamentos, sentimentos e história, e sobre como "conter o feedback" se formaram a partir de obras na área da terapia cognitiva e narrativa. Ver, por exemplo, Martin E. P. Seligman, *Authentic Happiness: Using the New Positive Psychology to Realize Your Potential for Lasting Fulfillment* (Nova York: Atria Books, 2004); Aaron T. Beck, *Love Is Never Enough: How Couples Can Overcome Misunderstandings, Resolve Conflicts, and Solve Relationship Problems Through Cognitive Therapy* (Nova York: Harper Perennial, 1989); e Michael White e Michael Epstein, *Narrative Means to Therapeutic Ends* (Nova York: W. W. Norton & Company, 1990).

2 Daniel Gilbert, *Stumbling on Happiness*. Nova York: Vintage, 2007, p. 167. [Ed. bras: *O que nos faz felizes*. Rio de Janeiro: Campus/ Elsevier, 2010.]

3 A tendência a superestimar à medida que somos objeto da atenção dos outros chama-se "efeito holofote" ou egocentrismo. Para mais informações sobre o efeito holofote, ver Thomas Gilovich e Kenneth Savitsky, "The Spotlight Effect and the Illusion of Transparency: Egocentric Assessments of How We Are Seen by Others" (*Current Directions in Psychological Science*, v. 8, n. 6, dez. 1999).

9. CULTIVE UMA IDENTIDADE DE CRESCIMENTO [pp. 241-69]

1   Há indícios de que nas culturas ocidentais — americana e europeia — o eu seja definido por traços predominantemente abstratos (*sou honesto, sou inteligente*), ao passo que as culturas asiáticas — chinesa, coreana, indiana — recorrem mais a termos contextuais e relacionais (*sou estudante, sou irmão*). Para mais informações sobre diferenças culturais em autoconceito e caráter, ver Incheol Choi; Richard E. Nisbett e Ara Norenzayan, "Causal Attribution Across Cultures: Variation and Universality" (*Psychological Bulletin*, v. 125, n. 1, pp. 47-63, 1999).

2   Leon Festinger foi quem propôs a ideia de que nos avaliamos por meio de confronto com nossos pares, a chamada *teoria da comparação social*. Ver L. Festinger, "A Theory of Social Comparison Processes" (*Human Relations*, London, v. 7, pp. 117-40, 1954).

3   Esta observação foi feita por nosso colega Jeffrey Kerr numa conversa.

4   Carol S. Dweck, *Mindset: The New Psychology of Success*. Nova York: Ballantine Books, 2006, p. 3.

5   Ibid., p. 4.

6   Ibid.

7   Ibid., p. 11. Dweck fala da pesquisa feita com Joyce Ehrlinger.

8   Jennifer A. Mangels et al., "Why Do Beliefs About Intelligence Influence Learning Success? A Social Cognitive Neuroscience Model". *Soc. Cogn. Affect Neurosci*, v. 1, n. 2, pp. 75-86, set. 2006.

9   Carol S. Dweck, "Brainology: Transforming Students' Motivation to Learn". *NAIS Independent Schools Magazine*, inverno 2008. Disponível em: <www.nais.org/Magazines-Newsletters/ISMagazine/Pages/Brainology.aspx>. Acesso em: 18 set. 2013. O artigo contém um bom sumário das pesquisas essenciais sobre as reações ao esforço ou fracasso da mentalidade fixa e da mentalidade de crescimento.

10 Este quadro de identidade é uma adaptação do quadro de Dweck em *Mindset*, op. cit., p. 245.

11 A capacidade de distinguir exame e julgamento pode ajudar a explicar por que pessoas de mentalidade fixa são notoriamente fracas na avaliação de suas próprias capacidades. As pessoas de mentalidade de crescimento avaliam com maior exatidão suas capacidades em cada momento, talvez porque não tenham a mesma inclinação ao julgamento sobre a situação em que se encontram. Essa situação é apenas uma parada no caminho para outro destino.

10. ATÉ QUE PONTO TENHO DE SER BOM? [pp. 273-96]

1   Anne Lamott, *Bird by Bird: Some Instructions on Writing and Life*. Nova York: Pantheon, 1994, p. 44.

2   Para boas sugestões sobre como dizer não, ver: William Ury, *The Power of a Positive No: Save the Deal, Save the Relationship and Still Say No*. Nova York: Bantam, 2007.

11. NAVEGUE PELA CONVERSA [pp. 297-330]

1   O primeiro curta a usar animação de computador e quadros-chave foi *La Faim/ Hunger* (1974). Agradecemos a John Hughes e Pauline Ts'o da Rhythm & Hues por nos mostrar como funciona a animação de computador.

2   Jared R. Curhan e Alex Pentland, "Thin Slices of Negotiation: Predicting Outcomes from Conversational Dynamics Within the First 5 Minutes". *Journal of Applied Psychology*, Washington, v. 92, n. 3, pp. 802-11, 2007.

3   John Gottman e Nan Silver, *Seven Principles for Making Marriage Work*. Nova York: Three Rivers Press, 2000, pp. 22, 27, 39-40. Ver também J. M. Gottman e R. W. Levenson, "Marital Processes Predictive of Later Dissolution: Behavior, Physiology, and Health" (*Journal of Personality and Social Psychology*, Washington, v. 63, pp. 221-33, 1992); e J. M. Gottman e C. I. Notarius, "Decade Review: Observing Marital Interaction" (*Journal of Marriage and the Family*, Mineápolis, v. 62, pp. 927-47, 2000).

4   T. Singer et al., "Empathy for Pain Involves the Affective but Not Sensory Components of Pain". *Science*, v. 33, n. 5661, pp. 1157-62, 20 fev. 2004. Observar a dor de outra pessoa não ativa a "matriz da dor" completa, apenas a parte do cérebro associada a suas funções afetivas (ínsula anterior bilateral, córtex cingulado anterior rostral, tronco cerebral e cerebelo), mas não a funções sensoriais (ínsula posterior/ córtex somatossensorial secundário, córtex sensório-motor e córtex cingulado anterior caudal). Você não sente dor física, mas sente as emoções relacionadas à dor física. Em tempo: as pessoas com alta pontuação em dois questionários de empatia também tinham maior atividade cerebral de neurônios-espelho.

5   T. Singer et al., "Empathic Neural Responses Are Modulated by the Perceived Fairness of Others". *Nature*, n. 439, pp. 466-69, 26 jan. 2006. Curiosamente, os homens foram os que mais apresentaram reação de vingança; ainda não se sabe ao certo se isso se verifica em geral ou é função daquele grupo específico.

6   A interpretação da interrupção varia de cultura para cultura. Se você estiver numa cultura com regras implícitas ou explícitas contra a interrupção (não se interrompe um superior ou uma pessoa mais velha, por exemplo), deve tomar nota dos pontos principais e de suas perguntas enquanto ouve, demonstrando que está anotando para entender melhor o que está sendo dito. Depois que o orador termina, você pode fazer suas perguntas na hora e no lugar adequados. O objetivo é ser respeitoso e interessado, além de trabalhar juntos para esclarecer o feedback. A linguista Deborah Tannen faz uma interessante exposição sobre cultura e interrupção em *Conversational Style: Analyzing Talk Among Friends* (Oxford: Oxford University Press, 2005).

7   Roger Fisher; William Ury e Bruce Patton, *Getting to Yes: Negotiating Agreement Without Giving In*. 3. ed. Nova York: Penguin, 2011. [Ed. bras.: *Como chegar ao sim: Como negociar acordos sem fazer concessões*. Rio de Janeiro: Imago, 2014.] Para uma aplicação dessas ideias — em especial ao direito e aos negócios —, ver Robert H. Mnookin; Scott R. Peppet e Andrew S. Tulumello, *Beyond Winning: Negotiating to Create Value in Deals and Disputes* (Cambridge: Belknap Press, 2004); e David A. Lax

e James K. Sebenius, *3-D Negotiation: Powerful Tools to Change the Game in Your Most Important Deals* (Cambridge: Harvard Business Review Press, 2006). [Ed. bras.: *Negociação 3-D: Ferramentas poderosas para modificar o jogo nas suas negociações*. Porto Alegre: Bookman, 2008.]

12. DÊ A PARTIDA [pp. 331-71]

1   Ver este estudo original em R. F. Baumeister et al., "Ego Depletion: Is the Active Self a Limited Resource?" (*Journal of Personality and Social Psychology*, Washington, v. 74, n. 5, pp. 1252-65, 1998). Os participantes aos quais se pediu que se abstivessem de biscoitos comeram rabanetes. Os que comeram biscoitos tiveram uma média de 34,29 tentativas e persistiram durante 18,9 minutos; os que comeram rabanetes fizeram em média 19,4 tentativas e persistiram durante 8,35 minutos. É legítimo supor que a maior ingestão de açúcar e a consequente elevação da taxa de glicose no sangue devem ter aumentado a energia dos que comeram biscoitos. Os pesquisadores não encontraram uma correlação entre as taxas de glicose e a força de vontade. Para uma discussão mais ampla sobre força de vontade, ver Roy Baumeister e John Tierney, *Willpower: Rediscovering the Greatest Human Strenght* (Nova York: Penguin, 2012).

2   Atul Gawande, "Personal Best". *The New Yorker*, 3 out. 2011.

3   Chuck Leddy, "Coaching Tips from Gawande: Surgeon-Author Sees Gain for Teachers in On-the-Job Guidance". *Harvard Gazette*, 25 out. 2012.

4   T. C. Schelling, "Egonomics, or the Art of Self-Management". *American Economic Review*, v. 68, pp. 290-4, 1978. Ver também T. C. Schelling, *Strategy of Conflict* (Cambridge: Harvard University Press, 1981).

5   Nick Paumgarten, "Master of Play". *The New Yorker*, 20 dez. 2010.

6   O termo "gamificação" foi cunhado por Nick Pelling em 2002. O conceito ganhou curso por volta de 2010, quando seus princípios passaram a ser usados pelo mundo empresarial para aumentar a fidelidade e o compromisso do cliente. A Wikipédia usou-o para aumentar as contribuições (em 64%!) e a educação passou a empregá-lo para buscar meios de aumentar a participação dos alunos na aprendizagem. O movimento tem também críticos ferozes. Ver a postagem de Ben Betts no site ATD (disponível em: <www.astd.org/Publications/Blogs/Learning-Technologies-Blog/2013/03/Gamification-Meet-Gamefulness>, acesso em: 22 out. 2015). E, para uma crítica mais geral, Alfie Kohn, *Punished by Rewards: The Trouble with Gold Stars, Incentive Plans, A's, Praise and Other Bribes* (Nova York: Mariner, 1999).

7   Para uma abordagem um pouco diversa, ver Seth Godin, *The Dip: A Little Book That Teaches You When to Quit (and When to Stick)* (Nova York: Portfolio Hardcover, 2007).

8   Para um panorama geral do comportamento de busca pelo feedback, ver Michiel Crommelinck e Frederick Anseel, "Understanding and Encouraging Feedback-Seeking Behaviour: A Literature Review" (*Medical Education*, n. 47, pp. 232-41, 2013). A re-

lação entre a busca pelo feedback negativo e as análises de desempenho é detalhada em Chen; Lam e Zhong, op. cit., pp. 202-12; e Ashford e Tsui, op. cit., pp. 251-80.

13. TRABALHE EM CONJUNTO [pp. 373-96]

1   *Results of the 2010 Study on the State of Performance Management*, da Sibson Consulting and World at Work, entrevistou 750 profissionais de RH no outono de 2010. Só 20% dos entrevistados dizem que, quando o desempenho corporativo é medíocre, os índices individuais caem, o que indica pouca correlação entre o desempenho individual e o organizacional. E apenas 40% disseram que seus chefes baseiam o gerenciamento de desempenho em avaliação e orientação de relatórios diretos. Disponível em: <www.sibson.com/publications/surveysandstudies/2010SPM.pdf>. Acesso em: 22 out. 2015.

2   Susan M. Heathfield, "Performance Appraisals Don't Work". *Human Resources*. Disponível em: <www.humanresources.about.com/od/performanceevals/a/perf_appraisal.htm>. Acesso em: fev. 2013.

3   Brené Brown, de sua apresentação na Conferência para o Desenvolvimento da Liderança do Linkage Global Institute, em Palm Desert, Califórnia, em outubro de 2012.

4   Grote, Dick. "The Myth of Performance Metrics". In: *Harvard Business Review*, Cambridge, 12 set. 2011. Disponível em: <www.blogs.hbr.org/cs/2011/09/the_myth_of_performance_metric>. Grote é autor de *How to Be Good at Performance Appraisals: Simple, Efective, Done Right*. Cambridge: Harvard Business Review Press, 2011.

5   *Results of the 2010 Study on the State of Performance Management*, op. cit., p. 4. Quando perguntados sobre quem são os maiores agentes do gerenciamento de desempenho, 73% dos entrevistados responderam que é o mais alto executivo de RH e 30% disseram que é o CEO (o total excede 100% porque os entrevistados puderam escolher mais de uma resposta).

6   Ibid., p. 5.

7   Para um exame em profundidade da segurança psicológica no local de trabalho, ver Amy Edmondson, *Teaming: How Organizations Learn, Innovate, and Compete in the Knowledge Economy* (San Francisco: Jossey-Bass, 2012).

8   Para análise e aconselhamento sobre reconhecimento no local de trabalho, ver Gary Chapman e Paul White, *The 5 Languages of Appreciation in the Workplace: Empowering Organizations by Encouraging People* (Chicago: Northfield, 2011).

9   O conceito de diplomacia paralela é apresentado em William D. Davidson e Joseph V. Montville, "Foreign Policy According to Freud" (*Foreign Policy*, v. 45, pp. 145-57, inverno 1981-2). Esses princípios constituem a essência filosófica do trabalho realizado atualmente pelo Institute for Multi-Track Diplomacy, fundado por John W. McDonald e Louise Diamond.

10 Robert Cialdini, *Influence: The Psychology of Persuasion*. Nova York: HarperBusiness, 2006.

MAPA DE NAVEGAÇÃO

Introdução
Da pressão ao impulso 9

O que se entende por feedback? 14
Uma breve história do feedback, 15
Impulsionar é melhor do que pressionar 16
A tensão entre aprender e ser aceito 17
As vantagens de receber bem 18
À procura do pônei 19

O DESAFIO DO FEEDBACK 23

1. Três gatilhos
O que bloqueia o feedback 25

Três gatilhos de feedback 28
Por que ficamos exasperados e o que fazer a respeito 30
   1. Gatilhos de verdade: o feedback é errado, injusto ou inútil 30
      Separe reconhecimento, orientação e avaliação 30
      Entenda antes de mais nada 30

Enxergue seus pontos cegos 32

2. *Gatilhos de relacionamento: quem* você *pensa que é para me dizer isso?* 34

Não distorça: separe *o que* de *quem* 34

Identifique o sistema de relacionamento 35

3. *Gatilhos de identidade: o feedback é ameaçador e me desestabiliza* 36

Saiba como seu circuito e seu temperamento afetam sua história 36

Desarme as distorções 37

Cultive uma identidade de crescimento 37

GATILHOS DE VERDADE: A DIFICULDADE DE *VER* 43

2. Separe reconhecimento, orientação e avaliação 45

Um pai, duas reações 47

Os três tipos de feedback 48

Reconhecimento 50

Orientação 50

Avaliação 51

Precisamos dos três 54

A falta de avaliação 55

A falta de reconhecimento 56

A falta de orientação 58

Cuidado com as linhas cruzadas 59

Uma complicação: sempre há avaliação na orientação 61

O que pode ajudar? 63

Mantenha o alinhamento: entenda e discuta o objetivo 63

Separe avaliação de orientação e reconhecimento 64

3. Entenda antes de mais nada

Troque o "Isso está errado" por "Explique melhor" 67

Somos bons para detectar erros 70

A primeira tarefa é entender 71

O feedback chega com rótulos genéricos 71
Emissor e receptor interpretam o rótulo de maneiras diferentes 74
    Brinque de "Encontre o rótulo" 76
O que há sob o rótulo? 76
    De onde vem e para onde vai 77
Pergunte de onde vem o feedback 78
    Eles observam os dados 78
    Eles interpretam os dados 79
    Eles confundem dados com interpretação (todos nós fazemos isso) 80
Pergunte para onde vai o feedback 81
    Ao receber orientação: esclareça o conselho 82
    Ao receber avaliação: esclareça consequências e expectativas 84
Deixe de detectar erros para detectar diferenças 86
Dados diferentes 87
    A aquisição tendenciosa de dados 89
Diferenças de interpretação 90
    Regras implícitas 91
    Heróis e vilões 92
Pergunte: o que é certo? 93
Quando vocês ainda discordam 96
"Por que o feedback não pode ser simplesmente objetivo?" 97
Uma conversa com comentário 98
A preparação de Paul: mentalidade e objetivos 99
A conversa 99

4. Enxergue seus pontos cegos
Descubra como você é visto 105

O mapa do abismo 109
Pontos cegos comportamentais 111
    O rosto que se entrega 112
    A voz que se entrega 114
    O padrão que se entrega 115
    Linguagem corporal nos e-mails 116

Eles podem ver exatamente o que estamos tentando ocultar 117

Três amplificadores de pontos cegos 117

Amplificador 1: a matemática emocional 117

Amplificador 2: situação versus caráter 119

Amplificador 3: impressão versus intenção 120

Resultado: nosso eu (geralmente positivo) 122

Conspiramos para nos manter reciprocamente no escuro 122

O que pode nos ajudar a ver nossos pontos cegos? 123

Use suas reações como alerta de pontos cegos 123

Pergunte: o que está me atrapalhando? 124

Procure padrões 124

Peça uma segunda opinião 125

Espelhos complacentes versus espelhos francos 126

Faça registros de si mesmo 127

Foque na mudança de dentro para fora 129

Tenha um objetivo 130

GATILHOS DE RELACIONAMENTO: O DESAFIO DO *NÓS* 133

5. Não entre pelo desvio

Separar o que *de* quem 137

Gatilhos de relacionamento criam conversas desviadas 140

O desvio derrota o feedback 142

O desvio silencioso pode ser pior 142

Dois gatilhos de relacionamento 143

O que pensamos sobre *o emissor* 143

Competência ou capacidade de julgamento: como, quando e onde dar feedback 144

Credibilidade: ele não sabe do que está falando 144

Confiança: os motivos dele são suspeitos 146

Jogadores-surpresa 148

Estranhos 148

Aqueles de quem você menos gosta e que são menos parecidos com você 149

Como nos sentimos tratados por eles 150
   Reconhecimento 150
   Autonomia 151
   Aceitação 152
Gatilhos de relacionamento: o que dá certo? 154
   Detecte os dois assuntos 155
   Dê a cada assunto seu próprio rumo 156
      Sinalização 156
   Ouça as questões de relacionamento procurando o que há por trás do "conselho" 158
Louie e Kim: escolha os dois 161

6. Identifique o sistema de relacionamento
Dê três passos atrás 163

Quem é o problema e quem precisa mudar? 166
Veja o sistema de relacionamento 166
Dê três passos atrás 168
   Um passo atrás: intersecções entre mim e você 169
   Dois passos atrás: confronto de papéis e adversários acidentais 172
   Três passos atrás: a visão global (outros atores, processos, políticas e estruturas) 174
O feedback através de uma ótica de sistemas 177
As vantagens de uma ótica de sistemas 180
   É mais exata 180
   Afasta juízos desnecessários 180
   Reforça a responsabilidade 181
   Ajuda a corrigir a tendência de desviar ou assimilar 183
      Absorvedores de culpa: é tudo por minha causa 183
      Desviadores de culpa: não tenho nada a ver com isso 184
   Isso nos ajuda a evitar um "Corrija aquele erro" 185
Falando de sistemas 187
   Fique de olho 187
   Assuma a sua parte de responsabilidade 187
   "Isto é o que poderia me ajudar a mudar" 188

Procure temas: seria esta uma intersecção eu + todos? 188
Use o sistema para apoiar a mudança (não para coibi-la) 189

GATILHOS DE IDENTIDADE: O DESAFIO DO *EU* 191

7. Saiba como seu circuito e seu temperamento afetam sua história 193

A libertação de um circuito complicado 196
Uma olhada para os bastidores do (seu) feedback 197
    1. Linha de base: o começo e o fim do arco 199
    2. Oscilação: até onde você vai para cima e para baixo 200
        Mau é mais forte que bom 201
    3. Sustentação e recuperação: quanto tempo dura a oscilação? 202
        Recuperação negativa: de direita ou de esquerda? 203
        Como sustentar sentimentos positivos 205
        Quatro combinações de sustentação/ recuperação 207
O circuito é só uma parte da história 208
Quarenta, o número mágico 208
As emoções distorcem nossa percepção do feedback 209
Nossas histórias têm uma trilha sonora emocional 210
Pensamentos + sentimentos = história 210
Como os sentimentos exageram o feedback 212
Nosso passado: a tendência Google 212
Nosso presente: não uma coisinha só, tudo 214
Nosso futuro: a tendência de eternizar e formar uma bola de neve 214

8. Desfaça as distorções
Veja o feedback em "tamanho real" 217

Seth tira férias relaxantes 219
Cinco maneiras de desfazer distorções 221
    1. Esteja preparado, esteja atento 221
        Conheça as marcas deixadas pelo seu feedback 222
        Vacine-se contra o pior 223
        Observe o que está acontecendo 224

2. Desate os nós: sentimento/ história/ feedback 224
    Nossas histórias brigam com o passado 226
3. Contenha a história 227
    Use um Quadro de Contenção do Feedback 228
    Trace uma Imagem de Equilíbrio 229
    Dimensione corretamente as futuras consequências 231
4. Mude seu ponto de observação 232
    Ponha-se no lugar de um observador 233
    Ponha-se no futuro e olhe para trás 234
    Procure a comédia 234
5. Admita que não pode controlar o modo como é visto pelos outros 235
    Tenha dó dele 236
Quando a vida fica difícil 237
    Afogar-se 237
    Peça ajuda 238

9. Cultive uma identidade de crescimento
Classifique como orientação 241

O feedback pode abalar nossa ideia de quem somos 243
    Identidade: a história do nosso eu 244
Sua identidade é frágil ou robusta? 245
Abandone rótulos simples e cultive a complexidade 246
    Deixá-lo de fora ou fazê-lo entrar? 247
    Adote nuances de identidade 248
    Três coisas a aceitar em você 250
        Você vai cometer erros 250
        Você tem intenções complexas 251
        Você contribuiu para o problema 251
    Você sempre foi complicado 252
Mude a mentalidade fixa para uma mentalidade de crescimento 252
    Crianças como quebra-cabeças 253
    Pressupostos fixos versus pressupostos de crescimento 254
    Mas algumas características não são mesmo fixas? 255
    Implicações de como reagimos ao feedback e aos desafios 255

A exatidão da autopercepção 255
Como ouvimos o feedback 256
O modo como reagimos ao esforço pode criar profecias fadadas a se confirmar 257
O contexto tem sua importância 257
Mude para uma identidade de crescimento 258
Procedimento nº 1: classifique como orientação 260
Ouça a orientação como orientação 261
Quando orientação e avaliação se misturam 263
Procedimento nº 2: tire o julgamento do cesto da avaliação 264
Procedimento nº 3: conceda-se uma "segunda contagem" 265

FEEDBACK NA CONVERSA 271

10. Até que ponto tenho de ser bom?
Ponha limites quando o bastante já é o bastante 273

Encontrar limites, fixar limites 276
Três limites 277
1. Posso não aceitar seu conselho 277
2. Não quero feedback sobre esse assunto, pelo menos não agora 278
3. Pare com isso ou ponho um fim no relacionamento 278
Como saber se os limites são necessários? 278
Ele atacou seu caráter ou apenas seu comportamento? 279
O feedback é inflexível? 279
Quando você muda de atitude, há sempre mais alguma exigência? 279
O emissor do feedback toma o relacionamento como refém? 280
Ele está dando avisos ou fazendo ameaças? 280
É sempre você quem tem de mudar? 281
Suas opiniões e seus sentimentos fazem parte legítima do relacionamento? 282
Onde os limites ajudam: alguns modelos comuns de relacionamento 282
A crítica constante 282
Relações de amor e ódio 283
Relações de renovação 284

Espere aí, então isso quer dizer que...? 285

Dispense o feedback com dignidade e franqueza 286

Seja transparente: diga tudo 286

Seja firme (e agradecido) 287

Redirecione a orientação inútil 288

Use o "e" 288

Seja específico sobre o que pretende 290

Enumere as consequências 292

Você tem o dever de minimizar o preço que os outros pagam 293

Pergunte a respeito e reconheça o impacto sobre os demais 293

Prepare-os para lidar com seu "eu sem mudanças" 294

Problema se resolve junto 294

11. Navegue pela conversa 297

Quadros-chave numa conversa 299

O arco da conversa: abertura, corpo, fechamento 300

Comece pelo alinhamento 300

Esclareça objetivos, verifique status 301

1. Isto é feedback? Em caso positivo, de que tipo? 301

2. Quem decide? 302

3. É definitivo ou negociável? 303

Você pode influenciar o contexto e a pauta 303

Corpo: quatro técnicas para administrar a conversa 304

Ouça o que está certo (e por que ele vê as coisas de outro modo) 305

Sua voz interna é essencial 305

De secretária a guarda-costas 306

Quando a empatia acaba 306

O que ajuda? Ouvir com um objetivo 308

Prepare-se para ouvir 308

Encontre os padrões de gatilho 309

E depois negocie 309

O segundo objetivo de ouvir: mostrar que você está ouvindo 312

Cuidado com a interpelação incandescente 313

Afirme o que fica de fora 314

Mude de "Tenho razão" para "Isto ficou de fora" 314
Erros de afirmação mais comuns 315
 Erros de verdade 315
 Erros de relacionamento 316
 Erros de identidade 316
Seja o juiz de seu próprio processo 317
 Movimentos do processo: diagnostique, descreva, proponha 318
Solucione problemas para criar possibilidades 320
 Crie possibilidades 320
 Procure os interesses subjacentes 321
  Três fontes de interesse por trás do feedback 322
 Gere opções 323
Feche com um compromisso 324
Junte as peças: uma conversa em andamento 325
 Uma conversa de avaliação sobre notas de classificação e gratificação 326
  Primeira versão 326
  Segunda versão 327
  Terceira versão 327
  Quarta versão: uma conversa mais hábil 328

12. Dê a partida
Cinco modos de agir 331

Mencione uma coisa 333
 Pergunte: "O que venho fazendo que está me atrapalhando?" 334
 Ouça por temas 335
 Pergunte o que é importante para ele 337
Tente pequenas experiências 337
 Não decida, experimente 339
  Vista a carapuça 339
  Tire a carapuça 340
  Você pode ter uma surpresa 341
 Não é tudo-e-sempre 342

Fique firme na curva J 343
  Dois para uma decisão 343
  Aumente o apelo positivo da mudança 344
    Compartilhe 345
    Conte pontos 346
  Aumente o preço de não mudar 348
    Amarre-se ao mastro 348
    Identifique a curva J 348
Oriente seu orientador 351
  O que "orientar o orientador" não significa 352
  Fale sobre "feedback e você" 353
  Discuta preferências, papéis e expectativas mútuas 354
  Hierarquia e confiança 357
  Não vire um fanático do "me-dá-um-feedback-aí" 358
  Seu orientador pode ajudar você a entrar em sintonia 359
  Quando a pessoa a ser orientada é o chefe 360
Convide-os para entrar 362
  Um bom ouvinte pede feedback 363
  Um conselheiro frustrado desabafa 364
  Feedback perfeito para a pessoa perfeita 365
  Espelhos deformantes 367
    Triangulamos em busca de consolo, mas não de orientação 368
    Hank tem um palpite 368
    Faça duas listas para se manter nos trilhos 370

13. Trabalhe em conjunto
Feedback nas organizações 373

Não existem sistemas de feedback perfeitos 376
  Ruim com ele, pior sem ele 378
O que a liderança e o RH podem fazer 380
  1. Não se limite a anunciar os benefícios: explique os dilemas 380
  2. Separe reconhecimento, orientação e avaliação 384
  3. Promova uma cultura de aprendizado 386
    Destaque casos de aprendizado 387

Cultive identidades de crescimento 388
Discuta a segunda contagem 389
Crie feedbacks paralelos 389
Incentive a normalização social 390
O que os líderes de equipe e emissores de feedback podem fazer 391
1. *Seja o modelo de aprendizado, peça orientação* 391
2. *Como emissor, administre a mentalidade e a identidade* 392
3. *Esteja ciente de que as diferenças individuais se chocam nas organizações* 394
O que os receptores podem fazer 395

TIPOGRAFIA Arnhem Blond
DIAGRAMAÇÃO acomte
PAPEL Pólen, Suzano S.A.
IMPRESSÃO Gráfica Santa Marta, maio de 2024

A marca FSC® é a garantia de que a madeira utilizada na fabricação do papel deste livro provém de florestas que foram gerenciadas de maneira ambientalmente correta, socialmente justa e economicamente viável, além de outras fontes de origem controlada.